Дженни КОЛГАН

Шоколадная лавка в Париже

Издательство «Иностранка»
МОСКВА

УДК 821.111
ББК 84(4Вел)-44
К60

Jenny Colgan
THE LOVELIEST CHOCOLATE SHOP IN PARIS
Copyright © 2013 by Jenny Colgan
This edition is published by arrangement with Conville
& Walsh UK and Synopsis Literary Agency

Перевод с английского Анны Осиповой

Оформление обложки Виктории Манацковой

Издание подготовлено при участии издательства «Азбука».

ISBN 978-5-389-17998-1

Название в точности отражает содержание! Если любите шоколад и Париж (или надеетесь когда-нибудь полюбить. Не волнуйтесь, вы непременно там побываете. А город сильно не меняется)... то эта книга написана для вас.

Дженни Колган

От автора

В Париже много чудесных шоколадных лавок. Моя любимая — «Патрик Роже» на улице Фобур-Сен-Оноре. Очень рекомендую там побывать и отведать горячего шоколада, в какое бы время года вы ни приехали. Хозяина лавки, как нетрудно догадаться, зовут Патрик. У него кудрявые волосы, в глазах играют озорные искорки, и вообще вид у него очень хитрый.

В книге рассказывается не о какой-то конкретной шоколадной лавке. Скорее она иллюстрирует общее правило: когда люди посвящают жизнь делу, по-настоящему любимому и хорошо изученному, с ними происходят настоящие чудеса.

Говорят, что причина нашей любви к шоколаду в том, что он тает ровно при той температуре, которая поддерживается у нас во рту. Ученые еще рассуждают о выбросах эндорфина и тому подобном. Все это химические причины, но какими бы ни были объяснения, шоколад — штука замечательная.

Надо заметить, сладкое любят не только женщины. Не могу незаметно пронести в дом даже пакетик шоколадного печенья: муж обязательно учует и съест. Поэтому включила в эту книгу несколько очень вкусных рецептов. Хочу надеяться, что в более зрелые годы смогу

6

готовить десерты с шоколадом, а не поглощать его, как только обнаружу дома или в машине.

Некоторое время назад мы переехали во Францию по работе мужа. С удивлением я узнала, что здесь к шоколаду относятся так же серьезно, как и к любой другой пище. «La Maison du Chocolat» — очень престижная сеть. Ее магазины есть в большинстве городов. Там можно обсудить с шоколатье, что именно вам нужно и что еще вы собираетесь подавать к столу. Это все равно что советоваться по поводу вина с сомелье. Но лично я ничуть не меньше радуюсь большой плитке «Dairy Milk» или «Toblerone» или моему самому любимому — «Fry's Chocolate Cream» (без начинки). Наслаждаться можно не только деликатесами. Увы, мои дети уже достаточно большие, чтобы понимать, кто ворует у них шоколадки «Киндер». Дети, мне очень жаль, но я просто обязана открыть вам неприятную правду. Это делает ваш папа.

Перед тем как начнем, хочу сказать пару слов об иностранных языках. По моему опыту, учить другой язык ужасно трудно — если вы, конечно, не входите в число тех, кто все схватывает на лету. В таком случае могу сказать только одно (показывает язык): безумно вам завидую.

Обычно, когда герои книг разговаривают на иностранном языке, это каким-то образом обозначается. Но я решила так не делать. Все, с кем Анна общается в Париже, разговаривают с ней по-французски, если не указано обратное. Тут нам с вами остается только восхититься: удивительно! Как же ей удалось так быстро выучить французский? Конечно же, Клэр дала ей много уроков, но если вы когда-нибудь учили иностранный язык, то знаете: можно очень уверенно разговаривать на нем в классе, но стоит приехать в страну, как окажется, что все тараторят со скоростью миллион слов в час. Остается только запаниковать — еще бы, ведь ты не можешь разобрать ни словечка. По крайней мере, со мной было именно так.

В общем, считайте, что у Анны все точно так же. Но чтобы не повторяться и не отвлекаться от истории, опущу все те моменты, когда она спрашивает: «Что вы сказали?», или просит: «Повторите, пожалуйста», или заглядывает в словарь.

Надеюсь, книга вам понравится. Пишите, удалось ли приготовить что-нибудь вкусное по рецептам. И — bon appetit!

Дженни

Глава 1

Вот ведь что странно. Я сразу поняла: случилось что-то плохое. Очень плохое, ужасное, из ряда вон выходящее, чрезвычайно серьезное и при этом крайне унизительное для моего достоинства. И все равно смеялась не переставая. Буквально захлебывалась от смеха.

Вот я лежу на полу, с ног до головы залитая жидким шоколадом, хихикаю как дурочка и не могу остановиться. Надо мной склоняются какие-то люди. Некоторых я узнаю. Но никто, кроме меня, не смеется. Наоборот, все очень серьезны. Почему-то от этого еще смешнее.

— Убирай! — велел кто-то, кого мне с пола было не видно.

— Еще чего! — ответили ему. — Сам убирай! Фу, гадость какая!

А потом еще кто-то — наверное, Флинн, наш новый посыльный на складе, — сказал:

— Сейчас позвоню в девять-один-один.

— Флинн, не валяй дурака! — ответили ему. — Мы что, в Америке? У нас номер службы спасения — девять-девять-девять!

— По-моему, у нас теперь тоже есть номер девять-один-один, — возразил кто-то. — Пришлось завести — всякие придурки вечно пытаются по нему звонить.

Тут кто-то четвертый достал телефон и заявил, что вызывать надо «скорую помощь». Это мне тоже показалось смешным до колик. И тут я безошибочно узнала голос старушки Дэл, нашей ворчливой уборщицы. Она сказала:

— Ну, этот замес только на выброс годится.

Я представила, как шоколад с меня собирают обратно в огромный чан и пытаются продать, и захохотала с новой силой. Это же просто умора!

Потом, слава богу, ничего не помню. Правда, в больнице ко мне подошел фельдшер со «скорой помощи» и сказал, что в машине я ржала как ненормальная. Он, конечно, знает, что люди по-разному реагируют на шок, но чтобы настолько... Тут фельдшер заметил выражение моего лица и прибавил:

— Не расстраивайся, дорогуша, еще посмеешься.

Но в тот момент мне казалось, что я навсегда утратила способность смеяться.

— Дебс, милая, успокойся. Подумаешь, нога! Могло быть гораздо хуже. А если бы в лицо попало? Это папа утешает маму. Он у меня оптимист.

— Тогда ей сделали бы новый нос. Она ужасно комплексует из-за носа.

Мама в своем репертуаре. Да, ей не мешало бы поучиться у папы во всем находить положительные моменты. Вот, уже рыдает. Хочу открыть глаза, но не могу: свет невыносимо яркий. Наверное, это не лампа, а солнце. Может, я на курорте? Ну, что не дома — это точно. В Кидинсборо, моем родном городке, солнце не светит в принципе. Три года подряд Кидинсборо уверенно занимал первое место в телеголосовании за худший город Англии, пока передачу не сняли с эфира из-за возросшей в связи с этим локальной политической напряженности.

Голоса родителей уплыли далеко, будто кто-то настраивал радио и переключился на другую волну. Интересно, они еще здесь или мне это только почудилось? Вроде лежу без движения, но чувство такое, будто корчусь и извиваюсь, пытаясь вырваться из тюрьмы собственного тела. Кажется, будто кричу во весь голос, но никто меня не слышит. Пытаюсь пошевелиться — бесполезно. Ослепительный свет сменяется чернотой, а чернота — ярким солнцем. Непонятно, сон это или явь. Если сон, то кошмарный. Ступни, пальцы ног, родители то появляются, то исчезают... С ума схожу — а может, уже сошла? Что, если вся остальная моя жизнь — сон? Да, именно: мне приснилось, что зовут меня Анна Трент, что мне тридцать лет и что работаю я дегустатором на шоколадной фабрике.

Так и быть, раз уж мы затронули эту тему, сразу отвечу на топ-10 вопросов, которые задают дегустатору на шоколадной фабрике в ночном клубе «Лица». Местечко так себе, но другие наши клубы еще хуже.

1. Да, бесплатные образцы попробовать дам.

2. Нет, я не такая толстая, какой, по вашему мнению, должна быть представительница моей профессии.

3. Да, у нас все так же, как в «Чарли и шоколадной фабрике». В точности.

4. Нет, в чан с шоколадом пока никто кучу не навалил[1].

5. Нет, моя работа не делает меня более популярной, чем большинство обычных женщин. Мне тридцать, а не семь.

6. Нет, от шоколада не тошнит. Я его просто обожаю. Но если вам эта мысль помогает примириться с нелюбимой работой — ради бога, не стану разубеждать.

7. Значит, в трусах у тебя есть кое-что слаще шоколада? Как интересно! (Картинно зевает.) (Примечание: хотелось бы набраться храбрости и отколоть такой номер на самом деле, но обычно я просто морщусь и отворачиваюсь. Всяких нахалов у нас отшивает моя лучшая подруга Кейт. Ну, или затаскивает их к себе в постель.)

8. Хорошо, непременно предложу руководству твою идею выпускать шоколад с арахисовым маслом, пивом, водкой, джемом и т. д. Но насчет того, что мы на ней озолотимся, ты, скорее всего, ошибаешься.

9. Да, я умею делать самый настоящий шоколад. Вот только на фабрике «Брэйдерс» он готовится автоматически в огромном чане, а я просто слежу за процессом. Конечно, хочется привнести в работу больше творчества, но, если верить нашему начальству, никому эти эксперименты не нужны. Покупатели любят, чтобы вкус у товара всегда был одинаковый и хватало нашей продукции надолго. Так что готовить шоколад — дело довольно однообразное.

---

[1] Хотя от Флинна всего ожидать можно... *(Прим. авт.)*

10. Нет, это не лучшая работа на свете. Но это моя работа, и я ее люблю. Вернее, любила, пока не угодила сюда.

А потом обычно говорю: «Спасибо, я буду ром с колой».

— Анна!

В ногах моей кровати сидел мужчина. Я никак не могла сфокусировать на нем взгляд. Мое имя он знал, но кто это такой, я понятия не имела. Так нечестно. Я попыталась открыть рот, но кто-то насыпал туда песка. Спрашивается — зачем? Что за глупые шутки?

— Анна!

Опять тот же голос. Нет, не померещилось. Сомнений нет: звук исходит от силуэта в ногах моей кровати.

— Слышите меня?

«Попробуй не услышь! Сидите в ногах моей кровати и вопите во весь голос!» — хотела ответить я, но выдавить удалось только сдавленный хрип.

— Отлично. Замечательно! Хороший знак. Хотите воды?

Я кивнула. Согласиться проще всего.

— Хорошо, хорошо. Только кивайте осторожнее, а то датчики сместите. Сестра!

Откликнулась ли сестра на зов, не знаю: меня вдруг опять утянуло в черную бездну. Последняя сознательная мысль: интересно, ее не бесит, когда ей вот так орут: «Сестра!»? И еще: кажется, родители говорили, у меня что-то с носом — но что? Не помню.

— А вот и она.

Тот же самый голос.

Сколько времени прошло, я понятия не имею. Но свет, кажется, изменился. Резкая боль пробежала по телу, будто электрический разряд. Я охнула.

— Вот видишь! Скоро будет как новенькая.

Это, конечно, папа.

— Ох, не нравится она мне.

Мама.

— Можно стакан воды? — попросила я, но получилось только: «Мо ста ды?»

К счастью, рядом оказался кто-то, понимавший язык людей, у которых во рту пустыня. К моим губам тут же приложили пластиковый ободок. Этот крошечный стаканчик чуть теплой водопроводной воды с привкусом мела — лучшее, что я пробовала за всю жизнь. Даже считая тот раз, когда впервые ела шоколадное яйцо «Crème Egg». Я с жадностью проглотила воду. Попросила еще, но мне ответили: «Нельзя». Вот так — нельзя, и все. Неужели я в тюрьме?

— Можете открыть глаза? — спросил тот же повелительный голос.

— Конечно может.

— Ой, не знаю, Пит. Ой, не знаю.

Как ни странно, именно мамино отсутствие веры в мою способность поднять веки заставило меня поднапрячься как следует. Картинка появилась, потом пропала, и вот наконец передо мной замаячила размытая фигура, сидевшая на краю кровати. Я ее уже видела. Ну сколько можно? А рядом — еще две фигуры, такие родные и знакомые.

Я узнала рыжеватый оттенок маминых волос. Она красится дома, хоть Кейт и предлагала ей салонное окрашивание почти бесплатно — вернее, бесплатно, по маминому мнению Кейт. По маминому мнению, цена заоблачная. А еще мама считает Кейт распущенной. Что правда, то правда, но ведь на талант парикмахера это не влияет. А таланта парикмахера у Кейт, увы, кот наплакал.

Вот почему каждый месяц мама неделю ходит с ободком хны вверху лба: это остатки несмывшейся краски.

Заметив, что папа надел лучшую рубашку, я забеспокоилась всерьез. Папа наряжается только на свадьбы и похороны, а мне замужество в ближайшее время определенно не светит. Разве что если Дарр превратится в нового человека, с другим типом внешности и характера. Впрочем, это весьма маловероятно.

— Привет, — выдавила я и тут почувствовала: пустынные пески отступают.

Стена между реальным миром и песчаной бурей забытья и боли рухнула. Анна вернулась, и теперь я на сто процентов уверена: это определенно мое тело.

— Девочка моя!

Мама разразилась рыданиями. Папа к бурным выражениям чувств не склонен и просто осторожно взял меня за руку. За свободную, а не за ту, где под кожу уходила здоровенная трубка. В жизни ничего отвратительнее не видела.

— Фу, — протянула я. — Это что? Гадость какая!

Фигура в ногах кровати снисходительно улыбнулась.

— Уверяю, без этой трубки было бы еще гадостнее, — заметил мужской голос. — Через нее в ваш организм поступает обезболивающее и другие лекарства.

— Что-то оно у вас слабовато поступает, — заметила я.

Меня снова молнией пронзила боль: от пальцев левой ноги по всему телу.

Тут я заметила другие трубки, причем некоторые из них выходили из мест, которые при папе лучше не упоминать, и притихла. До чего же странно я себя чувствовала!

— Голова закружилась? — спросил любитель сидеть на моей кровати. — Это нормально.

Мама все еще всхлипывала.

— Мама, все хорошо.

От ее ответа меня пробрала холодная дрожь.

— Нет, милая. Что уж тут хорошего? Вообще ничего!

Следующие несколько дней я засыпала ни с того ни с сего, в любое время. Доктор Эд — нет, серьезно, именно так он себя и называет, будто доктор из телепрограммы, — приходил и садился в ногах моей кровати. Другие врачи так не делали, а он сидел и смотрел мне в глаза — видно, очень старался общаться со мной как с человеком, а не как с пациенткой. Но мне больше нравился высокомерный консультант: он заходил раз в неделю, меня едва удостаивал взглядом и задавал своим студентам всякие каверзные вопросы.

Но благодаря дружеским беседам с доктором Эдом постепенно я начала припоминать, что же все-таки со мной стряслось. Я поскользнулась на фабрике. Сотрудники сразу оживились: вдруг администрация нарушила технику безопасности и все мы вот-вот станем миллионерами? Но оказалось, вина целиком и полностью моя. День выдался не по-весеннему жаркий, и я решила выгулять новые туфли. Выяснилось, что для хождения по фабричным полам они, увы, не приспособлены. Нога поехала, и меня непостижимым образом угораздило врезаться в лестницу возле чана и опрокинуть все: и лестницу, и чан. А потом меня привезли в больницу, и с тех пор я лежу здесь и болею.

— На меня инфекция напала? — спросила я у доктора Эда. — Странное выражение — «инфекция напала». Как будто меня укусило какое-то насекомое.

— Вроде того, — доктор улыбнулся.

Зубы у него такие белые, что глаза слепят. Вряд ли это у него от природы. Наверное, и впрямь на телевидении работать собирается.

— Но ваше насекомое, Анна, совсем маленькое: всего лишь крошечный паучок.

— Пауки не насекомые, — проворчала я.

— Ха-ха! Верно.

Доктор Эд убрал волосы со лба.

— Эти насекомые совсем малюсенькие. Даже если бы у меня на пальце их сидела тысяча штук, вы бы не разглядели. Вот какие они крошечные.

Наверное, в моей медицинской карте опечатка: в графе «возраст», похоже, написано, что мне восемь, а не почти тридцать один.

— Какая разница, большие они или маленькие? — пробормотала я. — Главное, что из-за них чувствую себя дерьмово.

— Вот поэтому мы и бросили на борьбу с ними весь доступный арсенал! — возвестил доктор Эд.

Ни дать ни взять Супермен или другой какой-нибудь супергерой. Я не стала говорить, что, если бы они у себя в больнице убирали как следует, инфекция ко мне не привязалась бы.

А самочувствие у меня и впрямь отвратительное. Про еду даже думать не хочется, пить могу только воду. Папа принес мне зефир. Мама чуть не побила беднягу: отчего-то она вообразила, что зефир застрянет у меня в глотке и я отброшу коньки прямо у родителей на глазах.

Бо́льшую часть времени я сплю, а когда бодрствую, сил ни на что нет: ни смотреть телевизор, ни читать, ни разговаривать по телефону. Если верить моему телефону (кто-то — наверняка Кейт — воткнул его в розетку возле кровати. Время от времени тайком его проверяю), у меня накопилась куча сообщений на «Фейсбуке». Но просматривать их неохота.

Чувство такое, будто что-то изменилось. Кажется, что я очнулась иностранкой или очутилась в чужой стране, где никто не понимает моего языка: ни мама, ни папа, ни друзья. Мой язык — язык сумбурных дней, полных отрывочных, непонятных событий. Язык непрекращающейся боли. Двигаться так тяжело, что даже рукой пошевелить — непосильная задача. От одной мысли об этом устаешь. Страна больных совсем не похожа на страну здоровых. Здесь тебя кормят, переворачивают, разговаривают с тобой, как с ребенком, и тебе всегда, всегда жарко.

В моих лихорадочных снах школа присутствует часто. Я терпеть ее не могла. Мама всегда говорила, что ей учеба давалась тяжело, а значит, и я на ниве знаний успехов не достигну. Это и решило вопрос. Хотя, оглядываясь назад, понимаю: звучит по-идиотски. Поэтому, когда в галлюцинациях передо мной являлись лица учителей, я долго не воспринимала эти видения всерьез. Но потом однажды проснулась очень рано — в больнице еще царила приятная прохлада и тишина. Вернее, относительная тишина, полного покоя в больницах не бывает никогда.

Я осторожно повернула голову — и вот передо мной сидит миссис Шоукорт, моя старая учительница французского, и невозмутимо глядит на меня. И это не сон, и не галлюцинация.

На всякий случай я моргнула: вдруг исчезнет? Нет, бесполезно.

Я лежу в маленькой узкой палате на четыре места. Странно: если у меня инфекция, значит я заразная, а заразных положено изолировать. Остальные кровати пустуют, но за время моего пребывания в больнице здесь побывало много старушек, быстро сменявших друг друга. Они лежали тихо, только иногда плакали.

— Здравствуйте, — проговорила миссис Шоукорт. — Кажется, мы с вами знакомы.

Я залилась виноватым румянцем, будто уроки не сделала. Впрочем, уроки я не делала никогда. Мы с Кейт постоянно прогуливали — да кому он нужен, этот французский? Сбегали, сидели на заднем дворе — из школьных окон он не просматривался — и с фальшивым манчестерским акцентом обсуждали, какая дыра Кидинсборо и как мы уедем отсюда при первой же возможности.

— Анна Трент, верно?

Я кивнула.

— Я вела у вас уроки два года.

Я пригляделась к старушке повнимательнее. Из ряда других учителей миссис Шоукорт выделялась тем, что одевалась лучше всех: большинство остальных выглядели как бродяги. А миссис Шоукорт носила красивые платья по фигуре. Ее элегантность мгновенно бросалась в глаза. Сразу видно, что не в «Маталане» покупала. А еще тогда у нее были светлые волосы...

Тут я вздрогнула от потрясения — только сейчас заметила, что волос у миссис Шоукорт вообще не осталось. А еще она совсем исхудала. Конечно, миссис Шоукорт всегда была миниатюрной, но не до такой же степени!

Я задала самый тупой вопрос из всех возможных — оправданием мне служило только ужасное самочувствие:

— Тоже болеете, да?

— Нет, — ответила миссис Шоукорт. — Просто отдыхаю.

Повисла пауза. Я улыбнулась. Только сейчас вспомнила: а ведь миссис Шоукорт была хорошей учительницей.

— Жаль, что так получилось с вашей ногой, — смущенно произнесла миссис Шоукорт.

Я поглядела на забинтованную левую ступню.

— Ничего страшного. Просто неудачно упала, и все.

А потом я увидела ее лицо и поняла: все это время люди говорили про мою лихорадку, болезнь, несчастный случай, но никто не удосужился рассказать мне всю правду.

Нет, не может быть! Я ведь их чувствую.

Потрясенно я уставилась на миссис Шоукорт. Та, не мигая, смотрела на меня в ответ.

— Я ведь их чувствую, — промямлила я.

— Как же вам не сказали? Уму непостижимо! — покачала головой миссис Шоукорт. — Чертовы больницы!

Я опять поглядела на забинтованную ногу. Меня сразу замутило, а потом стошнило в специальную картонную коробку — возле кровати их оставлен целый набор.

Чуть позже пришел доктор Эд и опустился на край кровати. Я едва не испепелила его взглядом. Доктор заглянул в свои записи и произнес:

— Простите, Анна. Мы думали, вы осознаете всю серьезность ситуации.

— Осознаешь тут, когда все только бормочут про «несчастный случай» и «неприятные последствия», — сердито бросила я. — Как я должна была догадаться, что у меня теперь нет пальцев? И вообще, я их чувствую. Болят так, что еле терплю.

— К сожалению, так часто бывает. — Доктор Эд кивнул.

— Почему мне никто не сказал? Только мололи чушь про лихорадку и мелких насекомых.

— В подобных случаях инфекция опаснее всего. Сама по себе утрата пары пальцев на ноге вашей жизни вряд ли угрожает, но заражение...

— Приятно слышать. И это не какая-то «пара пальцев»! Это мои пальцы!

Пока мы разговаривали, медсестра осторожно разматывала бинты на моей ступне. Я нервно сглотнула. Только бы еще раз не вырвало.

Вы в школе играли в такую игру: ложишься на живот, закрываешь глаза, а кто-нибудь поднимает твои руки высоко над головой и потом очень медленно опускает? При этом складывается полное ощущение, будто засовываешь руки в дыру.

Вот и сейчас я ощутила нечто похожее. Мой мозг никак не мог осмыслить то, что видели глаза. То, что я знаю, — одно дело, а то, что чувствую, — совсем другое. Пальцы ног у меня на месте. Все до единого. Но перед глазами странный, идущий сверху вниз срез: выглядит так, будто два крошечных пальчика снесли одним махом — просто чиркнули остро наточенной бритвой, и все.

— Вообще-то, вам крупно повезло, — рассуждает между тем доктор Эд. — Лишись вы большого пальца или мизинца, очень трудно было бы держать равновесие...

Я уставилась на доктора так, будто у него рога выросли.

— Повезло? — возмутилась я. — Хорошенькое везение!

— А я бы с вами местами поменялась, — донесся голос из-за соседней ширмы.

Там миссис Шоукорт ожидала следующего сеанса химиотерапии.

Вдруг мы обе ни с того ни с сего расхохотались.

Прошло три недели, а я все валяюсь в больнице.

Многие друзья приходили меня навестить. Рассказывали, что про меня написали в газете, и спрашивали, можно ли взглянуть на мою ногу. Нет, нельзя: даже я сама стараюсь на нее не смотреть, когда меняют повязки.

Друзья делились со мной свежими местными новостями, но я вдруг утратила к ним интерес. Единственный человек, с которым я могу нормально разговаривать, — миссис Шоукорт. Вот только она велела обращаться к ней «Клэр», к чему я привыкала долго и трудно. Называя старую учительницу просто по имени, чувствовала себя более взрослой — даже слишком взрослой. У миссис Шоукорт два сына, они ее навещают, но всегда спешат, зато ее невестки — приятнейшие женщины. Всегда оставляют мне журналы со сплетнями про звезд: Клэр все эти глупости не интересуют. Как-то раз невестки привели двух маленьких девочек. Обеих напугали и проводки, и больничный запах, и писк приборов. Ни до, ни после я не видела Клэр такой грустной.

А в свободное время мы говорим. Вернее, говорю в основном я. По большей части жалуюсь на скуку и сетую, что никогда не смогу нормально ходить. Удивительное дело — раньше на пальцы ног не обращала внимания. Ну, разве что когда делала педикюр, но даже тогда не особо о них задумывалась. А теперь выяснилось, что эти, казалось бы, незначительные части тела играют до обидного важную роль во всем, что касается передвижения. Но еще больше мне стыдно, когда приходится посещать тот же физиотерапевтический кабинет, что и люди с ужасными, по-настоящему серьезными травмами. Эти бедняги сидят в инвалидных креслах, а я, как наглая самозванка, марширую туда-сюда, держась за параллельные брусья! Мое ранение для них в лучшем случае повод для шуток. Так что жаловаться я не имею права. Но жалуюсь, и еще как.

Клэр меня понимает. С ней легко и просто. Иногда, когда она чувствует себя особенно плохо, читаю ей вслух. Но большинство ее книг на французском.

— Нет, французские книги мне не по зубам, — однажды заявила я.

— А должны быть по зубам, — заметила Клэр. — Тебя ведь учила я.

— Ну да, — пробормотала я.

— Ты была способной ученицей, — продолжила Клэр. — Помнится, подавала большие надежды.

Вдруг перед глазами у меня встал табель успеваемости за первый год средней школы. Среди многочисленных замечаний вроде «несерьезно относится к учебе» и «способная, но ленивая» скрывалась хорошая оценка по французскому. Ну почему я была такая ленивая и несерьезно относилась к учебе?

— Мне учеба казалась глупостью, — проговорила я.

Клэр только головой покачала:

— Я же разговаривала с твоими родителями. Очень милые люди. Ты девочка из хорошей семьи.

— Попробовали бы вы с ними пожить, — буркнула я.

И сразу почувствовала себя виноватой: зачем я, спрашивается, говорю гадости про папу с мамой? Они меня навещают каждый день, ни одного не пропускают. И это несмотря на бешеные деньги за парковку: папа все время по этому поводу жалуется.

— Ты до сих пор живешь с родителями? — удивилась Клэр. — Не совсем. — Я сразу заняла оборонительную позицию. — Просто некоторое время жила с мужчиной, но оказалось, что он полный козел, вот и переехала обратно домой, только и всего.

— Понимаю, — произнесла Клэр и глянула на часы.

Половина десятого утра. Мы проснулись три часа назад, а обед только в двенадцать.

— Если хочешь... — начала Клэр. — Я ведь тоже от скуки маюсь. Если подтяну твой французский, сможешь читать мне вслух. Ну а я больше не буду чувствовать себя никчемным, старым, больным, лысым овощем, которому только и остается, что о прошлом вздыхать. Что скажешь?

Я опустила взгляд на свой журнал и уставилась на огромную фотографию с задницей Ким Кардашьян. А еще у этой паршивки на ногах десять пальцев.

— Ладно, договорились, — ответила я.

1972 год

— Пустяки! — Мужчина повысил голос, стараясь перекричать мощные порывы морского ветра, сигналы паромов и грохот поездов. — Это не расстояние! Подумаешь, большое дело — Ла-Манш переплыть!

Но по щекам девушки градом катились слезы.

— Я бы переплыла, — с трудом выговорила она. — Ради тебя.

— Нет, — покачал головой мужчина. — Ты вернешься и закончишь школу. Тебя ждут великие дела и много-много счастья.

— Не нужно мне все это, — простонала девушка. — Хочу остаться здесь, с тобой.

Мужчина вздохнул и попытался унять поток слез поцелуями. Слезы капали на новенькую, неестественно блестящую форму.

— Буду маршировать по приказу взад-вперед, будто цирковая лошадь. Останется только думать о тебе. Тише, bout de chou[1]. Не плачь. Вот увидишь, мы снова будем вместе.

— Я люблю тебя, — пылко произнесла девушка. — Ты моя единственная любовь. На всю жизнь.

— Я тоже тебя люблю, — ответил мужчина. — Ты мне очень дорога, я люблю тебя, и мы обязательно встретимся снова. Буду тебе писать, ты закончишь школу, и все будет хорошо, вот увидишь.

Рыдания девушки стихли.

— Я не выдержу, — с трудом произнесла она.

— Ах, любовь моя, — вздохнул мужчина. — Ничего не поделаешь — придется.

Он зарылся лицом в ее волосы.

— Alors[2], любовь моя, возвращайся поскорее.

— Конечно, — ответила девушка. — Я вернусь.

---

[1] Малышка *(фр.). (Здесь и далее примечания переводчика.)*
[2] Здесь: ну что ж *(фр.).*

Глава 2

Два моих брата перестали навещать меня, как только стало ясно, что я не отброшу коньки. Я их люблю, но понимаю: когда тебе двадцать или двадцать два, есть куча занятий поприятнее, чем торчать в больнице около стремной старшей сестры, с которой произошел стремный несчастный случай. Ну а Кейт... Спасибо ей огромное, она замечательная подруга. Не знаю, что бы без нее делала. Но смены в салоне красоты ужасно длинные, вдобавок оттуда до больницы сорок пять минут на автобусе. Поэтому часто Кейт приходить не может. Тем радостней, когда она все-таки появляется. Кейт с удовольствием рассказывает, кто из клиенток заработал почетное звание «Самая уродская прическа недели».

Кейт, естественно, уговаривает их попробовать что-нибудь новенькое, но тех переубеждать бесполезно: мечтают о прическе, как у Шерил Коул или какой-нибудь звезды реалити-шоу «TOWIE», и все тут. И это с короткими, тонкими, жирными двумя волосинами темного цвета, которые не выдерживают наращивания. А через неделю клиентка возвращается с криками и рыданиями и угрожает подать в суд, потому что даже имеющиеся две волосины у нее выпали.

— Говорю-говорю, а им хоть бы что, — жалуется Кейт. — Никто меня не слушает.

Подруга заставила меня встать перед зеркалом в туалете и повторять, что все у меня будет просто отлично. Но отражение мое больше напоминало персонаж фильма ужасов.

Из-за антибиотиков глаза в красных прожилках, вдобавок белки пожелтели. Вьющиеся волосы — благодаря Кейт я обычно яркая блондинка, но в больнице корни безнадежно отросли — торчат в разные стороны. Видок как у буйной. Кожа примерно того же цвета, что и больничная каша, да и на ощупь не лучше.

Кейт пытается меня подбодрить: такой уж она человек. Нечто подобное она говорит своим шестидесятилетним клиенткам с избыточным весом, когда те просят превратить их в Колин Руни. Но мы обе понимаем, что все эти комплименты никакого отношения к действительности не имеют.

Так что в основном я общаюсь с Клэр. Что и говорить, при необычных обстоятельствах сложилась наша дружба. Вряд ли мы бы так сблизились в другой ситуации.

Неожиданно для себя я осознала, что в глубине души даже рада нашему расставанию с Дарром. Он, конечно, парень приятный, но поговорить с ним особо не о чем. Навещай он меня каждый день, понятия не имею, как бы мы выкручивались. На таких увлекательных темах, как чипсы и футбольный клуб «Манчестер Сити», далеко не уедешь. Физическая сторона отношений в нашем случае отпадает. У меня трубка воткнута в руку и еще одна — в мочеиспускательный канал (извиняюсь за подробности). Но даже если бы не это, с восемью пальцами на двух ногах я чувствую себя удручающе непривлекательной. Даже не знаю, на чем бы сейчас строились наши отношения. Несчастный случай заставил меня взглянуть на ситуацию с новой стороны. Когда мы расстались, я была совершенно уничтожена. Дарр пытался мне изменить, а в таком маленьком городке, как Кидинсборо, секреты хранить трудно. В свое оправдание Дарр заявил, что ни одна из попыток успехом не увенчалась, однако это ему не помогло. Но теперь единственное, по чему я скучаю, — маленькая квартирка, которую мы вместе снимали.

Однако Дарр передал через моего брата Джо коробку шоколадных конфет (Джо двадцать, поэтому он их сразу слопал) и отправил эсэмэску — спрашивал, как я. Наверное, если бы я захотела, Дарр принял бы меня обратно даже с недостатком пальцев на ногах. Ходят слухи, что его попытки с кем-то познакомиться в статусе свободного мужчины так же неуспешны, как и при мне. Хотя, может быть, Кейт просто меня утешает.

Без Клэр я озверела бы от скуки. Полгода назад я выбрала самый дешевый смартфон, за что теперь себя ругаю. На моем телефоне можно разве что поиграть в «змейку». Читаю много книг, но одно дело улечься в ванну после долгого, утомительного рабочего дня и насладиться парой страниц за чашкой чая, пусть даже твой двадцатилетний брат при этом молотит в дверь и орет, что ему просто необходим гель для волос, и совсем другое — читать, потому что больше заняться нечем.

К тому же мне прописали столько лекарств, что из-за них трудно сосредоточиться. В дальнем углу палаты с утра до вечера вопит телевизор, но он всегда включен на один и тот же канал. Так надоело слушать, как толстяки орут друг на друга, что затыкаю уши наушниками. Визитерам всегда рада, вот только поделиться мне с ними особо нечем. Разве что рассказать, сколько жидкости выходит из моей раны или еще что-нибудь такое же «приятное». Поэтому собеседница из меня так себе.

С медсестрами весело, но они вечно спешат, а у врачей все время усталый вид, да и пациенты их не особо интересуют. Единственное, что им интересно, — это моя нога, но будь она даже присоединена к кошке, они бы этого не заметили. На все, что выше щиколотки, внимания не обращают. А остальные пациентки в отделении очень старые. То есть совсем древние. Настолько, что задают вопросы типа: «Где я? Это из-за войны, да?» Жалею и старушек, и их взволнованных, усталых родственников. Бедняги приходят каждый день и слышат только одно — «состояние без изменений». Со стариками не поболтаешь. Раньше я не задумывалась о том, что молодые люди редко попадают в отделение интенсивной терапии. А если и оказываются на операционном столе, то у пластического хирурга. Ну, или расхлебывают последствия бурной ночки, которая оказалась даже слишком веселой. А в нашем отделении лежат в основном пожилые пациенты, которые чем только не страдают, и больше им идти некуда.

Поэтому уроки с Клэр стали для меня просто спасением. Мы с ней спокойно сидим и размеренно спрягаем глаголы «avoir»[1] и «être»[2], усваиваем разницу между прошедшим простым и прошедшим про-

---

[1] Иметь (фр.).
[2] Быть (фр.).

долженным и стараемся сделать мое французское «р» идеальным. «Над произношением надо работать как следует, — снова и снова повторяет Клэр. — Стань француженкой. Обзаведись самым французским из всех французских акцентов. Изображай инспектора Клюзо, размахивай руками, как мельница». — «Чувствую себя полной дурой», — пробормотала я. «Это нормально, — подтвердила Клэр. — Так и будешь себя чувствовать, но потом заговоришь с французом — и он тебя поймет».

Продираемся через детские книги, осваиваем учебные карточки, отвечаем на вопросы тестов. Приятно, что Клэр тоже получает от наших занятий удовольствие: гораздо больше, чем от коротких неловких разговоров с сыновьями. Оказалось, она уже давно разведена.

Наконец после многочисленных подготовительных этапов — так же музыкант настраивает инструмент перед игрой — мы попробовали говорить по-французски, с большим трудом и многочисленными запинками.

Слушать оказалось проще, чем разговаривать, но Клэр обладает безграничными запасами терпения. А поправляет она меня так мягко, что я ругаю себя: какой же надо быть идиоткой, чтобы хлопать ушами на уроках такой замечательной учительницы. Сколько я упустила!

— Вы жили во Франции — est-ce que tu habitait en France? — с трудом составила я вопрос одним дождливым весенним утром.

Зеленые почки на деревьях, казалось, наслаждались дождем, но больше никого он не радовал. В больнице температура всегда одинаковая. Такое чувство, будто ты в герметичной кабине и отрезана от всего мира.

— Давно, — ответила Клэр, почему-то избегая смотреть мне в глаза. — Совсем недолго.

1971–1972 годы

Клэр понимала, что это самая глупая форма подросткового бунта. Впрочем, ее даже бунтом назвать — преувеличение. И все же... Утро, завтрак. Клэр сидела за столом, мрачно уставившись в миску с хлопьями «Ready Brek». Клэр уже семнадцать, она слишком взрослая, чтобы завтракать хлопьями. Лучше просто попила бы кофе, но спорить — себе дороже. Тем более что есть гораздо более весомый повод для конфликта.

— Нет, в мою церковь ты в этом ужасе не пойдешь.

«Этот ужас» — новые брюки клеш, на которые Клэр долго копила. Все рождественские каникулы подрабатывала в магазине «Chelsea Girl». Папе было очень тяжело примириться с тем, что, хотя дочь готова честно трудиться (что он горячо одобрял), на первую работу она устроилась в гнездо разврата, где торгуют тряпками для шлюх. Видно, мама уговорила его во время очередной беседы наедине. Обычное дело. Мама никогда, ни за что не стала бы спорить с преподобным Маркусом Форестом на публике. На такой подвиг редко у кого хватило бы смелости.

Клэр глянула на свои обтянутые денимом ноги. Всю жизнь она проходила в старушечьих нарядах. Папа считал, что следовать моде — самый верный способ уготовить себе вечные муки в аду. Вместо современных вещичек мама шила ей передники, длинные школьные юбки, а для воскресений — широкие в сборку.

Но с тех пор как Клэр устроилась на работу, у нее будто глаза открылись. Начав зарабатывать на жизнь, она почувствовала себя более взрослой. Остальным продавщицам в магазине лет двадцать, а некоторым даже больше, и они много повидали на своем веку. Обсуждали ночные клубы, парней и косметику (в доме Клэр все это было строжайше запрещено). Правила, по которым жила она, заставляли коллег покатываться со смеху (все знали нрав преподобного). Старшие многоопытные девицы взяли Клэр под свое крыло: наряжали по последней моде, умилялись ее худенькой фигурке и некрашеным светлым волосам, хотя Клэр казалось, что этот оттенок ее ужасно бледнит. Впрочем, зеркала в доме практически отсутствовали, и проверить, действительно ли это так, было затруднительно. Ни один мальчик в школе не звал ее на свидание. Клэр твердила себе, что они боятся ее папу. Но в глубине души опасалась, что причина в ней самой: Клэр слишком тихая, слишком неинтересная. Из-за блеклых волос и едва заметных бровей она порой казалась себе невидимкой.

Чем дальше, тем смелее становилась Клэр. Однажды в выходные дело закончилось плохо. Папа готовил рождественскую проповедь, и тут Клэр вернулась из магазина с ярко накрашенными глазами. Очень драматичная изумрудно-зеленая подводка с блестками, коричневые тени на всю глазницу, а хуже всего то, что Клэр накрасила брови темно-коричневым карандашом, одолженным у коллеги. Клэр не могла оторвать взгляд от загадочной незнакомки в зеркале. Теперь ее уж точно никто не назовет бледной и бесцветной. Клэр больше не казалась тощей и изможденной. Она превратилась в стройную и гламурную особу. Кэсси убрала блеклые волосы с ее лица и заколола надо лбом ребячливую челку. Клэр сразу стала выглядеть старше. Все девушки смеялись и звали ее с собой в клуб в субботу. Но Клэр никаких иллюзий на этот счет не питала.

Разгневанный папа поднялся из-за стола.

— Смой немедленно, — коротко приказал он. — Под своей крышей этих гадостей не потерплю.

Он не скандалил, не кричал. Не в папиных правилах устраивать сцены. Просто сказал, как все будет, и этого хватило. Для Клэр воля отца и воля Божья — а она росла религиозной девочкой — были одним и тем же. Надо слушаться, и точка.

Мама последовала за Клэр в ванную с грязно-зелеными стенами и обняла дочку.

— Тебе очень идет, — утешала она, пока Клэр яростно терла лицо коричневой мочалкой.

— Потерпи годик-другой, — прибавила мама. — Поступишь в секретарскую школу или на учительские курсы, и делай что хочешь. Всего-то чуть-чуть осталось, милая.

Но Клэр годик-другой казались вечностью.

Остальные девчонки уже сейчас наряжаются, ходят на вечеринки и встречаются с парнями, разъезжающими на старых разваливающихся отцовских машинах или мотоциклах! Впрочем, последних Клэр побаивалась.

— Эта твоя работа... Думала, тебе она пойдет на пользу, но... — Мама покачала головой. — Ты же знаешь нашего папу. Ему очень тяжело. Я хотела, чтобы ты стала независимой — ну хоть немного...

Когда Клэр легла спать, слышала, как родители шептались внизу. По интонациям догадалась, что разговор о ней. Иногда трудно быть единственным ребенком в семье. Отец почему-то думал, будто дочка спит и видит, как бы при первой удобной возможности вляпаться в серьезные неприятности. Клэр такое недоверие просто бесило. Мама старалась как могла, но когда преподобный в очередной раз погружался в обиженное мрачное молчание, из этого состояния он не выходил по нескольку дней подряд. Атмосфера в доме царила тягостная. Преподобный привык, что две его близкие женщины подчинялись ему во всем, не задавая лишних вопросов. Но Клэр больше всего на свете жаждала свободы.

На работу она не ходила с начала января. В магазине ей предлагали подрабатывать по субботам, и Клэр с радостью согласилась бы, но представила, что начнется дома, и решила, что дело того не стоит. Клэр продолжала прилежно учиться, хоть и понимала, что в университет не поступит. Маркус не одобрял высшее образование для женщин, к тому же не хотел, чтобы дочь уезжала далеко от дома, в Йорк или Ливерпуль. Время от времени, когда папа с мамой уже спали, Клэр засиживалась до глубокой ночи: смотрела фильмы по BBC2 и боялась: неужели она так и будет всю жизнь тухнуть в Кидинсборо, вместе со стареющими родителями?

Через два месяца, в начале марта, мама спустилась к завтраку — выражение лица лукавое, в руке конверт авиапочты. Конверт из бледно-голубой бумаги, с красными и синими полосками по краям. Подписан необычным почерком: красивым, с завитушками.

— Дело решено, — объявила мама.

Преподобный оторвался от половинки грейпфрута.

— Какое еще дело? — проворчал он.

— Клэр приглашают на лето во Францию по программе au pair[1].

Клэр даже слова такого не слышала.

— Будешь няней у моей подруги по переписке, — пояснила мама.

— У француженки? — уточнил Маркус, складывая газету «Дэйли телеграф». — А я думал, вы с ней ни разу не встречались.

— Да, не встречались, — холодно подтвердила Эллен.

Клэр перевела взгляд с мамы на папу. Она обо всем этом в первый раз слышала.

— Кто она вообще такая?

— Ее зовут Мари-Ноэль, и мы переписываемся со школы.

Клэр вдруг вспомнила рождественские открытки с надписью «Meilleurs Voeux»[2], каждый год исправно приходящие по почте.

— До сих пор поддерживаем связь — хотя теперь, конечно, пишем друг другу редко. У Мари-Ноэль двое детей. Я спросила, не возьмет ли она тебя на лето, — и она согласилась! Будешь присматривать за

---

[1] Программа, по которой молодых людей отправляют в другую страну, где они живут в доме принявшей их семьи и выполняют определенную работу, чаще всего связанную с уходом за детьми, а взамен получают питание, комнату для проживания, карманные деньги на расходы и возможность изучать язык данной страны на курсах, а также познакомиться с ее культурой.

[2] Наилучшие пожелания (*фр.*).

детьми. Больше ничего делать не надо, Мари-Ноэль пишет, у них домработница... Ничего себе!

Мама помрачнела.

— Надеюсь, они не слишком большие шишки, — прибавила мама, окинув взглядом уютный, но очень просто обставленный домик викария.

На доходы служителя церкви не разгуляешься, и Клэр с раннего детства приучилась не требовать постоянно новых вещей.

— Богатые они или нет, не важно, — заметил Маркус. — Главное, чтобы люди были приличные.

— Еще какие приличные! — повеселела Эллен. — У них маленький мальчик и девочка. Арно и Клодетт. Правда, красивые имена?

От волнения сердце Клэр забилось быстро-быстро.

— А где они живут?

— Ой, извини! Вот голова дырявая! Про самое главное забыла! — воскликнула Эллен. — В Париже, где же еще?

Глава 3

Компенсация от шоколадной фабрики представляла собой лишь жалкий символический жест доброй воли. Мою жизнь эти деньги не изменят. Да и вообще почти ничего не изменят: просто оплачу один раз счет по кредитке, и все. Наверное, надо было требовать большего. Все-таки я теперь сильно хромаю, и вдобавок мне грозила смертельная опасность. Но фабрика свалила всю вину на больницу, а в больнице заявили, что мне уже лучше, а значит, больше ничего они мне не должны. Я говорила доктору Эду, что, прояви медицинский персонал больше рвения, пришили бы мне пальцы ног обратно. Но доктор Эд только улыбнулся и погладил меня по руке — ни дать ни взять врач из сериала. Сказал: «Будут вопросы — не стесняйтесь, спрашивайте». Меня это заявление весьма озадачило. А то, что я сейчас задала, — это разве был не вопрос? Доктор Эд улыбнулся, подмигнул мне и пересел на край кровати Клэр.

Пора возвращаться домой. Как долго я мечтала о свободе! Но теперь вдруг осознала, что не хочу покидать больницу. Вернее, странно будет выйти из привычной рутины с приемом лекарств и пищи по расписанию и регулярными занятиями лечебной физкультурой. В больнице не надо ни о чем беспокоиться — только поправляйся, и все.

Теперь же придется снова вернуться в большой мир и искать новую работу. Среди условий выплаты компенсации значилось, что на фабрике «Брэйдерс» я больше работать не буду. Очевидно, владельцы опасались, что я притяну к себе еще один дикий несчастный случай из категории «один на миллион». Хотя, казалось бы, с точки зрения статистики скорее нечто подобное случится с кем-то другим, чем еще раз со мной.

А еще буду скучать по Клэр. Мы все чаще и чаще беседуем на французском, чем ужасно раздражаем остальных пациенток. Ну хоть что-то хорошее происходит в моей жизни: я способна чему-то научиться, приобрести новый навык. Зато все остальное — просто ночной кошмар. Вакансий во всем городе нет: это я знаю точно. Кейт предлагала устроиться подметальщицей в салон красоты, где она работает, но платят за это сущие гроши. Вдобавок я еще не научилась наклоняться, не заваливаясь при этом вперед. Но есть и положительный момент: я похудела на шесть килограммов. Отрицательный момент: это единственный положительный момент. Никому не посоветую этот способ сбрасывать вес.

Я поделилась тревогами с Клэр. Та притихла, погрузившись в размышления.

— Я тут подумала... — начала моя учительница.

— О чем?

— У меня в Париже есть один... знакомый. Как раз занимается шоколадом. Только давно с ним не общаюсь. Понятия не имею, до сих пор он в этой сфере или нет.

— Знакомый? — оживилась я. — Юношеский роман?

На ввалившихся щеках Клэр проступил слабый румянец.

— Не твое дело.

— Любовь до гроба, дураки оба?

Мы уже стали достаточно хорошими подругами, чтобы я могла ее поддразнивать. Но все же порой во взгляде Клэр мелькает стальной проблеск учительской строгости, и это как раз такой случай.

— На письма он отвечает не очень аккуратно, — задумчиво проговорила Клэр, глядя в окно. — И все же я попытаюсь. Когда Рик придет навестить, попрошу, чтобы отправил ему имейл, или как там называются эти новомодные штуки? В наши дни в Интернете можно отыскать кого угодно, верно?

— Это уж точно, — согласилась я. — Но если у вас в Париже друзья, почему вы так давно туда не ездили?

— Мне и здесь дел хватало. — Клэр поджала губы. — Заботилась о семье, работала. Не могла же я взять и запрыгнуть в самолет — просто так, под настроение.

— Хм, — подозрительным тоном протянула я.

Интересно, почему Клэр так остро реагирует?

— Я не могла, зато ты можешь, — заметила Клэр. — Перед тобой все пути открыты.

— Скажете тоже! — Я рассмеялась. — Ну конечно — куда захочу, туда и доковыляю!

Эмоциональной лавиной меня накрыло, только когда я вернулась домой к маме с папой. В больнице я была... как бы это сказать?.. на особом положении, что ли? Мне приносили цветы и подарки, я постоянно находилась в центре внимания. Мне давали лекарства, спрашивали, как я себя чувствую. Конечно, ничего хорошего в подобных знаках внимания нет, и все же меня окружили заботой.

Ну а дом — это же просто дом. Мальчишки притаскиваются глубоко за полночь и ворчат, что им снова приходится спать в одной комнате. Мама нервно предрекает, что на новую работу мне нипочем не устроиться, и тревожится, что скоро сократят пособия по инвалидности. Тут мы обе как по команде глядим на мои костыли, и мама тяжело вздыхает. Смотрю на свое отражение: бледно-голубые усталые глаза, светлые волосы без мелирования от Кейт кажутся совсем бесцветными. Я похудела, но от недостатка движения выгляжу как тощий мешок. Любила краситься перед выходом в свет, но в последний раз куда-то выбиралась так давно, что позабыла, как накладывать макияж. Из-за лекарств кожа сухая.

Вот тогда меня по-настоящему накрыла грусть. Ночами плачу в своей маленькой детской кроватке, из-за чего встаю все позже и позже. Упражнения делаю вяло, через силу, а истории подруг про новых бойфрендов, ссоры с ними и все такое прочее меня сейчас совершенно не интересуют. Знаю: родители за меня беспокоятся, но что я могу поделать? Нога медленно, но верно заживает, и все же постоянно чувствую утраченные пальцы. То чешутся, то болят, то их дергает. По ночам лежу без сна, уставившись в потолок, и под знакомые с детства шумы бойлера думаю: ну и что теперь?

1972 год

Мама хотела ехать с ней — погулять с дочкой по Лондону, повеселиться. Но преподобный так разворчался, что от этой идеи пришлось отказаться. Очевидно, Маркус считал, что при всем своем блеске Париж в смысле порочности в подметки не годится гнезду разврата под названием Лондон. Похоже, папа так и не осознал, что на дворе уже 1972 год. И маме, и мадам Лагард, с которой он общался по телефону, неоднократно приходилось уверять, что Клэр будет жить в чрезвычайно консервативной и строгой семье. Ничем легкомысленным Клэр заниматься не будет — только присматривать за детьми и учить иностранный язык. Знание французского для юной леди — навык весьма изящный и от всей души одобряемый преподобным. Составлялись нескончаемые списки. Клэр так запугали постоянными напоминаниями о хороших манерах, что она уже заранее испытывала ужас перед мадам Лагард. Клэр воображала хозяйку высокомерной, избалованной богатством и невыносимо требовательной. Вдобавок Клэр не представляла, как справится с детьми, с которыми даже поговорить толком не сможет. Все эти тревоги одолевали Клэр, пока папа вез ее на вокзал. Небо заволакивали угрожающе темневшие тучи.

В последний день перед каникулами к ней пристала Рэйни Коллендер, известная в школе как любительница поиздеваться над слабыми.

— И так лучше всех себя считаешь, а после Парижа совсем зазнаешься, — фыркнула она.

Клэр повела себя так же, как и всегда в подобных ситуациях. Опустила голову и, не обращая внимания на хохочущих подружек Рэйни, торопливо зашагала прочь. Только бы поскорее скрыться из вида! Но от этих так просто не отвяжешься. «Скорее бы каникулы!» — думала Клэр. Уж лучше нянчить двух маленьких избалованных французов, чем торчать в Кидинсборо.

Когда поезд выехал из Крю, Клэр открыла свой контейнер для сэндвичей «Tupperware». От волнения девочка сидела как на иголках. Подумать только — она уехала из Кидинсборо! Отправилась в путешествие, да еще и одна! Наверняка в Париже ее ждет что-то необыкновенное, от чего вся ее жизнь изменится.

В контейнере лежала записка от мамы.

«Повеселись как следует!» — писала она. Не «веди себя хорошо», не «будь аккуратной» и даже не «по вечерам сиди дома». Только «Повеселись как следует!», и больше ничего.

Для семнадцати лет Клэр была довольно наивна. Ей в голову не приходило, что ее мама — не только мама, но и человек. Для Клэр она была просто той, кто всегда рядом: готовит, стирает, соглашается с папой, когда он в очередной раз ругает патлатых юнцов-хиппи: эта зараза докатилась даже до Кидинсборо! Клэр очень удивилась бы, скажи кто-то, что мама ей завидует.

Перед посадкой на паром Клэр с трудом сдерживала нервозность. Она понятия не имела, как полагается вести себя на борту. Да что там — Клэр в жизни не видела таких огромных кораблей. Плавала только на катамаране в Скарборо. От парома веяло романтикой дальних странствий. Огромное белое

судно, запах дизельного топлива, гудок, раздавший-
ся, когда паром неспешно отчалил от просторного
портового терминала в Довере. А пассажиры! Были здесь и любители приключений на автомобилях
с кузовами, в которых лежали палатки и спальные
мешки, и даже самые настоящие французы на «Сит-
роене-2CV». Клэр пообедала обыкновенными сэнд-
вичами с мясной пастой, французы же устраивали
настоящие пикники с бутылками вина, бокалами
и хлебными палочками. Клэр вертела головой то туда, то сюда, стараясь ничего не пропустить. Потом
вышла на нос парома. День выдался ветреный, по
небу несло белые облака. Клэр с любопытством оглянулась на удалявшуюся Англию — в первый раз она
отправилась за границу! — потом посмотрела вперед, в сторону Франции. В этот момент Клэр показалось, что раньше она толком и не жила: вот она,
настоящая жизнь!

Клэр оставила у меня на телефоне голосовое со-
общение: «Приходи, попьем кофе». Ее временно от-
пустили из больницы. Голос звучал нервно и робко.
Я перезвонила: ну хоть что-то я могу сделать без по-
сторонней помощи! Договорились встретиться в уютном кафе в книжном магазине: я решила, так будет
удобнее для Клэр.

Привезла ее невестка, милая женщина по имени
Пэтси. Перед тем как уехать, она взяла с Клэр обе-
щание не скупать все книги в магазине. Потом Клэр
выразительно закатила глаза и призналась, что любит
Пэтси, но почему-то все вокруг общаются с боль-
ными будто с четырехлетками. Потом Клэр сообразила, что мне об этом известно не понаслышке. Мы

от души повеселились, передразнивая доктора Эда с его привычкой сидеть на кроватях пациентов и всячески демонстрировать сопереживание.

Потом повисла пауза. Будь это обычный разговор, кто-нибудь обязательно сказал бы что-то вроде: «Отлично выглядишь», или «Подстриглась?», или «Ты прямо расцвела!» (впрочем, последняя фраза, как всем известно, означает: «Ну ты и растолстела!»). Но у нас обеих слова не шли с языка.

В больнице, укрытая накрахмаленной белой простыней и одетая в безупречно чистую пижаму, Клэр выглядела неважно, но там она хотя бы не выделялась. А здесь, на людях, смотреть на нее было страшно. Такая исхудавшая, что, кажется, вот-вот переломится. На голове изящно повязанный платок, означающий только одно: «Я так давно болею раком, что по части платков стала виртуозом». Нарядное платье смотрелось бы красиво, не виси оно на ней мешком. Клэр выглядит... Да, больной.

Я встала и отправилась за кофе и шоколадными кексами, хоть Клэр и предупредила, что есть не будет. Я ответила, что в этом кафе подают такую вкусную домашнюю выпечку, что даже у нее аппетит разгуляется. Клэр слабо улыбнулась и сказала, что с удовольствием попробует их стряпню. Кого она надеялась обмануть? Ковыляя к стойке, я чувствовала на себе ее взгляд. Обращаться с тростью я так толком и не научилась, поэтому решила вовсе от нее избавиться. Кейт все уговаривала меня выбраться в клуб. Говорила, ребятам не терпится узнать подробности случившегося из первых уст. Но меня передергивало от одной мысли. И все-таки мне не помешало бы привести в порядок волосы и обновить гардероб. Сегодня я натянула самые поношенные из своих джинсов и топ в полоску. Сразу видно: это первое, что попалось на глаза.

— Ну? — произнесла Клэр, когда я вернулась.

К счастью, женщина за стойкой согласилась принести нам поднос.

Мы с Клэр переглянулись.

— Баранки гну, — неловко пошутила я.

Клэр улыбнулась.

Но женщина с подносом не улыбалась. Должно быть, боялась, что Клэр сейчас вырвет, а я растянусь на полу и мы испортим всю приятную атмосферу в кафе. Зато шоколадные кексы оказались просто чудесными. Ради такого угощения стоит вынести сколько угодно любопытных взглядов.

Вдруг Клэр слегка покраснела и с заметным волнением сообщила:

— Мне пришло письмо.

— Настоящее? — заинтересовалась я. — На бумаге?

Мне писем не шлют. Я получаю только сообщения в мессенджерах от Кейт, да и те про очередного парня, на которого подруга положила глаз.

— Точнее, открытка. — Клэр кивнула. — Впрочем, не важно. Главное, что ему требуется новая сотрудница. Насчет жилья он договорится.

Новость застигла меня врасплох.

— Что примолкла?

— Не ожидала, что вы возьметесь за дело всерьез. Не хотела вас утруждать.

Я была и удивлена, и растрогана.

— Всего-то написала два письма, — отмахнулась Клэр. — Если это, по-твоему, тяжкий труд, то зря я тебя расхваливала как замечательную работницу.

— Ну вы даете! — только и смогла выговорить я.

— Приятно было с ним пообщаться после такой долгой разлуки. — Клэр улыбнулась.

— Нет, у вас точно был роман! — оживилась я.

— Нет, это точно дело прошлое, — сухо парировала Клэр.

Опять этот строгий учительский тон!

— А сами не хотите съездить в Париж?

— И речи быть не может, — резко ответила Клэр. — Для меня эта история — давно пройденный этап. Как говорится, было и быльем поросло. А сейчас мне и так проблем хватает. Но ты еще молода...

— Мне тридцать, — проныла я.

— Зеленая юность, — резко парировала Клэр. — Почти детство.

— А что у вашего знакомого за фабрика? — сменила тему я.

Сыновья Клэр ненамного старше меня, но оба семейные люди с успешными карьерами. Меня с ними лучше не сравнивать.

— Наверное, теперь там все по-другому, — с мечтательным видом произнесла Клэр, но быстро опомнилась и взяла себя в руки. — Вообще-то, ты не так поняла. Это не фабрика, а скорее мастерская. Называется «Le Chapeau Chocolat».

— «Шоколадная шляпа»? — переспросила я. — Интересное название. Там что, правда делают шляпы из шоколада?

Клэр не удостоила меня ответом.

— Будешь работать на общих основаниях, полный день. Я договорилась, чтобы тебе предоставили комнату. Район дорогой — просто невероятно дорогой! — так что это очень любезно с его стороны. Говорит, дополнительные рабочие руки будут нужны до октября. К тому времени в Великобритании уже будут вовсю готовиться к Рождеству. Уверена, по возвращении на работу устроишься без проблем.

— Разве во Франции Рождество не празднуют?

— Празднуют, — Клэр снисходительно улыбнулась, — но французы не так помешаны на нем, как мы. Соберутся всей семьей, поужинают устрицами, и все.

— Какой отстой, — проворчала я.

Неожиданно для себя я немножко рассердилась. Возникло ощущение, будто за меня все решили. А я ведь больная, надо мной нужно трястись и кудахтать!

— Нет, французское Рождество — это чудесно, — возразила Клэр. На ее худом лице снова появилось мечтательное выражение. — Дождь падает на мостовую, фонари над рекой светят сквозь туманную дымку, а ты сидишь, свернувшись клубочком у огня, и...

— Устриц лопаешь, — закончила я. — Фу!

Клэр сняла очки и потерла воспаленные глаза.

— По-моему, предложение более чем достойное, — произнесла она с надеждой. — Особенно учитывая, что он с тобой не знаком.

— Как же я буду там общаться? — заволновалась я. — По-французски ни слова не разберу!

— Не говори глупостей. Ты делаешь большие успехи.

— Ничего удивительного! Я же только с вами разговариваю. А настоящие французы будут тарахтеть на скорости сто слов в секунду: тра-та-та-та-та-та. Нет, вру — тысяча слов в секунду, — мрачно возразила я.

Клэр рассмеялась:

— Секрет прост — не паникуй. Доверься своему мозгу. Он сам все расшифрует. И вообще, на французском люди болтают ничуть не меньше глупостей, чем на английском. Французы, как и мы, любят повторять одно и то же по десять раз. Так что не волнуйся, справишься.

— А ваш знакомый говорит по-английски? — робко уточнила я.

Клэр смущенно улыбнулась:

— Когда мы в последний раз виделись, ни слова не понимал.

1972 год

Первое, что бросилось Клэр в глаза, — его усы. То есть в самих усах ничего необычного не было: тогда их отращивали многие — вместе с длинными растрепанными бакенбардами. Бакенбарды у молодого человека тоже имелись, но внимание Клэр привлекли именно усы: к их кончикам прилип шоколад. Она уставилась на эти шоколадные усы.

— В чем дело? — тут же поинтересовался молодой человек, игриво поведя бровями. — Дайте угадаю: вы никак не ожидали, что в эту дверь войдет такой потрясающе красивый мужчина, и теперь не верите своим глазам.

Клэр невольно улыбнулась.

Густая шапка темных кудрей, озорно искрившиеся карие глаза, крепкая фигура... Молодой человек был, безусловно, привлекателен, но красавцем его не назовешь. Особенно в традиционном французском смысле этого слова. Французы аккуратные, ухоженные, изящные и утонченные. А в только что вошедшем молодом человеке ничего утонченного нет: он напоминает случайно забредшего на светское мероприятие медведя.

— Смеетесь? Вас забавляет, что я некрасив? Молчите? По-вашему, это повод для смеха?

Молодой человек изобразил глубокую обиду.

Клэр уже почти час скромно просидела возле изысканного дверного косяка, дожидаясь, когда наконец мадам Лагард захочет уйти. Мамина подруга и ее муж оказались очень вежливыми людьми, а не домашними тиранами, как опасалась Клэр и как надеялся ее отец. Но Лагарды считали, что позволить Клэр участвовать в их светской жизни — большая привилегия.

Клэр же робела среди утонченных интеллектуалов и понятия не имела, о чем с ними говорить. Молодые люди в беретах яростно спорили о коммунизме, а умопомрачительно стройные женщины курили, время от времени игриво поглядывали на мужчин или рассказывали, как невыносимо скучна оказалась та или иная выставка. Клэр не любила многолюдные сборища, даже когда знала всех присутствовавших. Поразительная красота Парижа, которую Клэр видела каждый день, и без того действовала на нее подавляюще, ну а французов она попросту боялась.

Клэр попробовала воспринимать эти сборища как дополнение к языковым курсам и старалась внимательно слушать, но для нее все присутствующие, без сомнения, были взрослыми и зрелыми людьми. Ей до них было как до луны. В свои семнадцать Клэр толком не знала, кто она такая и где ее место, но на этих блистательных раутах чувствовала себя темной деревенщиной — чем дальше, тем больше. За речью большинства собравшихся уследить было трудно — так быстро они говорили. Клэр поражала красота женских нарядов: куда там маме с ее простыми скромными платьями! Вдобавок все рассказывали о выставках, которые посетили, и писателях, с которыми были лично знакомы, и без остановки говорили о еде. У Клэр от всего этого голова шла кругом.

Гостившая у Лагардов англичанка вызывала у собравшихся интерес: да и почему бы нет? Все-таки Клэр девушка хорошенькая и приятная. Но при малейшей попытке завязать с ней разговор Клэр пряталась в свою раковину, будто устрица. Ухоженную красавицу мадам Лагард подобная манера раздражала, но после Кидинсборо и домика приходского священника Париж кого хочешь заставит оробеть.

Но этот молодой человек совсем не похож на других. Как бы он ни старался казаться серьезным, в глазах так и пляшут задорные искорки.

— Я не поэтому улыбнулась, — возразила Клэр, прикрывая рот рукой.

— О-о! Англичанка! — воскликнул молодой человек и отступил на шаг, будто хотел рассмотреть такое чудо поближе. — Enchanté[1], мадмуазель! Очень любезно с вашей стороны, что соблаговолили посетить наш захолустный городишко.

— А теперь вы надо мной смеетесь, — постаралась Клэр ответить ему в тон.

— Абсолютно исключено, мадемуазель! Я француз, а у нас, как известно, чувство юмора отсутствует.

— Что это у вас на усах? — спросила Клэр.

---

[1] Приятно познакомиться (фр.).

Молодой человек состроил смешную гримасу, пытаясь поглядеть на собственные усы:

— Понятия не имею. Может, чувство юмора застряло?

— Ну, если оно у вас коричневое...

— Тогда понятно. Издержки профессии.

Последнюю фразу Клэр не поняла, но тут хозяин вечера обернулся и заметил стоявшего в дверях вновь прибывшего. Сразу оживился, подошел и увлек его за собой, с энтузиазмом представляя гостям. Те, похоже, обрадовались молодому человеку гораздо больше, чем новой няне Лагардов.

— Кто это? — шепотом уточнила Клэр у мадам Лагард.

— Тьерри Жирар, конечно! Недавно приехал. О нем сейчас весь город говорит, — ответила мадам Лагард, глядя на молодого человека почти с нежностью. — У него репутация самого талантливого шоколатье со времен Персиона.

Клэр удивилась, что шоколадных дел мастер пользуется такой популярностью и уважением. Зато стало понятно, что именно застряло у него в усах.

— Значит, здесь его ждет успех? — спросила Клэр для поддержания разговора.

Мадам Лагард наблюдала, как Тьерри Жирар беседовал с ведущим ресторанным критиком. Шоколатье легко и непринужденно очаровал собеседника с первых минут, заявив, что просто обязан поделиться с ним своим новым рецептом.

— Полагаю, что да, — заметила мадам Лагард. — Он учился в Швейцарии и Брюгге. Настоящий мастер своего дела.

Клэр обошла комнату, взяла второй бокал очень вкусного шампанского и снова занялась наблюдениями за гостями. Тьерри невозможно было не заметить: он находился в центре внимания и развлекал от души смеявшихся гостей. Люди так и стекались к нему. У Клэр, привыкшей, что ее редко замечают — увы, таков удел тихони, — подобный талант вызывал восхищение.

В заросшем лице нет ничего красивого — ни дать ни взять медведь. Но оно светится таким веселым, живым обаянием, что смотреть на него приятно. Невольно хочется, чтобы он согрел и тебя теплыми лучами своего внимания.

Несколько красавиц, до появления Тьерри мрачных и высокомерных, вдруг принялись со смехом крутиться вокруг него. Клэр нервно закусила губу. Она бы с удовольствием выпила еще один бокал восхитительного холодного шампанского. Раньше Клэр этого напитка не пробовала. Но она не без оснований подозревала, что мадам Лагард будет недовольна. И вообще, похоже, что супруги собираются уходить. Клэр оглянулась в поисках пальто, но тут вспомнила, что его унесла горничная, встречавшая гостей у двери.

— Не может быть! — прозвучал низкий рокочущий голос. — Уже уходите?

Клэр обернулась, и сердце ухнуло в пятки. Перед ней стоял Тьерри, и его лицо выражало глубокое уныние.

— Куда же вы торопитесь?

— Мне завтра работать, — заикаясь, пробормотала Клэр. — Домой меня повезет мадам Лагард. Я должна уйти вместе с ней.

— Ах, мадемуазель! — Тьерри выгнул бровь. — Не думал, что вы еще ребенок.

— Я не ребенок, — упрямо возразила Клэр, что прозвучало совсем по-детски.

— Alors[1], до дома вас подвезу я.

— Нет, не подвезете, — вмешалась будто выросшая из-под земли мадам Лагард и устремила на Тьерри такой холодный взгляд, будто хотела превратить его в глыбу льда.

— Enchanté, — приветствовал мадам Лагард нисколько не смутившийся Тьерри. Наклонился и поцеловал ей руку. — Ваша сестра?

Мадам Лагард выразительно закатила глаза.

— Это моя няня, и, пока она в Париже, я за нее отвечаю, — сухо ответила мадам Лагард. — Клэр, пора уходить.

— Клэр...

Тьерри произнес ее имя так, будто перекатывал его по нёбу и пробовал на вкус.

— Вы, конечно же, посетите мой новый магазин?

Клэр сразу поняла, что мадам очутилась в затруднительном положении. Разумеется, посетить новый магазин захочет весь Париж. Иначе как признаться на следующем суаре, что ни разу там не бывали? Мадам Лагард искоса взглянула на Клэр. Похоже, думает, как бы оградить свою подопечную от этого потрясающе обаятельного молодого человека. По крайней мере, такое впечатление возникло у Клэр. Как же она ошибалась!

Мари-Ноэль Лагард была женщиной с богатым жизненным опытом и полагала: дома Клэр слишком опекают и кутают в вату. Как бы бедняжка не задохнулась в тесном мирке английского среднего класса!

---

1   В таком случае *(фр.)*.

Надо срочно открыть ей глаза на другую жизнь, иначе Клэр похоронит себя заживо в убогом провинциальном городишке и так и не узнает, что такое жить в удовольствие, — совсем как ее матушка.

Но Мари-Ноэль рассчитывала, что под свое крыло Клэр возьмет один из хорошо воспитанных и блестяще образованных сыновей ее подруг. Научит девочку наслаждаться жизнью, и домой Клэр вернется с чудесными воспоминаниями о Париже и значительно расширившимися горизонтами, не ограниченными клубом садоводов при церкви. Мари-Ноэль чувствовала: в этой девочке таится большой потенциал, и мадам Лагард, как многоопытная женщина, должна помочь ему раскрыться. И ради самой Клэр, и ради ее матери, поистине замечательной женщины, способной на большие свершения, которая вышла замуж за обаятельного молодого священника — и неоднократно об этом пожалела. Но Клэр нужно свести с кем-нибудь подходящим, и главное, чтобы этот кто-то был осторожен. Хороша будет Мари-Ноэль, если отправит девочку в Кидинсборо беременной от толстяка-повара!

— Bien sur. Конечно, — отрывисто бросила она, одновременно давая знак горничной, чтобы поскорее несла пальто.

Наконец они вышли на улицу. Несмотря на поздний час, воздух был по-летнему теплым. Когда сели в такси, Клэр обернулась и посмотрела на стеклянные раздвижные двери, через которые они только что вышли. Оттуда неслась музыка и оживленные голоса. Дым от сигар поднимался к темному небу.

Глава 4

В последний раз папа заходил ко мне в комнату, когда мне было лет двенадцать, не больше. Здесь мое убежище, и представителям мужского пола в него хода нет. К тому же мой папа не из тех, которые заводят долгие беседы по душам. Мой папа из тех, кто развлекает твоих друзей шутками, от которых сквозь землю провалиться хочется, никогда не забывает смазать маслом цепь твоего велосипеда, в Рождество ходит чуть раскрасневшийся и целый день не снимает праздничный колпак. Скорее всего, он никому и никогда не говорил «я люблю тебя» — даже маме. Но это и ни к чему — я ведь чувствую, что папа ее любит. Мальчишек папа иначе как балбесами не называет, но я знаю: когда меня повысили на фабрике «Брэйдерс», он мной гордился.

Мама только и знает, что нервно тараторить: как я буду дальше жить, что смогу делать, а чего не смогу, какое будущее меня ждет... Как же я устала от этих речей! Я не парализована, не в инвалидном кресле. Всего лишь потеряла два пальца на ноге. Папе даже не полагается синий парковочный значок. Мама, когда узнала, расстроилась. Серьезно. Потом прочла статью в одном из своих журнальчиков, пришла к выводу, что у меня депрессия, и стала что-то бубнить про психолога. Это меня тоже взбесило. Депрессия — тяжелая болезнь, а я просто немного грущу. По моему мнению, когда теряешь часть тела, это совершенно нормальная реакция, и обсуждать тут нечего. Но отрицать не могу, — кажется, будто из себя прежней я превратилась в кого-то другого. Настигало вас когда-нибудь адское двухдневное похмелье? Чувствую себя, как на второй день вот такого похмелья. Не хватает сил, чтобы сделать миллион и одну вещь, взяться за которые просто необходимо. Но их так много...

Папа тихонько постучал в дверь. Я даже удивилась. Мама никогда не стучится, а мальчишки ко мне не поднимаются: просто орут с первого этажа.

— Здравствуй, деточка, — произнес он и протянул мне чашку чая.

Не сказала бы, что мы глубоко патриархальная семья, но раньше папа ни разу не заваривал чай.

— Сам заварил? — уточнила я, подозрительно поглядывая на чашку.

— Да, — быстро ответил папа. — С двумя кусочками сахара, правильно?

Должно быть, у мамы спросил.

— Можно войти?

— Ты же у себя дома, — удивилась я.

Папа явно нервничал. И что еще хуже, когда сел, осторожно достал из кармана два шоколадных печенья в упаковке.

— Что случилось? — Я пристально взглянула на него.

— Ничего.

— Если требуется шоколадное печенье, значит случилось. Не томи, выкладывай.

— Просто угостить тебя хочу. — Папа покачал головой.

Я продолжала молча смотреть на него. Так я и поверила!

— Мне тут звонила твоя учительница... — наконец начал папа.

— Говоришь так, будто я школьница, — проворчала я.

— А по-моему, эта женщина и сейчас многому тебя научила, — заметил папа и сел за мой белый туалетный столик.

Что и говорить, вид непривычный. В зеркале отражался папин затылок. До чего же он облысел!

— Надо же было как-то скоротать время, — пожала плечами я.

Папа поглядел на мою кровать. Там лежали несколько французских книг — Клэр одолжила.

Я с трудом продираюсь сквозь текст при помощи толстенного словаря. Получается медленно и нудно, но все же смысл постепенно вырисовывается.

— Так вот, твоя учительница говорит, что нашла тебе работу.

— Нет, не нашла. — Я покачала головой. — Просто она знает одного человека... вернее, знала. Они много лет не виделись. Ему на лето нужны дополнительные рабочие руки.

— Она говорит, это как раз твоя сфера.

— Да уж. В чужой стране. Скорее всего, я там полы мести буду.

— Разве плохо поработать за границей? — Папа пожал плечами.

— Что, надоела я тебе? Отделаться от меня хочешь?

— Нет, — деликатно заметил папа. — Просто тебе всего тридцать, тебя ничто здесь не держит... Разве ты не хочешь попутешествовать? Посмотреть мир?

Теперь плечами пожала я. С этой стороны я вопрос не рассматривала. И вообще в последнее время думала только об одном: как же мне, бедняжке, не повезло и как все должны меня жалеть. А про дальнейшие планы ни одной мысли в голову не приходило. Я утратила частичку себя — даже две частички. Хватит потрясений на один год.

Но папа на секунду заставил меня взглянуть на предложение Клэр с новой стороны. Приятно будет отправиться туда, где люди понятия не имеют, что со мной стряслось. Никаких сочувственных взглядов и нездорового любопытства. Стоит пройти мимо соседских детей, и те сразу принимаются меня обсуждать. Всего один раз выбралась в клуб с Кейт, и вот что из этого вышло: в час ночи ко мне привязался пьяный Марк Фармер с просьбами показать ступню. После этого эпизода в клуб не тянет. Кто я им: звезда шоу уродов? В Кидинсборо память у людей долгая. Как-то раз в начальных классах Сэнди Верден навалила кучу в штаны. Так вот, об этом до сих пор вспоминают.

— Сама знаешь, деточка, — папа ласково смотрел на меня, — не люблю раздавать советы.

— Знаю, — подтвердила я. — Очень ценю это твое качество. А то мама насоветует за двоих.

— Честное слово, — папа грустно улыбнулся, — будь я моложе и предложи мне кто-нибудь пожить на новом месте, побывать там, где ни разу не был, пусть даже совсем недолго, согласился бы не раздумывая. Как можно упускать такой шанс?

В первый раз вижу, чтобы папа о чем-то рассуждал с таким пылом. Даже когда в 1994 году наша городская футбольная команда «Кидинсборо Вондерерз» заняла первое место в лиге и месяца полтора в городе ни о чем другом не говорили. Правда, в следующем сезоне их обыграли, так что радость оказалась недолгой.

— Пожалуйста, не отказывайся, — попросил папа и со вздохом прибавил: — Мальчишки — бездельники, по полгода баклуши бьют. В прежние времена вкалывали бы в шахте или еще чем полезным занимались, а теперь работы никакой. Только и делают, что дожидаются, когда поблизости новая стройка начнется. Безобразие, да и только! Но ты...

Папа посмотрел на меня. Его усталое лицо выражало такую доброту, что я невольно отвела взгляд.

— Анна, у тебя же светлая голова. Когда ты заявила, что уходишь из школы, мы с мамой ушам не поверили. Нам даже миссис Шоукорт звонила.

Да, было дело. Клэр сказала родителям, что я обязательно должна продолжить учебу и поступить в колледж, но я в этом смысла не видела. Уже решила, что буду работать в продовольственной сфере, к тому же хотела поскорее начать зарабатывать деньги. Как-то не подумала о том, что в колледже могла бы получить специальность и за пару лет научиться чему-нибудь полезному, а не нахвататься знаний по верхам на фабрике. Ну а после окончания школы гордость не позволила мне пойти на попятный. Папа твердил, что еще не поздно передумать, но к тому времени я успела привыкнуть к зарплате, к тому же не хотелось снова усаживаться за парту. И вообще, все студенты — прыщавые неудачники. По крайней мере, так говорили у нас на фабрике. А мне казалось, что студентам живется весело.

Рядом с фабрикой стоит большой сельскохозяйственный колледж. Бывало, смеющиеся студенты с беззаботным видом шли мимо с папками и ноутбуками, а мы с утра пораньше тащились на работу. Но я сейчас не об этом.

Миссис Шоукорт объявила родителям, что у меня способности к языкам. Я должна продолжить учебу и сдать экзамены. Я только фыркала. Это еще зачем? Учить подростков бесполезно — не в коня корм. Вернее, таких подростков, как я.

А папа продолжал говорить.

— Знаешь, у тебя бы получилось, — мягко произнес он. — Честное слово.

— В детстве ты мне говорил, что я вырасту и стану Человеком-пауком, — криво улыбнулась я.

— А почему бы и нет?

С этими словами папа встал — медленнее, чем раньше, я заметила (теперь я всегда обращаю внимание на то, как люди двигаются) — и нежно поцеловал меня в затылок.

Глава 5

Два месяца спустя

Если еще хоть один человек скажет, как мне повезло, взвою. Совсем не чувствую себя счастливицей. На огромном многолюдном вокзале в Париже все пассажиры, стоило им высадиться из поезда «Евростар», моментально разбежались в разные стороны. Можно подумать, они участвовали в конкурсе «Посмотрите на меня, я знаю Париж лучше всех!». А я осталась в растерянности стоять на одном месте, чувствуя себя беззащитной и уязвимой. Тут мне пришло в голову, что выгляжу я тоже беззащитной и уязвимой. Ничего не скажешь, идеальная жертва для карманников. Теперь понятно, почему мама с папой каждый год отдыхают в Скарборо. По крайней мере, там точно знаешь, на какую часть набережной лучше не заглядывать, и сразу понятно, настоящая форма на полицейском или маскарадный костюм. А здесь я даже табличку прочесть не могу. В такси садиться страшно. Когда ковыляла вниз по эскалатору, таща за собой чемодан на колесиках, вспоминала всех, кто ахал от восторга и твердил, как мне повезло. Ведь я еду в Париж! Это просто потрясающий город! Про себя думала: да уж, конечно! Скорее всего, ближайшие полтора месяца я просижу одна в комнате, а жизнь вокруг будет бить ключом без меня. Так ничего потрясающего и не увижу. Очень даже вероятный сценарий. И еда мне, скорее всего, не понравится.

Я уставилась на схему метро, но с таким же успехом могла бы разглядывать египетские иероглифы. Так и стояла перед ней, крепко сжимая кошелек и загранпаспорт. Остается надеяться, что схему повесили не вверх ногами. Названий у линий нет, только номера. Но на указателях на вокзале везде написаны названия. Наконец я догадалась: должно быть, это конечные остановки.

Смело я зашагала вперед и купила билет у мужчины за стойкой. Спросила его на моем лучшем французском, как пройти на платформу. Тот ответил длиннющим монологом, состоявшим из крайне запутанных инструкций. Ничего не поняла, но вежливо поблагодарила и побрела куда глаза глядят. Мужчина меня громко окликнул. Я испуганно обернулась. Судя по его жестам, я с самого начала повернула не в ту сторону. Опять сказала «спасибо». От стыда слезы на глаза наворачивались.

Платформа забита пассажирами всех существующих типов и категорий. Большинство тараторят на французском со скоростью миллион слов в минуту. Будто нарочно выпендриваются! Но у некоторых туристов вид безнадежно потерянный. Вот они, собратья по несчастью. Но мы избегаем друг друга, будто боимся заразиться. Не хочется демонстрировать собственные уязвимость и невежество. Сейчас я с удовольствием развернулась бы и села обратно в милый уютный «Евростар».

Глянула на часы. В Париже четыре, значит, в Кидинсборо три. Перерыв на чай. Работай я до сих пор на фабрике, сидела бы с чашечкой и пакетом чипсов с солью и уксусом. Раньше ненавидела, презирала и всячески поливала грязью «Брэйдерс», а теперь при одной мысли об этой несчастной фабрике меня захлестнула тоска по дому. Да и в больнице примерно в это же время разносят заварные пирожные.

Я нервно глядела в грязные, изрисованные граффити окна грохочущего серебристого поезда. Мимо мелькала одна станция за другой. Наверняка свою я уже пропустила. Еще через несколько минут мы оказались среди полей. Я толком не представляла, куда мне нужно, но точно не сюда. С бешено бьющимся сердцем я выскочила на ближайшей остановке. Несколько пассажиров в вагоне поглядывали на меня с насмешкой. Стыд мешался с раздражением и тревогой. Я села на первый же поезд, шедший в противоположном направлении. Этот, слава богу, ехал медленнее и на остановках стоял подолгу. Я устроилась на узком оранжевом пластиковом сиденье у двери и пристально вглядывалась в таблички, пытаясь остановить поезд силой мысли.

Когда наконец я добралась до станции «Шатле — Ле-аль», чемодан застрял в турникете. Вытащил его очень хорошо одетый мужчина, спешивший мимо. Хотела поблагодарить доброго самаритянина, но тот пронзил меня строгим взглядом. Будто выговор объявил за то, что путаюсь под его обутыми в дорогие ботинки ногами. На поверхность я поднялась помятой, вспотевшей и доведенной до белого каления. Попробовала ориентироваться по карманной карте.

Дурацкий Париж! Дурацкий лабиринт, который здесь называют метро! Пассажиры неприветливые, сотрудники орут, но больше всех бесят хорошо одетые мужчины. Я едва не разрыдалась. Да еще и нога болит.

Рядом со станцией метро было маленькое кафе. Столики и стулья здесь умудрились впихнуть на узкий тротуар. Мимо несутся машины, воняет выхлопными газами. Под стульями и над ними — товары соседнего цветочного магазина. В тысячный раз за день я проверила, на месте ли кошелек, и рухнула на стул как подкошенная. Маленький человечек в брюках и белой рубашке с важным видом поспешил ко мне.

— Мадам! — сразу засуетился официант.

Понятия не имею, чего хочу. Скорее всего, просто присесть. А при удручающем состоянии моих финансов заказать следовало бы простой стакан воды. Но по глазам официанта вижу: нет, так просто от него не отделаешься.

Глянула на соседний столик. Пожилой мужчина с такой же пожилой собакой, дремавшей под стулом, посмотрел на меня в ответ. Перед ним стоял высокий стакан, до краев наполненный ледяным светлым пивом. Официант проследил за моим взглядом.

— Comme ça? — рявкнул он.

«Вот такой?» С благодарностью кивнула. Хорошо, пусть будет пиво. Конечно, в четыре часа дня рановато заказывать алкоголь, но я на ногах с пяти утра, страдаю от жары, усталости и злости. Приятно хоть на две секунды перестать дергаться из-за того, что еще нужно сделать. Не бояться, что потеряю билет на поезд, или уроню загранпаспорт, или оставлю чемодан без присмотра и служба безопасности его взорвет.

Я откинулась на спинку стула и подставила лицо солнцу. Когда я выезжала из Англии, моросило. Не ожидала, что в Париже окажется солнечно. Щурясь, попыталась вспомнить, куда запихнула темные очки. Глубоко вздохнула. Мой заказ подали со скоростью звука. Отпила глоточек. Пиво холодное, вкус просто изумительный. Огляделась по сторонам и невольно улыбнулась.

Да, это вам не грязное метро с непроходимыми турникетами! Вот я сижу на перекрестке мощеных улочек. Та, что справа, ведет к широкому горбатому мосту через Сену. На другом берегу огромный собор. Да это же Нотр-Дам! От волнения сердце замерло. Слева длинный ряд массивных белых зданий семи-восьми этажей в высоту. За ними виднеется набережная реки. С другой стороны — магазины, магазины, магазины. Улица шириной в несколько полос. Насколько видит глаз, над тротуарами красуются полосатые маркизы.

Несмотря на усталость и нервы, плечи мои постепенно расслабились, на душе посветлело. Я отпила еще глоток пива. Знаю, что существуют люди, для которых путешествие — не стресс. Просто запрыгивают в поезд или самолет, получают удовольствие от всего происходящего и как ни в чем не бывало просыпаются в новом городе. Так вот, я не из этой породы. В дороге я комок нервов.

Из цветочного магазина вышел симпатичный молодой человек с зализанными волосами. В руках огромный букет белых лилий. Вид у покупателя такой, будто боится быть застигнутым на месте преступления. Интересно, кому цветы? Не успела об этом подумать, как молодой человек встретился со мной взглядом и подмигнул. Надо же! Я улыбнулась в ответ.

Мимо потянулась вереница сотрудников, покидавших офисы. По нашим стандартам рановато для часа пик, и все же народ расходится по домам. Женщины будто только что из парикмахерской. Макияж сдержанный, волосы темные, блестящие и даже не похоже чтобы крашеные. Печально я подумала о мелировании от Кейт. Каждые полтора месяца выкладываю за него целое состояние, даже учитывая «дружескую» скидку. Одеты француженки просто. В основном все в черном, синем или сером. Обратила внимание, что женщин в брюках не много. Сотрудницы высшего и среднего звена в «Брэйдерс» почти все носят брючные костюмы. Брюки слишком плотно обтягивают объемистые задницы, а сверху — куцый жакетик. В общем, стиль, оставляющий желать лучшего. А у тех парижанок, которые все-таки облачились в брюки, ягодиц почти не видно. Крой летящий. Выглядит и элегантно, и задорно. Ну конечно, подумала я. Точно так же одевается миссис Шоукорт — то есть Клэр. Так вот где она училась. Интересно, сложно освоить это искусство?

Тут пожилой мужчина за соседним столиком наклонился ко мне:

— Anglaise?

Ну да, я англичанка. Неужели это до такой степени бросается в глаза? Я кивнула с вежливой улыбкой.

— В первый раз в Париже?

Опять кивнула.

Пожилой человек улыбнулся. Все лицо сразу избороздили многочисленные морщинки.

— Вам понравится. В ваши-то годы, в первый раз в Париже... Завидую, мадемуазель!

Я попыталась улыбнуться в ответ. На самом деле больше всего на свете я мечтала о горячей ванне. А на фоне пробегавших мимо юных французских красавиц чувствовала себя глубокой старухой. На секунду я позволила себе поверить, что этот старичок прав. В Париже меня, Анну Трент из Кидинсборо, ждут невероятные приключения и бурление страстей. Но даже сама мысль кажется нелепой и смехотворной. Самое большое мое приключение — однажды я отыскала идеальные сапоги с семидесятипроцентной скидкой на распродаже в «Дебенхемс». Однако, допивая золотистое пиво и окидывая взглядом озаренные предзакатным светом улицы, невольно подумала: а вдруг здесь меня и впрямь ждет что-то необыкновенное?

Глава 6

Оказалось, Сите — самый настоящий остров. В Париже их целых два, и находятся они прямо в центре города. С большой землей их соединяют многочисленные мосты. Здания на Сите в основном каменные — крупные, внушительные, горделивые: огромная больница, суд, полицейские участки. На западном берегу Нотр-Дам. Но за парадными фасадами прячутся узкие улочки — мощеные, извилистые. Это старый город: туда мне и нужно. Наконец оказываюсь на улице под названием Рю дез Урсен. Для этого приходится спуститься по ступенькам. Рядом мост, напротив посреди мостовой красуется крошечный треугольный садик.

Такое чувство, будто номера на зданиях расставили вразнобой или они затеяли игру в чехарду. Районы — здесь они называются arrondissements — возникают будто ниоткуда. Когда идешь куда-то в первый раз, всегда испытываешь особое, ни на что не похожее ощущение. До места добираешься долго и по пути подмечаешь подробности, которые запоминаются навсегда. Например, фонари из кованого железа, осветившие мне путь, когда начало темнеть. Наконец нашла то, что искала. Моя цель на шестом этаже старинного здания из золотистого камня. Окна высокие, от пола до потолка. Балконы уставлены цветочными горшками с незабудками.

Стоило заметить этот дом, и сердце замерло от восторга. Но, подойдя поближе, я заметила, что камень поистерся, одни незабудки засохли, а другие сделаны из пластика, из красивых окон едва не вываливаются рамы, вдобавок стекло в них всего одно — никаких двойных стеклопакетов. С мечтой о роскошных апартаментах придется распрощаться. Это всего лишь поделенный на квартиры старый дом, вдобавок довольно-таки запущенный. Я вздохнула. Наш дом в Кидинсборо маленький, и пахнет там мальчишками, лосьоном после бритья «Линкс», рыбными палочками, а иногда — нашим старым псом, которого мучают газы. Но моя комнатка теплая и уютная: мама любит включать отопление на полную мощность. Папа вечно ругается, что нам приходят километровые счета. Зато у нас мило и все современные удобства в наличии — включая двойные стеклопакеты. Никогда не жила в старом здании. Невозможно угадать, какого цвета когда-то была массивная старинная дверь. Нынешний оттенок назвать затрудняюсь: желтовато-красный?.. Друг к другу жмутся кнопки звонков с неразборчивыми подписями. Ступени крыльца совсем истерлись. Нужной фамилии не нашла.

Осторожно толкнула дверь. Она открылась со зловещим скрипом. Я шагнула внутрь.

— Bonjour![1] — позвала я.

1 Здравствуйте (*фр.*).

Никто не ответил.

— Bonjour!

Все та же тишина. В конце коридора застекленная дверь, сквозь которую проникает достаточно света, чтобы разглядеть пыльные стопки старых писем на паркете с треснувшими половицами и засыхающее комнатное растение в горшке возле лестницы. Ступеньки ведут в темноту.

Пошарив руками по стене, я нащупала выключатель, зажгла свет и стала карабкаться вверх. Но не успела добраться до первой лестничной площадки, как свет погас. Выругалась себе под нос и вновь стала водить рукой по стене в поисках второго выключателя. Но вместо него сдуру нажала на дверной звонок. Тот взвыл на весь дом, как сирена.

— Allo? — примерно с той же громкостью прокричал старческий женский голос.

Я помнила, что мне надо на верхний этаж, поэтому с торопливым «Pardon, madame»[1] продолжила путь.

Ну почему этот дурацкий свет все время гаснет? Перемещаться перебежками от выключателя к выключателю — то еще удовольствие. Лестница узкая и извилистая. Вдобавок приходится волочь тяжелый чемодан.

До верхнего этажа я добралась вся вспотевшая и запыхавшаяся. А внизу дама, в дверь которой я случайно позвонила, визжала во всю глотку. Слов я не разобрала, но, кажется, одно из них «полиция». Я тихонько выругалась — милыми и родными англосаксонскими словами.

---

[1] Извините, мадам (*фр.*).

Ступила на тесную лестничную площадку. Свет льется из облепленного грязью окошка в потолке. Наконец-то можно обойтись без выключателей! Места здесь совсем мало. Неужели я в башню поднялась? Кто-то повесил возле лестницы белую полочку, плотно уставленную книгами. Ну и как протиснуться мимо нее с чемоданом? На остальных этажах по две квартиры, но здесь всего одна.

Я шагнула вперед. На низкой белой двери висит маленькая медная табличка. На ней крошечными буковками выведено: «Сами». Я вздохнула с облегчением. Хорошо, что не придется еще раз преодолевать эту жуткую лестницу. Но тут сообразила: раз теперь здесь буду жить я, значит преодолевать жуткую лестницу придется каждый день — заметьте, с восемью пальцами на ногах! Пока я отмахнулась от этой нерадостной мысли и громко постучала в дверь.

— Есть кто-нибудь дома?

За дверью послышались шаги. Слава богу! Не знаю, что бы я делала, если бы пришлось тащиться вниз. Хотя нет, знаю — просто села бы на обратный поезд, и все дела. Но нет, так бы я не поступила. Ни за что.

— J'arrive[1]! — прокричал чей-то голос.

Судя по испуганной интонации, своим появлением я застала хозяина врасплох. За дверью что-то грохнуло. Да что у них там творится?

Наконец дверь распахнулась. На пороге стоял мужчина огромного роста — ни дать ни взять великан. Кожа смуглая, брови черные, кустистые, массивный подбородок покрыт щетиной. Из одежды на мужчине халат с узорами. Остается надеяться, что под ним хоть

---

[1] Иду (фр.).

что-нибудь есть. На меня хозяин устремил взгляд, полный глубокого, искреннего недоумения.

— Bonjour, — поздоровалась я. — Анна Трент. Из Англии.

Вдруг забеспокоилась: что, если Клэр не смогла договориться насчет жилья? А может, вышло какое-то недоразумение, или хозяин передумал, или...

Хозяин прищурился.

— Attends![1] — приказал он.

А что мне еще оставалось? Только ждать.

Через пару секунд мужчина вернулся в огромных очках в черной оправе. От него пахло сандаловым деревом. Едва не чихнула. Мужчина еще раз поглядел на меня сквозь очки.

— La petite Anglaise![2] — воскликнул он, расплылся в широкой улыбке и перешел на английский. — Добро пожаловать! Добро пожаловать! Проходите! Что я могу сказать? Совсем забыл! Вы можете сказать: «Как так — забыл?» — а я могу сказать... я могу сказать... добро пожаловать à Paris![3]

Шагнув в комнату, я сразу убедилась, что хозяин не врет: он и впрямь забыл о моем приезде. Коридора почти нет. Возле двери из мебели поместилась только вешалка со шляпами. В жизни не видела такой экзотической коллекции: я заметила феску, фетровую шляпу и мохнатую голову от маскарадного костюма гориллы. Комната небольшая, но доверху забита вещами. Плащи и ткани, перья, ножницы, меховые палантины, наволочки, пепельницы, пустые бутылки из-под шампанского, огромные подушки на массив-

---

[1] Ждите *(фр.)*.
[2] Маленькая англичанка *(фр.)*.
[3] В Париж *(фр.)*.

ном красном диване и на полу возле него... В углу кухонька, но ею, очевидно, никогда не пользовались по назначению. Эксцентричный хозяин выпрямился, чуть не задев головой неожиданно низкий потолок. Должно быть, рост у него под два метра, не меньше.

— Oui[1], — подтвердил хозяин, окинув грустным взглядом беспорядок. — Забыл.

Но тут же повернулся ко мне с жизнерадостной улыбкой.

— Но я могу сказать — да, добро пожаловать, Анна Трент. — В его устах мое имя прозвучало как «Ан-На Трон». — Мой дом всегда в полном порядке и готов к гостям! Вам ведь это понравится, правда?

Я покачала головой. Нет, не понравится.

— Вы на меня сердитесь, — сделал вывод хозяин. — Вам грустно.

Я опять покачала головой. Я не сержусь, и мне не грустно. Просто на меня свалилось слишком много новых впечатлений за один раз: я устала, перенервничала, вот слезы на глаза и навернулись. Еще бы — в первый раз я забралась так далеко от дома. Поэтому единственное, чего мне хочется, — сесть на нормальный стул за нормальный стол с нормальной чашкой чая, а не продираться через безумный творческий беспорядок богемной мастерской. Неужели я слишком многого прошу?

— Что это у вас такое? — спросила я, обведя широким жестом комнату.

— Беру работу на дом, — пожал плечами хозяин. — Моя главная беда: слишком много работаю.

---

1   Да *(фр.)*.

Позже выяснилось, что главная беда Сами отнюдь не трудоголизм, но в тот первый вечер я поверила ему на слово.

Оказалось, Сами работает в костюмерной театра «Опера Гарнье». Вместе с десятком девочек-швей создает костюмы для оперных постановок и получает за это жалкие гроши. В Париж Сами приехал, надеясь устроиться в один из крупнейших модных домов, но, увы, не сложилось. Теперь его основное занятие — расставлять швы на корсетах для певцов и жаловаться на жирных теноров и унылых сопрано, которые твердят, будто из-за узких костюмов не могут нормально петь, но на самом деле просто выпендриваются.

Но обо всем этом я узнала потом. А пока мне казалось, будто я угодила на свалку.

— Для вас есть комната! — объявил Сами. — Другая, не такая, как эта.

Тут в глазах хозяина промелькнул испуг.

— Ждите здесь, — велел он и скрылся за дверью в дальней стене.

Быстро пересчитав двери, я с облегчением убедилась, что в квартире есть две спальни и ванная. На одну страшную секунду я вообразила, что придется ночевать среди этих вековых завалов в обществе страдающего дефицитом внимания великана.

Через некоторое время Сами вышел из моей комнаты — вид пристыженный, халат оттопыривается так, будто под ним что-то спрятано.

— Prêt[1], можете заходить, — объявил Сами, кланяясь мне в пояс.

---

[1] Готово (*фр.*).

Таща за собой объемистый чемодан, я последовала за ним.

Мою спальню в Кидинсборо просторной не назовешь, поэтому к огромным апартаментам я не привыкла. Но когда в тридцать лет тебя запихивают в помещение теснее тюремной камеры... Да эта комната просто крошечная! Каким-то чудом сюда втиснули односпальную кровать и миниатюрную тумбочку, но больше никакой мебели в спальне не оказалось — она бы сюда просто не влезла. Я часто заморгала. Только бы не разреветься! Даже плакать здесь негде — уединиться никакой возможности. Каюсь, в фантазиях я видела спальню со смежной ванной и интерьеры со страниц журналов. В Париже полно огромных квартир с роскошными комнатами, мраморными каминами, высоченными потолками... А это же просто гроб какой-то! Наверное, в прежние времена тут спали служанки. Стены выкрашены в белый, на полу темно-коричневый истертый паркет.

— Нравится? — спросил Сами. — Великолепно, правда?

— Великолепно? — переспросила я, повернувшись к нему.

Если это помещение кажется хозяину великолепным, страшно представить, где спит он сам.

— Великолепно! — гаркнул Сами.

У меня чуть челюсть не отвисла.

— Ой, Ан-На Трон очень на меня злится. — Сами сделал грустное лицо. — Давайте я вам что-нибудь принести.

— Может, чаю? — предложила я.

— Чая нет.

— Кофе?

— Mais bien sur![1]

Со счастливым видом хозяин стал пробираться через завалы к крошечной кухоньке. Я же попыталась втиснуться в свою монашескую келью вместе со здоровенным фиолетовым чемоданом. Наконец взгромоздила его на кровать — больше было некуда. Протиснулась мимо тумбочки к окну. Посмотрела в него — и ахнула.

Окно от пола до потолка и открывается вбок. Мимоходом я подумала, сколько маленьких детей из таких повываливалось. Но эта мысль упорхнула так же быстро, как появилась. Я подняла сетчатую занавеску, открыла щеколду и сделала сразу два потрясающих открытия. Первое — крошечный балкончик. Места на нем хватило только для кованого столика и двух стульев, зато здесь солнечная сторона. А второе — потрясающий вид на Париж с высоты шестого этажа.

Крыши домов на противоположном берегу Сены, столики у южных стен ресторанов. Насколько хватает глаз, реку пересекают мосты, мосты, мосты. Слева, на северо-западе, виднеется зловещий черный небоскреб. Там бьется финансовое сердце Парижа, Ла Дефанс. Повсюду бурлит и бьет ключом стремительная жизнь большого города. Звуки до шестого этажа едва доносятся, зато прекрасно видно, как фургончик с фруктами упорно прокладывает себе путь, лавируя на запруженной автомобилями улице. Компания потрясающе красивых людей вылезает из блестящего черного автомобиля и направляется к элегантному бару. По соседней улице, послушно держась за руки, парами идет вереница школьников. Ну

---

[1] Ну конечно (фр.).

а если выгнуть шею влево, далеко на востоке вижу ее: единственную, уникальную и неповторимую Эйфелеву башню.

Вглядываюсь в розовеющий горизонт с такой жадностью, будто наткнулась на источник в пустыне. Я забыла обо всем: и о боли в ноге, и об усталости, и о мечте принять душ.

— Ваш кофе, — объявил Сами, заходя в мою комнату без стука. — Вам совсем не нравится?

— Не сразу заметила балкон, — улыбнулась я. — Здесь великолепно. Великолепно!

Хозяин принес мне крошечную чашечку с черной как деготь жидкостью. На блюдце кубик сахара. Обычно предпочитаю латте или «Нескафе».

— У вас случайно нет молока? — извиняющимся тоном спросила я, взглянув на Сами.

— Молока? Нет. Молоко грязное. Вы будете сосать коровью сиську? Не будете. Молоко? Нет!

— Ну ладно, — вздохнула я.

— Бренди? Есть немного бренди.

Раз уж сегодня такой красивый вечер, я ответила «да». Пусть будет бренди.

Остаток вечера мы с Сами провели, сидя на моем балкончике. Оказалось, у него такой тоже есть, с другой стороны от гостиной. Можно махать друг другу по утрам. Пили кофе с бренди, любовались Парижем. Если бы кто-то из прохожих поднял голову и заметил меня (хотя нет, не заметил бы — мы в мезонине, мимо пролетают голуби, небо окрашивается розовым, желтым и лавандовым, и вокруг никого, кроме птиц), этот человек подумал бы, что я такая же часть Парижа, как и все остальные. А я просто глядела на загадочный и причудливый иноземный пейзаж и восхищалась. Восхищалась без конца.

1972 год

Клэр просто обожала своих подопечных, Арно и Клодетт. Дети оказались вежливыми и хорошо воспитанными. Акцент Клэр их забавлял. То и дело спрашивали, какие французские слова она знает, а какие — нет. Больше всего им нравилось, как она произносила «Микки-Маус».

Взамен Клэр позволяла детям самим задавать ритм тех ленивых летних деньков. Чаще всего они ходили на детскую площадку в сад Тюильри в сени Эйфелевой башни. Брали с собой gouter — закуску — в виде теплых круассанов, которые с жадностью разламывали на кусочки и поедали, сидя на скамейке. Потом шли домой обедать. После обеда дети ложились спать. Тогда у Клэр появлялось свободное время, чтобы почитать или заняться французской грамматикой. Мадам строго следила, чтобы няня не отлынивала от учебы. По пятницам мадам любила сама водить детей в бассейн, и в это время няня была свободна как птица.

Поначалу Клэр понятия не имела, как распорядиться часами досуга. Ходила на выставки и в музеи, которые, как ей казалось, она обязательно должна посетить. Будто ставила галочки в путеводителе. По возвращении мадам расспрашивала Клэр, что она видела, и время от времени просила сводить в музей детей. Но Клэр не получала особого удовольствия от этих вылазок. Среди больших семей, юных парочек и верениц школьников она чувствовала себя одиноко. Как легко и непринужденно все они болтали на языке, который Клэр давался с таким трудом! В Париже она не знала ни души, а Кидинсборо остался далеко, будто на краю света.

Но постепенно Клэр набралась уверенности и стала совершать более длительные прогулки. Чем больше она видела, чем больше мест посещала, тем дальше отступали страхи. Извилистые улочки Монмартра, причудливый собор на холме, пастельные ступени — все это сразу пленило ее сердце. Клэр часто наблюдала за молодыми женщинами на мотороллерах: они ездили без шлемов, только платки прикрывали густые волосы. Девушки подъезжали и останавливались поболтать с курившими на ступеньках молодыми людьми. Иногда Клэр отправлялась с книгой в Люксембургский сад и нежилась на траве, подставив ноги солнцу. И повсюду были парочки: они целовались, болтали, оживленно жестикулировали, устраивали пикники и пили вино из бутылок без этикеток. В семнадцать лет одиночество особенно мучительно. Хотя Клэр всю неделю с нетерпением ждала свободного дня, пятницы тянулись нескончаемо долго. Клэр была очень рада, когда ее французский усовершенствовался настолько, что она смогла ходить в кинотеатр на бульваре Монпарнас. Там не имело значения, что она одна, — вернее, имело, но не такое. Клэр слышала, что в Париже есть места, где собираются молодые англичане, но мадам Лагард ясно дала понять, что Клэр туда ходить не следует: раз уж приехала во Францию, пусть все у нее будет по-французски. Ну а Клэр не могла ослушаться: она всем и всегда старалась угодить.

Ей очень хотелось снова увидеть Тьерри. Отчасти потому, что он ей понравился, но главное — Тьерри проявил к ней интерес, а ведь здесь, в Париже, к ней решительно все были равнодушны. Все остальные были слишком заняты светской жизнью, работой и делами, о которых Клэр до этого и не слыхивала.

После той вечеринки прошло уже две пятницы. Клэр поймала себя на том, что забредала все ближе и ближе к той части острова Сите, где, по ее сведениям, скоро должен был открыться новый магазин шоколада — единственный в своем роде в Париже. Эти сведения Клэр почерпнула, жадно подслушивая разговоры мадам с гостями. Дома, когда к маме заходили подруги, на стол подавали большой поднос домашних сэндвичей: белый хлеб, ветчина и маргарин. На десерт ели шоколадное печенье из магазина и запивали его пинтами черного чая. Зато здесь, когда к обеду ждали друзей мадам, приготовления затевались нешуточные. Дело никогда не обходилось без четырех блюд, шампанского в ведерке со льдом и беготни в рыбную лавку и обратно с утра пораньше.

Из разговоров гостей мадам Клэр узнала, что в Париже есть шоколадный магазин «Персион». Работает это заведение с 1794 года, за что пользуется всеобщим уважением. Но поговаривали, что вековой пылью там покрылись не только верхние полки, но и творческий пыл хозяев. Ассортимент «Персиона» не менялся веками.

Июль, пятница, середина дня. Улицы острова Сите заполнены толпами обливающихся по́том от жары туристов. Этот район находится в стороне от прямых, проложенных по четкому плану улиц и широких бульваров. Переплетающиеся запутанным клубком улочки сразу выдают средневековые корни Сите. Крошечные переулки возникают будто ниоткуда, дороги сужаются, пока не исчезают вовсе, или внезапно утыкаются в стену одной из величественных церквей.

В прошлые выходные Клэр ходила с Лагардами на свадьбу. Она достала было привезенное из дома летнее платье, но мадам Лагард тут же покачала головой. Сказала, что это платье Клэр не по фигуре, и скрылась. А вернулась с коричнево-зеленым шелковым нарядом свободного кроя. Воздушная ткань казалась почти невесомой.

— Это мое, — пояснила мадам. — Увы, после родов носить не могу.

Клэр возразила, что мадам и сейчас очень стройная, но та лишь отмахнулась.

— Фигура тут ни при чем, — произнесла она. — Теперь мне такие наряды не к лицу и не по возрасту.

На секунду ее взгляд затуманила грусть.

— Как быстро проходит молодость: пролетела — и нет, — вздохнула мадам Лагард.

Мужа мадам, Бернара, Клэр почти не видела: он часто уезжал по работе, а когда все же появлялся дома, был усталым и рассеянным. Но прохладные отношения супругов казались Клэр образцом зрелости: не то что у ее родителей — что думают, то и говорят. Лагарды — изысканные, умудренные опытом светские львы. Переодеваются к ужину, пьют коктейли. Что бы такие люди ни делали, все правильно. По крайней мере, так считала Клэр.

Платье совершенно вышло из моды. Стильные парижанки выставляли напоказ длинные стройные ноги в джинсах клеш, делали крутую завивку, носили огромные темные очки и фетровые шляпы с широченными полями, а поверх последних повязывали шарфы от «Эрмес». Но ненавязчивый узор из листьев и фасон с присборенной талией очень шли Клэр. В этом платье ее худоба казалась достоинством. Даже маленький рост из недостатка превратился в плюс. Клэр выглядела миниатюрной и изящной. В джинсах же она часто терялась среди более ярких девушек.

— Так-то лучше, — произнесла мадам.

Несколько гостей мужского пола в открытую выразили Клэр свое восхищение, когда она проходила мимо. Одобрительно улыбались, вполголоса говорили: «Très jolie, mam'zelle»[1].

А дома, в Кидинсборо, девушкам приходится слушать окрики и похабный свист.

Клэр сразу зашагала увереннее. От волнения ее щеки разрумянились, глаза заблестели.

Конечно же, Клэр понимала: вряд ли Тьерри запомнил девушку, с которой перекинулся парой слов на вечеринке. К тому же он наверняка слишком занят. Магазин шоколада ждет успех, и у хозяина не найдется ни минутки свободной. Но даже если найдется, что Клэр ему скажет? А может, он вообще не придет? У творческой личности полно дел поважнее.

Клэр решила притвориться, что идет в шоколадную лавку исключительно за вкусными покупками, не более того. Вот Арно и Клодетт обрадуются, когда она вернется домой со сладостями!

Подходя к магазину, Клэр сразу заметила толпу людей. Об этой лавке уже был наслышан весь город. Клэр невольно улыбнулась и порадовалась за Тьерри. Чтобы решиться на нечто подобное, нужна большая смелость: объявить всем вокруг, что производишь нечто из ряда вон выходящее, и требовать деньги с каждого, кого заинтересует твое предложение. Нет, каковы бы ни были будущие достижения Клэр, вряд ли она когда-нибудь вызовет вокруг своей персоны такой ажиотаж.

Клэр подошла чуть ближе. Витрины манили, притягивали. Люди стояли и просто смотрели на них. Приблизившись вплотную, Клэр поняла почему.

[1]   Очень красиво, мадемуазель (фр.).

Перед ней предстала целая чарующая сцена: к сказочному замку подъезжает карета, а из нее выходит принцесса. Наверху в небе парит воздушный шар. И все это сделано из шоколада. На кружевном платье принцессы узоры из белого шоколада, в окнах замка — витражи из черного. На деревьях шоколадные листья, на шаре выложены геометрические фигуры из белого шоколада. Перед замком посреди двора красуется фонтан, и в нем весело журчит шоколад.

Все это было так мило, остроумно и по-детски, что Клэр невольно расплылась в широкой улыбке и захлопала в ладоши. Тут она почувствовала на себе чей-то взгляд и подняла голову. По другую сторону стекла стоял Тьерри. До этого он явно с кем-то разговаривал, но вдруг застыл. Тьерри глядел на Клэр так, будто не мог оторвать от нее глаз. Клэр тут же перестала улыбаться и нервно закусила губу. Казалось, все вокруг исчезло: толпы, покупатели, шум и суета летнего Парижа. Клэр робко подняла руку в знак приветствия и приложила ладонь к стеклу витрины. Не обращая внимания на покупателя, Тьерри поднял свою огромную ручищу, похожую на медвежью лапу. И тут Клэр заметила то, на что раньше не обратила внимания: у Тьерри были удивительно длинные, густые черные ресницы. Даже сквозь стекло Клэр казалось, что она может различить каждый их волосок, каждую клеточку. А еще в его темно-карих глазах с тяжелыми веками так и плясали живые огоньки.

Вдруг кто-то, желающий рассмотреть витрину получше, оттолкнул Клэр в сторону, и чары развеялись. Клэр покачнулась, отступила на несколько шагов. Не прошло и секунды, как из магазина выскочил Тьерри и протолкался к ней через толпу.

— Вы не ушиблись? Кто это сделал? — рявкнул он.

Толпа расступилась, образовав кольцо вокруг смущенно съежившегося мужчины.

— Ты! — рявкнул Тьерри, ткнув в него пальцем. — Тебе в мой магазин вход воспрещен! Пожизненно! Уходи!

Мужчина залился краской стыда. Не глядя на Клэр, он пробормотал извинения и скрылся.

— Bon![1] — воскликнул Тьерри. — Остальных прошу заходить — если вы, конечно, хотите попробовать лучший шоколад в мире. Всем остальным просьба не беспокоиться.

Покупатели быстро наводнили шоколадную лавку. Тьерри вошел внутрь, массивной рукой обняв Клэр за плечи. Рядом с ним все мужчины казались маленькими, как дети.

Тьерри сразу провел Клэр в торговый зал. Там сохранились в первозданном виде позолоченные надписи тридцатых годов и стеклянные витрины. На полках рядами были выставлены большие старинные банки, а в них — разные виды сахара: ванильный, демерара[2], фиалковый, лимонный, сахарная глазурь.

В дальней части магазина угрюмого вида старик со сросшимися бровями что-то мешал в огромном медном чане. Тьерри кивнул ему, подзывая к себе, и старик с недовольным видом подошел к хозяину.

Но Клэр едва взглянула на старика: у нее от всего этого великолепия глаза разбегались. На полках вдоль

---

1   Хорошо *(фр.)*.
2   Разновидность коричневого тростникового сахара, получившего название в честь реки в Южной Америке.

задней стены раскинулся настоящий сад. Многие из трав и растений Клэр даже не знала. Дома она привыкла к простой пище. Когда мама попробовала приготовить спагетти болоньезе, все сочли такой кулинарный эксперимент слишком смелым. Мадам Лагард являлась сторонницей легкой и здоровой пищи: в ее доме к столу подавали простую рыбу на пару, а также огромные количества овощей и салата. Но эта зелень — совсем другое дело. Воздух наполняла причудливая смесь не похожих друг на друга ароматов, но их затмевал вездесущий запах шоколада: теплый, успокаивающий, надежный. Позже Клэр заметила: точно такой же запах исходит от самого Тьерри.

— Нравится? — спросил шоколатье.

Клэр ответила широкой искренней улыбкой.

— Да, очень! — с чувством воскликнула она.

Клэр сразу увидела, как Тьерри приятно: у него все было на лбу написано.

— Пойдемте, — позвал он и повел ее к чану.

Опустил туда ковш, зачерпнул, но тут замер.

— Non[1], — покачал головой Тьерри. — Закройте глаза.

Клэр лукаво взглянула на него. Сердце ее билось быстро-быстро.

— Что это вы задумали? — игриво поинтересовалась она.

— А вы, оказывается, кокетка! — улыбнулся Тьерри. — Да вот, хочу похитить вас и продать работорговцам. Или думаете, порежу вас на кусочки и спрячу в шоколаде?

Тьерри достал из кармана платок и со словами: «Клянусь, он у меня чистый» — завязал Клэр глаза.

---

[1] Нет (*фр.*).

— Хочу, чтобы вы прочувствовали все нюансы вкуса. — Его голос вдруг раздался в опасной близости от уха Клэр. — Так проще сосредоточиться: ничто не отвлекает.

От платка, плотно закрывавшего глаза, пахло так же, как от Тьерри: шоколадом и табаком. Нет, сейчас она не способна сосредоточиться ни на чем.

— Только так вы оцените вкус по достоинству.

На секунду Клэр ощутила на шее его дыхание, и вот край ковша коснулся ее губ.

— Попробуйте, — велел Тьерри.

Клэр разомкнула губы, и рот тут же наполнился расплавленным шоколадом: нежным и теплым, как поцелуй. Это было ничем не замутненное чувственное наслаждение. Но даже в тот момент Клэр заметила, что Тьерри в кои-то веки примолк: должно быть, наблюдал за ее реакцией.

Когда шоколад закончился, Клэр невольно облизнула губы. Может, осталась хоть капелька?

Теперь голос Тьерри звучал серьезно: ни следа озорства.

— Понравилось?

— Очень, — ответила Клэр.

Глава 7

Сами рассказал, что приехал из Алжира в возрасте шести лет. Мальчика забрал добрый двоюродный дедушка, добившийся во Франции больших успехов. Сами учился в хороших школах, а после этого должен был поступить в хороший университет. Но все свободное время мальчик проводил, разглядывая модные журналы и выбирая одежду. Этот период был нелегким для всех, сдержанно заметил Сами. Даже удивительно, что человек, так бурно демонстрирующий свои эмоции, выразился настолько деликатно.

Поступив в колледж моды, Сами пустился в свободное плавание, в котором находится до сих пор. По собственному признанию, Сами беден как церковная мышь и сдает комнатку в своей «башне», чтобы иметь возможность жить рядом с работой. Здесь у него еще и бесплатный спортзал в распоряжении: каждый день подниматься и спускаться по шести лестничным пролетам — та еще тренировка. Увы, очень скоро я убедилась, что Сами прав. Работает он по вечерам, но это даже хорошо, ведь по утрам ему вставать очень тяжело.

Первое утро выдалось холодным. Когда в моей белой келье прозвенел будильник, я не сразу сообразила, где нахожусь. А потом по всему телу пробежала дрожь приятного волнения. Я здесь, в Париже, сама по себе! С другой стороны от гостиной доносился низкий раскатистый храп. Даже если бы я хотела снова уснуть, под такой аккомпанемент мне бы это не удалось. Я вскочила, умылась в микроскопической ванной. Горячая вода быстро закончилась. Может, успеет нагреться, пока Сами не проснулся? Потом поглядела на карту Парижа. Мне велено явиться в пункт назначения в пять тридцать утра. Это же просто нелепо! За окнами еще темно. Наверняка суровая проверка для новенькой, сказала себе я.

Я понятия не имела, как обращаться с причудливого вида кофейником, оставленным Сами на плите. Не хотелось наделать шума и разбудить хозяина — я ведь только что въехала. Поэтому я быстренько почистила зубы, натянула свитер и стала спускаться по лестнице в непроглядной тьме, пытаясь побыстрее перебегать от выключателя к выключателю. К своему ужасу, я опять случайно ткнула пальцем в звонок на втором этаже и бросилась бежать как ошпаренная, пока хозяйка не подняла крик.

Адрес магазина — дом 63, улица Шануанс. Массивное здание из золотистого камня похоже на то, в котором живу я, только гораздо более ухоженное. Стоило отойти от обиталища Сами на две улицы, и бульвары стали чуть шире. Перед церковью живописная площадь с магазинами и кафе под полосатыми маркизами. Из-за горизонта наконец показался краешек солнца. По делам заспешили первые прохожие. Фургончики с цветочными луковицами, лукомпореем и омарами устремились к рынкам и магазинам. Укутанные уборщики, не глядя по сторонам, торопятся на работу. Водители автобусов зевают и потягиваются в теплых светлых кабинах. Мимо бесшумно проносятся велосипеды. На каждом углу уютно горят огни булочных. Запах теплого хлеба так и манит, но, увы, до открытия еще далеко. Я чувствовала себя голодной маленькой беспризорницей, которой только и остается, что жадно глазеть на витрины. Вчера вечером ужинать не было сил. Только сжевала зачерствевшие сэндвичи, которые взяла с собой в дорогу.

Пару раз я свернула не туда, и вдруг нужное здание выросло прямо передо мной. Сначала я заметила его, а через секунду еще и почуяла. На коричневой стене бледно-розовыми буквами выведено: «Le Chapeau Chocolat de Thierry Girard». Надпись неброская и ненавязчивая. Просто скромно сообщает, что шоколадная лавка здесь. Ее легко не заметить. Тем больше впечатляет уверенность хозяев в том, что в лишней рекламе заведение не нуждается.

Снаружи стоял молодой человек и курил сигарету. Потом к нему подошел другой мужчина, выше и крупнее, и принялся активно жестикулировать. Молодой человек бросил окурок в водосток. Я недостаточно продвинулась в разговорном французском, чтобы понять, в чем дело: то ли мужчина постарше отругал молодого за вредную привычку, то ли это у него просто такая экспрессивная манера. Оба повернулись к двери и направились внутрь. Я робко шагнула на мостовую. И тот и другой взглянули в мою сторону.

— Э-э... Bonjour, — промямлила я.

Интересно, кто из них знаменитый Тьерри Жирар? Готова поспорить, что не юноша.

Оба мужчины уставились на меня. Тут молодой хлопнул ладонью по лбу. Не надо знать французский, чтобы его понять: «Совсем забыл, что вы приступаете сегодня!» Этот жест в любой стране означает одно и то же.

— J'arrive... d'Anglettere[1], — с трудом выговорила я.

— Oui, oui, oui, oui, — энергично закивал молодой человек.

Похоже, он злился на себя за рассеянность. Второй мужчина обрушил на него поток ругательств, которые молодой человек проигнорировал. У юноши буйные черные кудри, как у цыгана. Нос крупный, на лице отображается целая гамма чувств. Вот он с тоской покосился на брошенный окурок.

Наконец молодой человек явно принял какое-то решение.

— Добро пожаловать! — громко объявил он по-английски и махнул рукой в мою сторону.

Он явно понятия не имеет, как меня зовут. Ну почему во Франции меня везде встречают одинаково?

— Я Анна, — представилась я. — Анна Трент.

Крупный мужчина сердито поглядел на меня. Плечи широкие, телосложение крепкое: из него получился бы отличный игрок в регби.

— Ан-На Трон, — с плохо скрываемым раздражением произнес он. — Bonjour, madame.

Он развернулся и тяжелой поступью направился обратно в магазин. Молодой человек ничего стран-

---

[1] Я приехала из Англии *(фр.)*.

ного или возмутительного в его поведении не усмотрел. Наоборот, весело улыбнулся.

— Он у нас молчун, — пояснил юноша, оглядываясь на двери. — Скорее всего, сегодня больше ни слова от него не услышите.

— Vous êtes Thierry?[1] — робко уточнила я.

— Non, non, — молодой человек рассмеялся, выставляя напоказ неестественно белые зубы. — Je ne suis pas Thierry[2]. Меня зовут Фредерик. Осмелюсь заметить, я гораздо обаятельнее.

Молодой человек опустил взгляд на тротуар.

— Ну что ж, Ан-На Трон, постараемся чем-нибудь вас занять.

— Вы забыли о моем приезде?

— Non, non, non. Вернее, да. Откровенно говоря, забыл. — Фредерик наградил меня обезоруживающей улыбкой. — Понимаете, столько встреч... столько ночей... Попробуй запомни всех красавиц!

Еще нет шести утра, я выгляжу как зомби, да и у Фредерика вид помятый. Он явно понятия не имеет, что со мной делать, но даже в таких обстоятельствах считает своим долгом заигрывать с новой знакомой. Не всерьез и без особых стараний — так, мимоходом. Не скажу, что подпала под его чары, но столь усердное служение искусству флирта впечатлило.

Поначалу магазин кажется неприметным. Маленькая, скромная витрина и торговый зал размером с обычную гостиную. Сейчас в лавке никого нет, только отполированные до блеска стеклянные витрины ждут своего часа. Оранжевый свет фонарей из

---

[1] Вы Тьерри? *(фр.)*
[2] Я не Тьерри *(фр.)*.

кованого железа льется внутрь. Я разглядела натертый паркет и коробки на полках за прилавком. Первым делом здесь чувствуешь запах: тяжелый, насыщенный, густой аромат шоколада, обволакивающий, как табачный дым. Кажется, будто шоколадом здесь натирают и прилавки, и паркетные доски. Все здание пропитано шоколадом. Наверное, много времени пройдет, прежде чем я перестану замечать этот запах. Даже в пустом торговом зале он пьянит и кружит голову.

Петляя между витринами, Фредерик добрался до низкой двери в задней стене. Дверь открывается в обе стороны, вверху полукруглое окошко — ни дать ни взять вход на кухню старомодного ресторанчика. Я немного выждала, прежде чем последовать за Фредериком, чтобы меня не зашибло качнувшейся в обратную сторону дверью.

— Вот мы и на месте! — объявил тот. — Вилли Вонка существует!

Я улыбнулась шутке, но должна признать — и впрямь раньше не видела такой необычной комнаты. Впрочем, это помещение даже на комнату не похоже. На фабрике «Брэйдерс» всю продукцию готовили в огромных промышленных чанах из нержавеющей стали. Этот факт расстраивает всех до единого детей, которым я об этом рассказываю. Впрочем, кое-кто просто не поверил. Но здесь после тесного торгового зала попадаешь в просторную пристройку со множеством высоких окон. Такое чувство, будто оказываешься в гигантской теплице. Видимо, раньше на ее месте располагался задний двор. Деревянные стены старые и облупившиеся. Кажется, вот-вот обрушатся. Но я различаю жужжание ионизатора воздуха. За температурой и влажностью здесь тщательно следят.

Фредерик кивнул в сторону огромной раковины для сотрудников, стоявшей у двери. Я торопливо вымыла руки антибактериальным гелем.

Освещение теплое: здесь горят электрические лампы, а не флуоресцентные. В задней части склада подоконник украшают горшки с ароматными травами: розмарином, лавандой, мятой. Заметила маленькое деревце. Да это же перец чили! Ассоциации с теплицей усилились. Три больших медных чана — наверное, для темного, молочного и белого шоколада — стоят посреди зала в окружении горелок, шлангов, печей, труб и всевозможной утвари.

В жизни ничего подобного не видела. О назначении большинства этих предметов мне остается только гадать. Пахнет здесь божественно, но с виду помещение напоминает сарай безумного садовника.

Шоколада нигде не заметила. Ни капельки. Медные чаны пустуют, оборудование стоит без дела. В воздухе висит тот же насыщенный запах, что и в торговом зале, а в остальном помещение напоминает музей.

Фредерик подошел с крошечной чашечкой густого черного кофе. С благодарностью я приняла ее и выпила, едва не поперхнувшись крепким напитком.

— У нас работают эльфы, — пошутил Фредерик. Мое удивление его позабавило. — Да, для Тьерри Жирара каждый день мы начинаем все сначала.

Тут меня посетила неприятная мысль.

— Неужели каждый день все вычищаете?

Фредерик с торжественным видом кивнул.

— Я теперь работаю у вас, значит...

Озорное лицо Фредерика вдруг приняло серьезное выражение. Только тогда я сообразила, что про свои будущие обязанности как-то не подумала —

сосредоточилась на самом отъезде. На старой работе я предлагала новые вкусы для начинок, участвовала в контроле качества, ходила по цеху с клипбордом. Поэтому позволила себе размечтаться: воображала, как работаю бок о бок с величайшим шоколатье своего поколения и даже вдохновляю его на новые рецепты. Бойко общаюсь с покупателями. А может быть, даже придумываю собственные гениальные рецепты, в которых отражена сама суть знаменитой шоколадной лавки...

Мрачно подумала: интересно, как по-французски «резиновые перчатки»?

— Это бесценный опыт и большая честь, — объявил Фредерик.

— Вам тоже так говорили?

— Oui, — ничуть не смутившись, кивнул Фредерик.

Похоже, он вообще человек независимый и на чужие мнения внимания не обращает. Фредерик глянул на мои руки:

— Не советую тратить деньги на маникюр.

Да, перед отъездом я специально привела ногти в порядок. Разумеется, сделала французский маникюр. А теперь от досады пообкусывать его хочется.

— Но это всего лишь одна из ваших интереснейших обязанностей, — многозначительно вскинув брови, прибавил Фредерик. — Пойдемте, я вам все покажу.

Да, вынуждена признать: я и впрямь узнала много интересного. Раньше мне в голову не приходило, что шоколад нужно есть свежим. Наоборот, считала одним из достоинств этого продукта то, что его можно долго хранить и возить с собой. Удобнее, чем с молоком или яйцами.

— Тьерри вам все расскажет, — говорил Фредерик. — Но он не любит подолгу болтать с нами, маленькими людьми. Хочет, чтобы его считали гениальным изобретателем. Он — этакий волшебник страны Оз, а мы всего лишь муравьишки, снуем туда-сюда по его магазину. Поэтому я, Фредерик, все вам объясню.

Свежесть шоколада очень важна, — объявил он, будто читая по бумажке. — Свежесть — это легкость, консистенция и тонкость, какие не найдешь в здоровенной плитке шоколада. Эта гадость валяется на полке по три месяца и становится все тяжелее и тяжелее, пока не превратится в кирпич. Non! Так нельзя. К шоколаду следует относиться как к деликатесу: этот продукт употребляют свежим, едва сорванным с дерева.

Крупный мужчина, которого мне представили как Бенуа, притащил большую коробку неочищенных какао-бобов и включил промышленных размеров печь.

— Начнем с основных принципов, — произнес Фредерик.

От бобов исходил чарующий насыщенный аромат. Бенуа насыпал их в огромный вращавшийся сортировальный барабан, смахивавший на стиральную машину. А с каким грохотом он работал!

— Готово, — объявил Фредерик пятнадцать минут спустя.

Все это время я прохаживалась по помещению и вдыхала аромат трав в задней части теплицы. Потом Фредерик сказал что-то, чего я не поняла, и жестом велел повторять за ним. С невероятной быстротой он принялся беспощадно раскалывать бобы молотком, высвобождая их теплое шоколадное содержимое. Каждый четвертый боб Фредерик выбрасывал.

— А мне сказали, шоколад — ваша специальность, — озадаченно произнес молодой человек, когда я уставилась на дело его рук во все глаза.

— Фабричный шоколад, — уточнила я. — Я просто включала и выключала оборудование.

Фредерик состроил истинно галльскую недовольную гримасу. Бенуа мельком взглянул в мою сторону и опять взялся за молоток. Даже не верится: в наши дни шоколад производят, будто в Средние века.

— Мы работаем руками, — терпеливо пояснил Фредерик.

Всю его игривость как рукой сняло. Наверное, ему нравятся только девушки, умеющие делать шоколад руками. Да, при таких вкусах выбор у парня невелик.

Фредерик кивнул в сторону свободного молотка. Я взяла его и осторожно стукнула по бобу. Никакого результата. Замахнулась сильнее. Хлоп! Я расплющила боб в лепешку. Бенуа молча взял его и выбросил в мусорное ведро. Я нервно сглотнула. Сомневаюсь, что от меня тут будет много пользы.

— Наверное, лучше вам пока просто понаблюдать, — заметил Фредерик.

Вскоре я обратила внимание: прежде чем стукнуть по бобу, они делают быстрое, едва различимое движением запястьем. Похоже на игру «стукни крота», только гораздо интереснее.

Когда они закончили, Фредерик достал на удивление изящный мини-пылесос и сдул им все скорлупки. Я допила обжигающе горячий кофе, — впрочем, по вкусу этот напиток больше напоминает чистящее средство повышенной мощности. Нет, каждое утро такое пить не смогу. К этой штуке привыкнуть невозможно.

— А теперь сгружаем бобы сюда. — Фредерик указал на огромную мельницу.

— Значит, машинами все-таки пользуетесь, — выпалила я так, будто в чем-то их обставила.

В ответ меня наградили таким взглядом, что я сразу сообразила: надо было прикусить язык.

Тут Бенуа вернулся с улицы, таща массивные ящики с молоком, маслом и сливками. Все бутылки из грубого переработанного стекла. Давненько я не видела молоко в стеклянной бутылке. Бенуа обернулся и с кем-то попрощался. До сих пор не рассвело, но черное небо едва заметно посветлело.

— Продукты принимаем только у одной молочной фермы на реке Уаза, — прокомментировал Фредерик. — Доставляют каждое утро. Конечно, швейцарские были бы лучше, но мы не можем так долго ждать.

Фредерик включил мельницу и стал осторожно и бережно скармливать ей драгоценные бобы. Вниз потекла густая темная жидкость. Она проходила сквозь сито, а потом вливалась в специально прикрепленную снизу бутыль. Фредерик глядел на все это с довольным видом. Когда перемололись все бобы, я подняла голову и спросила:

— Что теперь?

В «Брэйдерс» мы сразу начинали с жидкости и бросали в нее остальные ингредиенты, но, чувствую, сейчас об этом лучше промолчать.

— Коншир018, — ответил Фредерик.

Ну, это слово я знаю. Конширoвать — значит смешивать ингредиенты до нужной консистенции. В результате получаем нужный вид шоколада: темный, низкокалорийный, молочный или с начинкой. Любая, даже крошечная оплошность может превратить лакомство в гадость: шоколад получится слишком приторным, зернистым или ломким. Оборудование в «Брэйдерс» запрограммировано так, чтобы каждый раз выдавало одни и те же параметры. Там используют дешевое порошковое молоко, консерванты и вкусовые добавки.

— Конширует, конечно же, Тьерри, — произнес Фредерик, почтительно склонив голову. — Это самый важный этап работы. Непосвященные к нему не допускаются.

Конширoвать вручную очень трудно. А потом шоколад еще нужно рафинировать и подвергать термической обработке, чтобы затвердел и сохранил форму. Да, надо признать: впечатляет.

— Но это будет завтра, — пояснил Фредерик.

А Бенуа между тем переливал густую жидкую массу в кастрюлю, проверяя температуру смеси лопаточкой и одновременно медленно помешивая жидкость в другой кастрюле на плите. Обычно для этих целей пользуются не лопаточкой, а термометром, но, как я потом узнала, Бенуа практически вырос в шоколадной лавке. Он чувствует консистенцию шоколада инстинктивно: так же музыкант определяет, хорошо ли настроен его инструмент.

Если Бенуа устраивало качество, он фальшиво напевал себе под нос. Если нет, выливал жидкость обратно в большую кастрюлю и начинал сначала, пока не добивался идеального результата.

Наконец все было готово.

— Rien plus — хватит! — велел Фредерик, с трудом перекрикивая грохот мельницы. — Мы используем только лучшие какао-бобы из Коста-Рики, свежее, нежнейшее молоко из Нормандии от коров с идеально сбалансированным рационом и самый качественный тростниковый сахар с Ямайки, изготовленный старым традиционным способом, а не гигантскими машинами. В заводском сахаре чего только не найдешь: жир, консерванты, всякую шелуху и пластыри с пальцев работников.

Глядя на завораживающую смесь разных цветов, лившуюся в формы, я не могла отвести взгляд от этого зрелища. Увидев такую потрясающую красоту, трудно спорить с философией Тьерри. Да, шоколад должен изготавливаться и употребляться свежим, так же как кофе или круассаны. В Англии я ни разу не чувствовала такого теплого, насыщенного, чистого аромата. Еще бы: на фабрике мы добавляли в продукцию изрядную долю растительных жиров, чтобы смесь была погуще. Вот почему многим любителям британского шоколада изысканные деликатесы не по вкусу: скучают по привычным жирам.

— Только не вздумайте пальцы макать, — предупредил Фредерик.

Но я бы и так ни за что не дотронулась до готовившегося продукта. Я посетила достаточно нудных курсов на тему гигиены и безопасности, чтобы это правило надежно засело в моей голове. Надо быть совсем дурочкой, чтобы его не запомнить.

Между тем Фредерик протянул мне изогнутый металлический черпак с длинной ручкой. На конце вместо ковша что-то вроде ложки. Бенуа отошел в сторону.

— Осторожно, — предостерег он.

Фредерик лишь молча покачал головой и внимательно посмотрел мне в лицо. Он не отрывал любопытного взгляда от моих губ. Меня это сбивало с толку — правда в хорошем смысле. Осторожно я опустила черпак в смесь и поднесла ко рту светло-коричневую жидкость. Подула на нее, чтобы немножко остыла. Под пристальным взором Фредерика поднесла к губам.

Героиновые наркоманы часто говорят, что зависимость приобрели, надеясь достичь того же кайфа, что и от самой первой дозы: тогда им казалось, будто все проблемы и тревоги отступили. Конечно, было бы преувеличением сказать, что я ощутила то же самое. И все же стоило теплой, приятно густой жидкости коснуться моего языка, я подумала, что сейчас свалюсь в чан. Нет, хуже — нырну в него и выпью до последней капли это шоколадное великолепие. Вкус сладкий, но не приторный, сливочный, но не жирный. Насыщенный, глубокий, нежный, обволакивающий. Казалось, меня заключили в дружеские объятия. Меня сразу же охватило отчаянное желание снова ощутить этот волшебный вкус, погрузиться в это блаженство с головой. Вдруг я заметила, что Фредерик до сих пор пристально глядит на мои губы. Невольно я засмущалась и покраснела. Машинально опустила ковш, собираясь опять окунуть его в смесь, но в последний момент сообразила, что настоящие профессионалы так себя не ведут. Я же не хочу, чтобы меня посчитали жадной или голодающей. Подняла пустой черпак. Фредерик вопросительно вскинул брови.

— Вкус очень...

Что я могу сказать? Что по сравнению с этим шоколадом все, что я ела до этого, — мерзкие помои? Вкус настолько великолепен, что плакать хочется? Отныне буду питаться только их шоколадом и ни к чему другому не притронусь. А он ведь еще даже не застыл.

— Очень хорошо, — наконец произнесла я.

Фредерик повернулся к Бенуа. Тот пожал плечами.

Между тем в помещении стало жарко, но едва температура сделалась некомфортной, как раздалось деловитое жужжание — автоматически включился кондиционер. Я ощутила приятную прохладу. Оборудование на этом производстве старое, хрупкое и держится только на скотче. Но, без сомнения, работает оно как часы. А результаты просто сказочные! «Брэйдерс» такое и не снилось. Да и мне не снилось. Я даже представить не могла, что на свете существует такой шоколад.

— «Очень хорошо» — это слабо сказано, non? — заметил Фредерик.

Похоже, мой ответ оскорбил его до глубины души.

— Извините, — пробормотала я. — У нас в Англии так принято. Le style Anglais[1].

Этот ответ немного успокоил Фредерика. Классическая английская сдержанность не позволяет ни о чем говорить с пылом и восторгом. Пусть Фредерик и дальше так думает. Но на самом деле я просто

---

[1] Английский стиль (*фр.*).

не хотела признаваться, в каком я восхищении. Боялась показаться невеждой, не имеющей представления о хорошем шоколаде. Я ведь сюда помогать приехала!

Между «Брэйдерс» и шоколадной лавкой Тьерри — огромная пропасть. Это все равно что сначала мастерить ракеты из бутылок от моющего средства, а потом снаряжать космическую миссию на Марс. Поэтому я решила держать рот на замке, и замок я открою, только если представится возможность отведать еще немного этого восхитительного шоколада. Тайком, разумеется.

Фредерик с явным злорадством показывал мне, где лежат чистящие средства. Объяснил мои обязанности. На ближайшее время состоять они будут в том, чтобы дробить молотком какао-бобы, пока я не перестану портить продукт. Фредерик показал, как отсеивать куски скорлупок, и объяснил, как работает производство и магазин. Когда мы закончили, было почти десять часов утра. Яркие солнечные лучи лились внутрь, освещая растения на подоконнике. От этого эффект теплицы только усилился. Я решила, что сейчас магазин, должно быть, откроется: Фредерик и Бенуа нервно поглядывали на часы. Но оказалось, они ждали другого. Через пять минут двери с громким лязгом распахнулись. Бенуа вдруг скрылся в неизвестном направлении, а веселую плутовскую усмешку Фредерика сменило настороженное, заискивающее выражение лица. Я оглянулась..

— Allons-y — за дело! — прогрохотал оглушительный бас.

Затея Клэр принесла мне немало сюрпризов и потрясений, но такого я уж точно не ожидала.

Судя по тому, с какой интонацией Клэр говорила о Тьерри и как заливалась краской, едва упомянув его имя, этот мужчина сыграл в ее жизни особую роль. О бывшем муже, Ричарде, Клэр всегда говорила подчеркнуто вежливым тоном.

В ней до сих пор безошибочно угадываются черты юной красавицы, какой она когда-то была. Клэр по-прежнему красива, особенно в приглушенном свете, когда на лбу не проступают морщины, оставленные годами страданий.

Я воображала импозантного седовласого мужчину. Может быть, с бровями цвета воронова крыла. Одет в белую форму шеф-повара или дорогой элегантный костюм. Эффектный, стильный мужчина, под стать Клэр. Этакий светский лев. Замкнутый, сдержанный, никого не подпускает к себе близко. При упоминании о Клэр лишь улыбнется краешком губ. Или — увы! — с трудом ее припомнит. Да, много лет назад одна девчонка втрескалась в него по уши, но сейчас это лишь приятные воспоминания о золотой поре юности, не имеющие отношения к реальной жизни. Возлюбленный Клэр — этакий романтический герой, красавец с ноткой грусти во взгляде.

Но у настоящего Тьерри Жирара не оказалось ничего общего с персонажем моих фантазий.

Не знаю, владеет ли он английским. Тьерри провел некоторое время в Австралии и Америке, где приобрел славу и всеобщее уважение, а значит, хоть что-то знать должен. Но за все время я не услышала от него ни слова на моем родном языке. Тьерри не просто крупный мужчина, а огромный: рядом с ним кажется, будто больше ни для кого в магазине нет места. Живот, обычно обтянутый широченным бе-

лым передником, выглядит отдельным самостоятель-
ным существом и входит в помещение раньше хозяина.

— Это еще кто? — рявкнул Тьерри, окинув взглядом помещение. — Фредерик, опять ночную бабоч-
ку притащил?

Поначалу смысл французских фраз доходил до
меня с опозданием. Только через несколько секунд
я сообразила, что мне нанесли страшное оскорбление.
И слава богу: успей я возмутиться, в ту же секунду
опять стала бы безработной.

— Это Ан-На Трон, — представил меня Фредерик. — Наша новая помощница.

Широкое лицо Тьерри приблизилось к моему.
Пышные усы шоколатье — единственная приметная
черта месье Жирара. Остальные так заплыли жиром,
что утратили четкость. Маленькие черные глазки на-
поминают две изюминки, воткнутые в пышный кекс.
Кожа бледная и рыхлая. Из плоских ноздрей торчат
пучки волос.

Тьерри воззрился на меня.

— Допустить к моему шоколаду женщину?.. —
протянул он. — Ну не знаю...

Я ошеломленно застыла. Да, в Великобритании
такого не услышишь. Я уже собиралась оскорбиться,
как вдруг широкие мясистые плечи затряслись от
рокочущего хохота.

— Я пошутил! Шутка! Шутка!

Тьерри снова уставился на меня. Щелкнул пальцами:

— Знаю, кто вы!

Я растерянно глядела на шоколатье.

— Подруга Клэр?

Я кивнула.

— Вы с ней друзья?

— Клэр была моей учительницей.

— Французского?

Я снова кивнула.

— Ха-ха! Чему же она вас научила? Произношение у нее было то еще — будто собака салатные листья жует!

— Клэр прекрасная учительница. — Я ощетинилась.

Тьерри два раза растерянно моргнул:

— Даже не сомневаюсь. Могу представить. Вот только няня из нее была никудышная, но это, alors — увы, моя вина.

Тьерри в задумчивости умолк. Я смущенно переминалась с ноги на ногу. Сообщила ли ему Клэр о своей болезни и, если да, известно ли ему, насколько все серьезно?

— Вы только что из больницы?

— Со мной все в порядке, — упрямо парировала я.

Не собираюсь без лишней надобности рассказывать о своей травме.

— Значит, работать можете?

— Без сомнения. — Я постаралась улыбнуться как можно увереннее.

— Bon. Хорошо.

Тьерри снова погрузился в раздумья.

— И Клэр тоже больна...

Я смогла только молча кивнуть. Казалось, Тьерри хотел еще о чем-то спросить, но сдержался.

— Ну что ж, добро пожаловать. В шоколаде разбираетесь?

Я честно посмотрела Тьерри в глаза. Лицо у него как у большого доброго великана. Ну, этот вопрос для меня трудностей не представляет.

— Да, месье. Десять лет проработала на шоколадной фабрике.

Тьерри посмотрел на меня так, будто ждал еще чего-то.

— Ваш шоколад лучший, — просто прибавила я.

Со своим скудным французским я не осмелилась распространяться на эту тему. Тьерри помолчал, потом снова оглушительно расхохотался.

— Нет, вы ее только послушайте! — прогрохотал шоколатье. — Элис! Элис! Иди сюда! Ты не должна такое пропустить! Твоя соотечественница приехала.

Из задней комнаты вальяжной походкой вышла удивительно худосочная женщина. На вид лет пятидесяти, но очень хорошо сохранилась. Рот широкий, на губах ярко-красная помада, волосы обрамляют голову, будто блестящий черный шлем, только спереди бросается в глаза элегантный белоснежный завиток. На Элис были узкие брюки и мужской пиджак. Выглядела она сногсшибательно, — глядя на нее, другого слова не подберешь. Элис родом из Англии, но, по собственному утверждению, так давно в Париже, что совсем позабыла английский. На самом деле это означает, что Элис не желает тратить время на жалкое создание вроде меня — или читать газеты с английскими эмигрантами, собирающимися в книжном магазине «Шекспир» и пабах «Фрог» или «Смитс» на улице Риволи.

Лучший способ вывести Элис из себя — догадаться, что она англичанка, прежде чем она откроет рот. Несколько раз я подговаривала людей устроить ей такой вот приятный сюрприз. Понимаю, розыгрыш ребячливый, но она первая начала мне грубить.

Элис вопросительно взглянула на Тьерри:

— Chérie?[1]

— У нас теперь работает девушка из Англии!

Элис окинула меня взглядом с ног до головы. Я сразу застеснялась и затрапезной юбки, и туфель на плоской подошве, и сумки из «Гэпа», и прически в стиле «только с постели».

— Оно и видно, — бросила Элис.

Трудно поверить, что эта высокомерная стерва — англичанка. Хотя нет, не так уж и трудно, однако она производит впечатление стопроцентной француженки. Остается только надеть берет, отрастить тонкие подкрученные усики, нарядиться в полосатый свитер, повесить на шею связку лука, сесть на велосипед и капитулировать перед Германией.

— Здравствуйте, — сказала я по-английски.

— Bonjour, — ответила Элис и тут же отвела взгляд, будто разговор со мной уже успел ей наскучить.

Уж не знаю, что заставило Тьерри променять милую Клэр на это чудовище, но теперь не удивляюсь, почему он ест без остановки.

Тьерри поманил меня к себе. Первым делом он обратил внимание на свежее какао. Фредерик налил его в большой чан. С неожиданной для такого грузного мужчины ловкостью Тьерри повернул вентиль на кране. Чан наполнился теплой густой шоколадной жидкостью. Над ней поднимался легкий парок. Потом Тьерри налил молока, припорошил смесь сло-

---

[1] Дорогой (*фр.*).

ем белоснежного сахара, попробовал. Все это он проделал несколько раз с молниеносной быстротой.

— Да! Нет! Да! — рявкал Тьерри. — Нет! Еще! Быстрее!

Мужчины торопливо исполняли его распоряжения. Наконец мастер остался доволен.

— Приступаем, — объявил он.

— Лаванды! — рявкнул Тьерри.

Фредерик поспешил к горшку на подоконнике и срезал веточку. Тьерри порубил ее на удивительно мелкие кусочки, причем орудовал ножом с такой скоростью, что я испугалась: сейчас отхватит себе палец. Затем шоколатье велел принести крошечный хрустальный флакон с такой насыщенной лавандовой эссенцией, что стоило Тьерри вынуть пробку — и по всему помещению тут же распространилось головокружительное благоухание, будто мы перенеслись на весенний луг. Тьерри осторожно наклонил флакончик. В миску упала одна капля, вторая, третья. Одновременно шоколатье перемешивал смесь свободной рукой. Крошечные фиолетовые частицы лаванды почти скрылись. Тьерри мерил шагами помещение. Обошел его один раз, второй, третий, яростно мешая левой рукой и прижимая миску к груди правой. Время от времени останавливался, погружал палец в смесь, облизывал и снова принимался ходить по залу, то добавляя еще капельку сливок, то немного темного шоколада из чана. Наконец Тьерри объявил, что доволен результатом, поставил миску и отошел. Бенуа отнес ее к печи. Там шоколад приобретет нужную форму, пройдет температурную обработку и к завтрашнему дню будет готов.

Тут Тьерри рявкнул:

— Форму!

Фредерик тут же подскочил к нему со свежей порцией шоколада. Тьерри ловко налил его в форму, не пролив ни капли. Оставив противень остывать в холодильном шкафу, резко развернулся. Бенуа беззвучно поставил перед ним большую коробку желейных конфет. Тьерри взялся за нож и ловко орудовал им, пока не получились крошечные ромбики, идеально ровные и похожие друг на друга как две капли воды. Пока Тьерри работал, шоколад застыл. Достав его из холодильника, Тьерри перевернул форму. На рабочую поверхность выпали тридцать две безупречные шоколадные конфеты. Тьерри украсил желейными ромбиками верхушки шоколадных завитков. Искоса взглянул на меня и пододвинул ко мне одну штучку.

— Скажите, что думаете, — велел шоколатье.

Я откусила кусочек. Ощутила приятные ненавязчивые цитрусовые нотки. Видно, Тьерри добавил в шоколад лайм: еще раньше я заметила деревце на подоконнике. Этот привкус идеально дополняет вкус шоколада. Вкус у конфеты легкий. Даже не верится, что ешь калорийный продукт! При этом вкус не исчезает мгновенно: наоборот, его насыщенность усиливается, раскрываются новые нюансы. Кусочек кислого желе наверху уравновешивает приторность. Это шедевр. Не конфета, а произведение искусства. Губы сами собой расплылись в блаженной улыбке.

— Вот такое лицо должно быть у наших покупателей, поняли? — обратился Тьерри к остальным. — Точно такое. Сегодня сделаем четыреста штук лавандовых, розмариновых с конфитюром, мятных...

Тут Тьерри повернулся к Элис:

— Попробовать не хочешь?

Та смерила его ледяным взглядом.

— Шучу, — обращаясь ко мне, пояснил Тьерри. — Она как робот: никогда не ест.

— Ем, — холодно возразила Элис. — Но только нормальные продукты, а не отраву.

Приятное шоколадное послевкусие у меня во рту неожиданно перешло в горечь. Я едва сдержалась, чтобы не закашляться. Тьерри озорно подмигнул мне. Я улыбнулась в ответ, хотя то, что меня приняли в братство обжор-жирдяев, не особо порадовало.

— Что скажете? — спросил Тьерри. — Сойдет?

— Великолепно, — совершенно искренне ответила я.

Фредерик улыбнулся мне, как будто давая понять, что пока я хорошо вписываюсь в их коллектив.

Тьерри щелкнул пальцами. Бенуа подал ему эспрессо, перед этим высыпав в кофе полсахарницы.

Повисла благоговейная тишина. Тьерри залпом опрокинул эспрессо, со звоном опустил чашку на поднос и объявил:

— Заканчивайте!

Они с Элис вышли, и мужчины сразу принялись за работу. Фредерик вручил мне швабру и велел драить все, что попадется на глаза. Оба работника двигались с поразительной скоростью, воспроизводя творение Тьерри бесчисленное количество раз. Сначала лавандовые конфеты, потом розмариновые с конфитюром. Последнее сочетание прозвучало странно, однако стоило попробовать, и странным начало казаться другое: зачем люди едят другие конфеты?

Ровно в одиннадцать Фредерик снял грязный передник и поменял его на парадный белый. На кармане было вышито его имя и название магазина. Фредерик отправился открывать шоколадную лавку. Грохнули ставни. Звук эхом разнесся по улице. По соседству между тем готовились принимать покупателей другие магазины, кафе и рынки. Через запотевшие окна мастерской я заметила, что солнце встало, но, когда зашла в магазин, ударивший в лицо яркий луч заставил заморгать от неожиданности.

Спина и так уже разболелась: согнувшись в три погибели, я вычищала каждый уголок в мастерской. А потом Бенуа велел отдраить медный чан и выдал ящик, где хранился целый арсенал зловонных чистящих средств. Клэр оказалась права: без трудолюбия тут и впрямь не обойтись.

Прежде чем я взялась за дело, Фредерик позвал меня на улицу покурить. Я не курю, но составила ему компанию.

Фредерик приветливо машет рукой и обменивается шутками с владельцами соседних магазинов. Те выставляют перед входом стенды со своим товаром. Хозяин маленького книжного магазина расставляет романы в мягких обложках, некоторые довольно потрепанные. А вот печатная мастерская со старинными картами Парижа в прозрачных пластиковых чехлах. На стенах вывешены репродукции великих полотен, призванные привлекать туристов: Моне, Климт. В другом магазине, похоже, торгуют всеми существующими сортами чая. Вдоль стен тянутся ряды полок с яркими разноцветными металлическими баночками. Каких вкусов тут только нет: мята, кардамон, грейпфрут, карамель. Ароматы, которые исходят от этого магазина, сдержанные и утонченные: здесь пахнет листьями. А в шоколадной лавке Тьерри запахи царят насыщенные, приземленные.

Фредерик тепло поздоровался с владельцем: высоким, худым стариком, который выглядел таким же сухим, как и его товар. Казалось, дунет ветер — и улетит. Должно быть, они с Тьерри неплохо ладят: две противоположности дополняют друг друга. Справа от шоколадной лавки расположен хозяйственный магазин: тут продают метлы, совки для мусора, насадки для швабр, гвозди.

На втором этаже открываются окна. Улочки здесь такие узкие, что соседи знают друг о друге все. Вот жильцы пьют кофе и разворачивают газеты — «Матэн», «Фигаро». И везде постоянным аккомпанементом звучит оживленная французская болтовня. Даже не верится: вот она я, стою с настоящим французом на улице, заполненной настоящими французскими магазинами. Да что там — я и сама работаю в настоящем французском магазине! Пью густой кофе, наблюдаю, как вокруг кипит жизнь. От недосыпа в голове муть, вдобавок переела сладкого. Но должна признаться: внутри все так и клокочет от радостного волнения. Не смущает даже то, что остаток дня предстоит драить здоровенный металлический чан. Меня предупредили, что работать надо с крайней осторожностью, чтобы не отравить металл чистящими средствами. Ни в коем случае нельзя нанести урон патине: именно она придает шоколаду особые вкусовые нюансы. Все это Бенуа повторял, пока у меня глаза от скуки не остекленели. Ну что ж, буду разбираться с проблемами по мере их поступления.

А сейчас просто наслаждаюсь моментом: стою на улице, вдыхаю терпкий дым сигарет «Галуаз», смотрю, как по тротуару бодро трусит собака с газетой во рту, а трио голубей кружит над высокими крышами, слушаю звон колоколов, доносящийся с другого берега реки.

— Вы ему понравились, — заметил Фредерик. — Будьте осторожны. Это значит, что вы точно не понравитесь Элис.

— Ничего, разберусь, — ответила я с уверенностью, которой не чувствовала. — И не таких на место ставила.

А это смелое заявление и вовсе наглая ложь. В присутствии людей, которые позволяют себе грубить, я всегда робела — подумать только, у них хватает самооценки, чтобы глядеть на других свысока!

— Они в отношениях?

Фредерик фыркнул:

— Без Элис Тьерри бы целыми днями в постели валялся и собственную продукцию ел. Это она толкает его вперед. Благодаря Элис он прославился. И теперь она боится, что его кто-нибудь уведет.

«Этого жирного борова?» — подумала я, но вслух говорить не стала. К тому же вряд ли элегантная светская львица Элис увидит соперницу во мне.

На мощеные улочки уже вышли первые туристы. Восхищаются и умиляются, какое тут все хорошенькое и старомодное. Несколько человек гуляют в сопровождении гидов. При виде нашей вывески их лица озаряют улыбки.

— Начинается великое нашествие, — объявил Фредерик.

Он поспешно выкинул окурок в водосточный желоб, вернулся в шоколадную лавку и расплылся в широкой улыбке.

— Bonjour, messieurs, dames!

Из мастерской, где я очень медленно и аккуратно чищу огромный чан зубной щеткой — можно подумать, меня за что-то изощренно наказали! — видны затылки прохаживающихся по магазину покупателей. Иногда Фредерик заглядывает к нам и рявкает на Бенуа, чтобы поторапливался. Тот невозмутимо и методично заполняет свежими конфетами один поднос за другим. Похоже, распродаются они моментально по мере поступления, хотя цены, надо сказать, отнюдь не демократичные. Я глазам своим не поверила, когда увидела, сколько стоят конфеты. Позже Фредерик объяснил: да, делать шоколад по методу Тьерри очень дорого. Мастеру требуются только лучшие продукты, но даже самые редкие травы не поднимут цену до таких заоблачных высот. Просто Элис рассудила: покупатели по-настоящему ценят только то, за что приходится выложить кругленькую сумму. Замечено: стоит поднять цены, и покупателей сразу прибавляется, а статьи о шоколадной лавке печатают в журналах для элиты. Постепенно люди со всего света стали стекаться на Рю де Шануанс, чтобы посетить знаменитую, единственную и неповторимую шоколадную лавку. А Тьерри продолжает работать как ни в чем не бывало — и платит персоналу чистые гроши, сердито прибавил Фредерик. Еще бы: все идет в карман к Элис и тратится на сумочки от «Шанель». Интересно, сколько в этом правды, а сколько — неприязни к Элис?

Ровно в полдень Фредерик запер дверь и закрыл ставни. Бенуа выключил всю аппаратуру и уехал на стареньком велосипеде. Даже удивительно, как железный конь выдерживает его вес.

— Куда это он? — спросила я.

— Как это — куда? Сейчас перерыв, — объявил Фредерик. — Будем обедать.

— И долгий у нас обеденный перерыв?

На фабрике нам давали сорок пять минут. Раньше обед длился час, но потом нам пошли навстречу и сократили перерыв, чтобы мы могли уходить с работы пораньше. Но и в коротком обеде хорошего мало: не успеваешь ни сходить в город, ни забежать в магазин, ни с кем-нибудь встретиться.

— Магазин открывается в три. — Фредерик пожал плечами.

Я пораженно уставилась на него. Шутит Фредерик, что ли? Ну конечно — это просто розыгрыш.

— С двенадцати до трех? Перерыв длится три часа?!

Фредерик, похоже, ничего особенного в этом факте не видел.

— Конечно. Надо же пообедать, вздремнуть...

Кстати, раз уж Фредерик заговорил на эту тему — я с удовольствием поспала бы. Вскочила-то я сегодня еще до рассвета.

Фредерик весело улыбнулся и зашагал прочь. Я так и осталась стоять столбом. Элис прошествовала к выходу, даже не попрощавшись, и залезла в фургон с коробками свежей продукции. Тьерри помахал ей вслед, потом взглянул на меня. К моему удивлению, в его глазах плясали озорные искорки.

— Позвольте угостить вас обедом, — предложил он.

Глава 8

Если не считать шоколада, у меня за все утро росинки маковой во рту не было. А если учитывать, во сколько я встала, давно пора подкрепиться. Тьерри предложил мне опереться на его руку. Надо сказать, шел он не слишком быстро. Перейдя через мост Луи-Филиппа, мы нырнули в лабиринт узких улочек.

Кругом полно туристов, хотя время от времени попадаются и местные. Все они приветливо кивают Тьерри. По обеим сторонам тянутся ряды кафе и ресторанов. Снаружи выставлены меню с фотографиями и летние столики, — похоже, хозяева оптимисты. Однако Тьерри гордо прошел мимо всех этих заведений.

Когда мы добрались до дальней части квартала Маре, Тьерри вдруг свернул в крошечный мощеный переулок между двумя жилыми домами с белыми ставнями и бельем, вывешенным сушиться из верхних окон. Случайно найти этот ресторан невозможно — нужно точно знать, что он там. В конце крошечного переулка на ветру покачивается скромная деревянная вывеска, на которой нарисован пузатый глиняный горшок. Мы как будто угодили в Косой переулок из «Гарри Поттера». Я вопросительно взглянула на Тьерри, тот лишь молча подмигнул.

Мы открыли старинную дверь из темного дерева и очутились в зале небольшого ресторанчика.

Нас сразу окутали звуки, запахи и потоки теплого воздуха. Внутри все деревянное и в коричневых тонах. На стене висят медные котлы. Жара здесь царит невыносимая. Маленькие деревянные столы и лавки, видимо сделанные для наших более миниатюрных предков, беспорядочно втиснуты то тут, то там. Кажется, будто все присутствующие орут во всю глотку. Свободных столиков не видно.

Тут вышла крупная женщина в грязном белом переднике и очках, порывисто расцеловала Тьерри в обе щеки, протараторила что-то неразборчивое и повела нас обоих в дальнюю часть зала. Там за барной стойкой потрескивал огонь в огромной кирпичной печи.

Нас втиснули на одну скамью с двумя мужчинами. Те ожесточенно о чем-то спорили, но время от времени ни с того ни с сего замолкали и разражались хохотом. Не успела я кое-как устроиться, как пожилая женщина вернулась и вопросительно вскинула брови. Тьерри перегнулся через меня и объявил:

— Закажу вам утку.

Я согласилась. Тьерри молча кивнул женщине. Та сразу прислала очень маленького, худенького паренька с водой, хлебом, салфетками, столовыми приборами, а также графином с вином глубокого, насыщенного цвета — должно быть, фруктовым — и двумя бокалами. Мальчик накрыл на стол со скоростью звука. Тьерри налил мне чуть-чуть вина — видимо, на пробу. Себе в бокал плеснул гораздо больше. Обмакнул кусочек хлеба в мисочку с оливковым маслом, откинулся на спинку скамьи и принялся задумчиво жевать. Похоже, расспрашивать о моей биографии или о том, что привело меня в Париж, он не собирался. Вдруг я занервничала.

— Вы всегда этим занимались? — спросила я. — Содержали шоколадную лавку?

— Не всегда. — Тьерри покачал головой. — Еще служил в армии.

— Неужели?

Трудно представить Тьерри в образе подтянутого и мускулистого идеального солдата.

— Да, я был армейским поваром.

— И как же вам служилось?

— Ужасно. — Тьерри пожал плечами. — Но потом я вернулся в лавку. В Париже я гораздо счастливее.

— Откуда такое название — «Le Chapeau Chocolat»?

Тьерри улыбнулся, но не успел он ответить, как нам подали заказ.

Раньше я никогда не ела утку, разве что с блинами в китайском ресторане, когда у нас с Кейт появлялись лишние денежки. Думала, утка маленькая, но мне принесли грудку огромных размеров. Больше похоже не на утку, а на гигантскую рождественскую индейку. Корочка толстая и поджаристая. В качестве гарнира подали зеленый салат, маленькие поджаренные картофелины и желтый соус. Я взглянула на Тьерри: он разрубил огромную грудку напополам и обмакнул в соус. Я последовала его примеру.

Ах, эта сочная хрустящая корочка! Вкус просто невероятный: и горячий, и соленый, и нежный одновременно.

— Потрясающе! — восхитилась я, вновь взглянув на Тьерри.

Тьерри лишь вскинул брови:

— Ну да, приготовлено неплохо.

Я окинула взглядом другие столики: большинство гостей ресторана тоже ели утку.

Значит, вот на чем здесь специализируются: на глубоко прожаренных утках. Подумать только!

Я улыбнулась и утерла жир с подбородка. Картошка горячая и соленая, у салата рокет острый пикантный вкус. Все компоненты этого блюда выигрышно дополняют друг друга. Это один из лучших обедов в моей жизни. Все остальные едят между делом: болтают как ни в чем не бывало, будто пришли в обычную забегаловку. Хотя, может быть, для Парижа это вполне обычно.

Тьерри принялся с энтузиазмом объяснять, как при готовке в печи поддерживают строго определенную температуру и как добиваются сбалансированного вкуса. С восторгом рассказывал о том, откуда привозят уток для этого блюда. Оказывается, птицы непременно должны жить счастливо. Утка в стрессе — плохая утка. С каким оживлением он говорил! Похоже, эта тема Тьерри по-настоящему интересна. Заслушавшись, я перестала замечать его толстый живот и одышку. Обращала внимание только на заразительный смех и увлеченность темой беседы. Кажется, я начинаю понимать, что нашла в этом мужчине Клэр.

Активно жестикулируя ножом, Тьерри объявил, что вино нашего соседа по столику отдает пробкой. Но тут шоколатье опомнился и рассмеялся.

— Вечно я слишком много болтаю, — произнес Тьерри. — Понимаете, заносит.

— Ничего страшного, — заметила я. — Мне такая ваша манера даже нравится.

— Нет-нет, — Тьерри удрученно вздохнул, — я все время отвлекаюсь от главного. Скажите, ваш любимый мужчина остался в Англии?

— У меня нет любимого мужчины, — ответила я, но тему развивать не стала.

— Не может быть! — Тьерри удивленно вскинул брови. — У такой женщины...

Интересно, что он имел в виду: «У такой красивой женщины» или «У женщины такого возраста»?

— Ну да, — оставалось только подтвердить мне.

— Вы выглядите как женщина, у которой должен быть мужчина, — заметил Тьерри.

— Ну... — протянула я.

Может, он имеет в виду, что я совсем себя запустила? Необходимости кого-то покорять больше нет, вот и махнула рукой на внешность?

Тьерри поглядел на свою тарелку и, обнаружив, что она опустела, искренне расстроился.

— Тогда смотрите не влюбляйтесь в Фредерика. У этого прохвоста девять подружек.

Ну, это вряд ли. Такой худенький молодой человек... Нет, девять дам Фредерику явно не потянуть. Доев утку, я по примеру Тьерри провела хлебом по тарелке, собирая сок и остатки соуса. До чего же вкусно!

— Как поживает наша общая подруга Клэр?

Только сейчас я сообразила, что с самого приезда не проверяла электронную почту. Даже не дала Клэр знать, благополучно ли добралась. Надо спросить у Сами, где поблизости интернет-кафе. Хотя такой экстравагантный тип, наверное, не знает, что такое имейлы. Всю корреспонденцию ему доставляют почтовые голуби в галстуках-бабочках.

Я пожала плечами:

— В Париже в семидесятых годах было так же гламурно?

— В Париже всегда гламурно, разве нет?

Я кивнула.

Тьерри на секунду задумался.

— Мы с Клэр были хорошими друзьями, — произнес он. Взглянул на мой кусок хлеба и широко улыбнулся. — Между прочим, женщина, которая нормально ест, а не сидит на диете, очень привлекательна. Гарантирую: не пройдет и пяти минут, как вы с кем-нибудь познакомитесь. Только держитесь подальше от района Бурс. Там порядочного мужчину не найдете: одни прохвосты.

Оказалось, «Бурс» означает «Биржа» и это деловой район Парижа. Тьерри принялся очень пылко и при этом забавно обличать жирных котов-банкиров. А потом мы просто сидели в дружеском молчании. Тьерри заказал нам еще кофе, который подали с крошечной рюмочкой прозрачного спиртного.

— Eau de vie[1], — пояснил Тьерри. — Куда же без нее?

[1] В буквальном переводе «вода жизни». Французский фруктовый бренди, изготавливаемый методом брожения и последующей дистилляции без выдержки в бочках.

Тьерри опрокинул свою рюмку, я последовала его примеру. Не ожидала, что напиток окажется таким крепким. На глаза навернулись слезы, и я закашлялась. Тьерри рассмеялся.

— Очень рад нашему знакомству, — произнес шоколатье.

— Взаимно, — прохрипела я, немного придя в себя.

— А теперь пора вздремнуть!

На секунду я испугалась, что это такой своеобразный французский метод соблазнения. Но к моему облегчению, Тьерри направился обратно к магазину.

По многочисленным ступенькам я вскарабкалась к квартирке Сами. Последний лестничный пролет преодолела почти ползком. Наконец добралась до спальни, рухнула в кровать как подкошенная и уснула, не успела голова коснуться подушки.

До чего мне повезло, что у меня есть сосед, и это Сами! Ровно в три он вышел из своей комнаты, во все горло распевая оперную арию, рассчитанную на гораздо более высокий голос, чем у него. Потом на плите зашипел кофе. С трудом я разлепила глаза. Эффект от сытного обеда и eau de vie до сих пор не выветрился. Я понятия не имела, где нахожусь.

— Chérie![1] — воскликнул Сами при моем появлении.

Я вышла из комнаты, моргая от яркого солнца. Сами глянул на часы:

— А я думал, тебе на работу надо.

[1] Дорогая (фр.).

Сердце ухнуло в пятки.

— Надо! — в панике воскликнула я. — Вот черт!

— Arrêt — стой! — велел Сами.

Подошел ко мне, пригладил мои волосы и потер под глазами, — видимо, тушь потекла.

— Не волнуйся, chérie. Ничего страшного не случится, если чуть-чуть опоздаешь.

— В первый день!.. — простонала я.

На фабрике время прихода и ухода отмечают в журнале. Придешь попозже или улизнешь пораньше — оштрафуют. Не говоря уже о том, что заставлять себя ждать просто невежливо. Какая же я идиотка! Надо было поставить будильник.

Сами окинул меня пристальным взглядом.

— Перерыв — для легкого дневного отдыха, а не для полной отключки, — наставительно произнес он.

Тут из спальни Сами в крошечную ванную прошмыгнула маленькая худенькая фигура. Я улыбнулась. Сами сделал вид, будто не заметил.

— Allons[1], иди, — велел он. — И поторопись. Но не извиняйся. Вы, британцы, извиняетесь по тысяче раз на дню. Зачем? Вы же на самом деле не чувствуете за собой вины. Извиняйся, только когда действительно виновата. Иначе твое «извини» не имеет смысла.

— Извини, — не подумав, выпалила я.

Сами пронзил меня строгим взглядом:

— А теперь иди и больше не напивайся.

— Я не пьяная, — оскорбилась я.

— Ты англичанка. Всякое может случиться. Домой рано не приходи. У меня будут друзья.

[1] Ну (фр.).

Очертя голову я ринулась вниз по лестнице. Для экономии времени свет включать не стала, и это оказалось ошибкой: на нижней ступеньке я чуть не подвернула ногу. Выбегая за дверь, слышала, как дверь квартиры на втором этаже открылась, потом снова закрылась. Любопытная старая кошелка!

Я свернула на Рю де Шануанс, увидела шоколадную лавку, и сердце упало. Магазин снова открыт: полосатая маркиза натянута над дверью, скромная витрина сверкает в лучах солнца, снаружи выстроилась очередь из веселых покупателей. Но что еще хуже, Тьерри уже на месте, да еще и с Элис. Та взглянула на меня, и ее губы изогнулись в презрительной усмешке. Кто ей дал право смотреть на меня свысока?

— А-а, вы, — протянула Элис, даже не постаравшись вспомнить мое имя. — Мы думали, работа показалась вам слишком трудной и вы уехали домой.

— Случайно проспала, — ответила я, чувствуя, как заливаюсь краской.

С остальными я обратила бы свой промах в шутку, но только не с Элис. Эта женщина напоминает строгую директрису. Элис окинула меня взглядом, исполненным осуждения.

— Наша шоколадная лавка пользуется таким успехом, потому что сотрудники в ней занимаются делом, а не спят, — холодно заметила Элис. — Не уверена, что мы с вами сработаемся.

Я испуганно закусила губу. Неужели Элис меня увольняет? Я же только что приступила!

— Извините, пожалуйста, — взмолилась я. — Больше этого не повторится.

Под суровым взором Элис хотелось провалиться сквозь землю. А Тьерри лишь широко улыбнулся:

— Мы думали, вы сбежали и передали все мои секреты Патрису Роже! Он бы с радостью подослал в мою мастерскую шпиона.

Я поспешно замотала головой. На глаза навернулись слезы.

— Ругай меня. — Тьерри повернулся к Элис. — Я водил ее в «Le Brulot»[1], — признался он с наигранно пристыженной гримасой, ни дать ни взять провинившийся мальчишка.

— Кто платил за обед? — тут же поинтересовалась Элис.

Мы оба промолчали. Я в глаза не видела счет.

— Она первый раз в Париже, — заметил Тьерри. — Надо же было познакомить ее с нашими традициями.

Но Элис такое объяснение явно не удовлетворило. Тьерри мягко произнес:

— Ты ведь тоже когда-то ничего в Париже не знала, non?

— Я вообще не обедаю, — отрезала Элис.

Однако гнев на милость сменила: только поцокала языком и покачала головой. Тьерри заговорщицки переглянулся со мной, радуясь одержанной победе. Не улыбнуться в ответ было невозможно.

Во второй половине дня я увидела Тьерри совсем с другой стороны. Ни следа утреннего перфекционизма! Я убирала, приносила что велят, драила пол и следила, как он общался с покупателями: заигрыва-

---

[1] «Горелка» (фр.).

ет, улещивает, разрешает чуть-чуть попробовать, угощает маленьких детей горячим шоколадом. Здесь он такой же полновластный хозяин, как и в мастерской. А когда выставляет покупателям астрономический счет, мужественно глядит им прямо в глаза — и те без звука протягивают кредитки. «Вот это уровень!» — подумала я. Тьерри настолько уверен в качестве своего продукта, что не может не заражать энтузиазмом всех вокруг. Люди выстраиваются в очередь через пол-улицы не только для того, чтобы купить шоколад, но и для того, чтобы встретиться с легендарным мастером.

Ровно в семь закрыли ставни. Я огляделась по сторонам. Магазин почти опустел — прямо как булочная в конце дня. Все, что не распродали, идет на выброс. Драю медный чан как одержимая. Ко мне подошел Тьерри и улыбнулся при виде моего служебного рвения.

— Ça va?[1] — спросил шоколатье.

Я торопливо закивала. Изо всех сил стараюсь искупить свое опоздание. Тьерри оглянулся. В первый раз я не увидела у него за плечом Элис.

— Как... — начал было Тьерри, но тут же осекся. Его природная жизнерадостность вдруг показалась несколько наигранной. — Как поживает Клэр?

Избегая взгляда Тьерри, я продолжила натирать чан. Боялась, что в моем взгляде отразится худшее. Пока я отдыхала дома и проходила лучшую физио- и реабилитационную терапию, какую только может предложить Государственная служба здравоохранения, Клэр поругалась со своим онкологом. Взяла

---

[1] Как дела? (Все нормально?) (фр.)

и потребовала, чтобы он назначил крайний срок для курса химиотерапии, после которого она лекарства принимать не будет. Врач ужасно рассердился и напомнил, что Клэр еще не старая женщина. Клэр ответила ему в очень резких выражениях, а потом, когда я ее навестила, была в настолько дурном настроении, что я тут же заявила: в Париж не поеду, останусь с ней. Это был первый раз, когда Клэр рассердилась на меня — пусть даже совсем немножко. Неужели я не могу сделать для нее даже такую малость? И вообще, все с ней будет нормально, и она поправится — хотя бы даже назло онкологу.

— Бывало и получше. — Я пожала плечами.

— Расскажите поподробнее, — попросил Тьерри.

— Мы вместе лежали в больнице, — начала я. — Так и подружились. Это Клэр посоветовала мне поехать в Париж. Вернее, заставила, — исправилась я. — Прямо-таки силой отправила.

— И правильно сделала, — кивнул Тьерри. — У нее есть... муж, семья?

— Нет, Клэр разведена. — Я покачала головой.

Во взгляде Тьерри на секунду промелькнула грусть — и, кажется, что-то еще.

— Правда? Какая же она была красавица! Просто глаз не отвести.

Я согласилась. В нашем маленьком городке Клэр до болезни сияла, как звезда.

— Но она поправится, non? Она ведь еще не старая. Конечно, все мы уже немолоды, но... — пробормотал себе под нос Тьерри. — Клэр — другое дело. Она была такая красивая...

— Кто была красивая?

А вот и Элис с ее безупречно произносимыми слогами. К ее французскому до сих пор примешивается крошечная доля английского аристократизма.

— Да так, никто, милая, — ответил Тьерри, поворачиваясь к ней и снова растягивая губы в лучезарной улыбке. — Пойдем. Надеюсь, сегодня проведем спокойный вечер?

Элис уставилась на меня, подозрительно прищурившись. Затем ответила:

— Да, дорогой. Только надо обязательно заглянуть на коктейльную вечеринку к Франсуа. Тебя там ждут. А потом заедем к послу. Ничего не поделаешь, работа есть работа.

— Поражаюсь, как увеселительные мероприятия могут быть такими невыносимо скучными? — сердито проворчал Тьерри. — Люди разучились веселиться. В прежние времена чудесно проводили время: танцевали, курили... А теперь все только стоят с напряженными лицами и бормочут про деньги, деньги, деньги!

— Если бы ты столько не ел и не пил в гостях, возможно, получал бы от этих вечеров больше удовольствия.

— А если не буду есть и пить, вообще удовольствия не получу.

Они открыли дверь и вышли. Повеяло приятным теплым ветерком. Фредерик уже умчался на мотороллере. Бенуа ждал, когда я закончу, без единого слова поигрывая тяжелыми ключами. Выходя, я приветливо улыбнулась, но Бенуа на мою улыбку не ответил.

— До свидания! — бодро сказала я на английском.

Бенуа даже головы не повернул.

Несмотря на дневной сон, падаю с ног от усталости, да и ум за разум заходит. Практиковаться с Клэр — одно дело, но весь день общаться только на французском ужасно утомительно. Вдобавок лишний раз я убедилась, что познания мои оставляют желать лучшего.

Я вскарабкалась вверх по лестнице. Отсутствующие пальцы ног болезненно дергало. Как же бесят эти фантомные боли! Клянусь, когда все мои пальцы были на месте, я едва обращала на них внимание. А стоило потерять две штуки — и больше ни о чем другом думать не могу. Теперь они постоянно подают мне сигналы, давая понять, что я устала, переутомилась или взвалила на себя слишком много. А сегодня на меня, естественно, обрушилось все вышеперечисленное.

Все мысли посвящены моему увечью. Больше никаких босоножек летом и красивых педикюров перед отпуском. Отныне моим ступням не покрываться ровным бронзовым загаром, любуясь которым надолго сохраняешь летнее настроение даже после поездки. Единственное, что теперь смогу носить, — громоздкие, тяжелые, уродливые ботинки. А про высокие каблуки вообще можно забыть: в них вес приходится на носок, и в результате оставшиеся пальцы ног болезненно сводит. Врач-подолог заявила, чтобы я даже не смотрела в сторону шпилек. А еще заверила, что причин для комплексов у меня нет. Никто не разгуливает по пляжу, пересчитывая пальцы на ногах у отдыхающих. У многих на ступне шесть пальцев, и никто этого даже не замечает — и так далее и тому подобное. Я улыбалась и кивала, но лишь из вежливости. Про себя же поклялась никогда не выставлять ступни напоказ.

Как буду выкручиваться, если все-таки найду себе кого-нибудь, я старалась не думать. Было не до того — сначала выздоравливала, потом ломала голову, как теперь жить: единственный более или менее приличный работодатель в округе отныне в моих услугах не нуждается, а почти всю компенсацию от фабрики я истратила. Но как бы там ни было, моего увечья никто не увидит, и точка.

Ковыляя по ступенькам верхнего пролета, я заметила стоявшего на лестничной площадке Сами. Тот жизнерадостно помахал мне зеленой бутылкой. На Сами был пестрый шелковый халат, который ему слишком короток. Поднимаясь, я старалась не смотреть вверх.

— Alors! — гаркнул Сами. — Веселый вечер начинается!

— Не для меня, — поспешно возразила я. — С ног валюсь от усталости.

Сами мой отказ оскорбил до глубины души.

— Ты не хочешь познакомиться с моими друзьями?

Откровенно говоря, я не имела ни малейшего желания.

Во-первых, скудные запасы моего французского исчерпаны. Конец. Fin. А во-вторых, друзья у Сами наверняка такие же эксцентричные, как он. При мысли о том, что весь вечер я просижу в каком-нибудь шумном заведении, да еще и окажусь самой скучной из всех присутствующих, накатило уныние. Больше всего хотелось рухнуть на диван перед телевизором. Но, заглянув в квартиру и увидев включенный телевизор, я сообразила — да, только в этот момент! — что все программы здесь на французском. На экране за столом сидели четыре парня и орали друг на друга. Я вздохнула. Все бы отдала, чтобы посмотреть на кувыркающуюся собаку в программе «Минута славы» — желательно под пиццу.

За обедом казалось, будто я наелась на весь день, но мой желудок другого мнения. Надо было зайти в магазин, но понятия не имею, где здесь продуктовый. А в квартире явно ничего съедобного нет. Единственные запахи, которые чую: экзотический гель для душа, сигаретный дым и благоухание огромной сандаловой свечи.

И вообще, несчастный случай на фабрике изменил мою жизнь — и я сейчас говорю не только о встрече с Клэр. Раньше я была готова на любую авантюру, но теперь, к сожалению, осознала, что отнюдь не являюсь неуязвимой. Я говорила, что мне надо прийти в себя, но на самом деле просто пряталась.

Глава 9

После многочисленных вечеров в обществе Сами я убедилась: если он тащит тебя тусоваться, спорить бесполезно. И кстати, тусовки с Сами — совершенно непередаваемый опыт. Мы с Кейт отправлялись тусоваться, говорили друзьям, в какой бар идем, а те закидывали нас эсэмэсками и сообщениями в мессенджерах, предлагая пересечься. В результате неизменно собирались в клубе «Лица», потому что там есть танцпол. Напрыгавшись, завершали вечер кебабами в «Понтин Али». Так у нас поступают все.

Вечера были похожи один на другой как две капли воды: иногда повеселее, иногда поскучнее. Почти каждый раз наблюдали чью-нибудь драку. Время от времени в драку ввязывалась Кейт.

Но у Сами особый талант. Тем же методом он создает костюмы для оперы. Берет повседневное, невзрачное, безвкусное и превращает в нечто волшебное — и все это при минимуме денежных затрат, но при максимуме вдохновения.

Сами всегда знает, где сейчас проходит выставка или готовится флешмоб. Однажды вечером в Париж прибыл цирк из Монако. Мы сидели на крошечной террасе на крыше дешевого ресторана, где готовят лучший в Париже буйабес. Светящиеся гирлянды обвивали разномастные столики. Мы смотрели, как из фургонов выходят слон и тигры. В другой раз Сами объявил, что все должны надеть что-то синее, потом уговорил охрану, чтобы нас пропустили на закрытую выставку популярного молодого скульптора, — просто так, забавы ради. Пили бесплатное вино и громко обсуждали работы автора, строя из себя претенциозных снобов, пока нас не выставили за порог. Круг «вечерних друзей» Сами постоянно меняется. Кого там только нет: бармены, сотрудники театральных касс, мясники, пекари, актрисы, гитаристы. Короче говоря, те, у кого рабочий день нестандартный. Они освобождаются, когда все рестораны и бары уже закрыты. Им нужен человек, который знает, как отлично провести время в ночном Париже.

В первый вечер я, конечно, всего этого не знала. Но, несмотря на усталость, ощущала приятное волнение. Хотелось куда-то выбраться, пообщаться с людьми, которым неизвестна вся моя биография начиная с рождения и которые не станут снова и снова однообразно шутить про Долговязого Джона Сильвера. (Недавно я перестала ходить с тростью — все равно везде ее забывала.)

Долгий дневной сон и волна адреналина от дневных приключений придали мне энергии. В таком перевозбужденном состоянии не уснешь, даже если уляжешься в постель.

— Ну ладно, пойдем.

Я надела очень простое черное платье: Клэр увидела в интернет-магазине и посоветовала мне. По-моему, платье совершенно безликое, я предпочитаю что-нибудь поинтереснее, но Клэр заявила, что в Париже одеваются именно так. В результате я поворчала, дождалась распродажи и купила платье. Подол у него тяжелый, поэтому сидит довольно неплохо. А единственный плюс произошедшего со мной глупого несчастного случая в том, что теперь вешу меньше, чем за всю взрослую жизнь. Поэтому платье точно по фигуре. Даже не оттопыривается там, где не надо. Особенно слабое место у меня пониже спины, но после пары месяцев усердного труда в шоколадной лавке у меня вряд ли возникнут проблемы с лишним весом.

Сами вошел в мою комнату и оглядел меня с ног до головы.

— А краситься разве не будешь? — спросил он.

Я пожала плечами, потом взглянула на него. На веках Сами переливались блестками ярко-синие тени. Как ни странно, мужественности ему такая раскраска ничуть не убавила: только подчеркнула обаятельные темные глаза и придала вид опасного соблазнителя, от которого лучше держаться подальше.

— Ты трансвестит? — спросила я.

Вот что бывает, когда приходится разговаривать на другом языке. Ни на вежливость, ни на такт словарного запаса не хватает. Остается только блистать беспощадной прямотой.

— Нет. — Сами рассмеялся. — Просто люблю выглядеть красиво.

И посмотрел в зеркало, проверяя, добился ли нужного эффекта.

В первый раз слышу, чтобы мужчина рассуждал подобным образом. На Сами был облегающий черный костюм, на вид очень дорогой, новенькая белая рубашка, яркий бирюзовый галстук и такого же цвета платок в верхнем кармашке. И то и другое явно подобрано так, чтобы сочеталось с тенями.

— Тебе это удается, — сделала комплимент я.

Сами напоминал экзотическую райскую птицу.

Он взял меня за плечи и повернул к зеркалу.

— Прическа как у цыганки, — одобрительно произнес он.

Увы, мои светлые кудрявые волосы нормально уложить невозможно: вечно торчат в разные стороны.

— Arrêt! — велел Сами.

Он выбежал из комнаты и принес здоровенную коробку с профессиональным набором косметики. Я заметила там и питающие эликсиры, и кремы.

— Стой смирно.

Я послушно зажмурилась. А когда снова подняла веки, глазам своим не поверила. Сами провел жирную стрелку карандашом прямо над линией роста ресниц, и тянулась она к самому виску. Глаза от этого стали казаться крупнее и выразительнее. Вдобавок Сами нанес мне на веки пудру и не пожалел туши. Я даже не представляла, что мои глаза могут выглядеть настолько огромными.

— И никакой помады, — произнес мастер. — Без нее лучше. Так ты выглядишь загадочно, будто оделась во все черное нарочно, а не потому, что тебе лень подбирать одежду.

— Вовсе я не лентяйка! — возмутилась я.

Просто нет смысла покупать нарядные вещи, если, во-первых, не можешь их себе позволить и, во-вторых, на фабрике все равно полагается носить форму. Собираясь на работу, я просто натягивала джинсы и первый подвернувшийся топ. Так быстрее, проще — и не надо ломать голову над проблемой выбора. Собираясь куда-нибудь вечером в выходной, мы с Кейт любили разодеться в пух и прах, а это требовало регулярного пополнения гардероба. Поэтому я брала самые дешевые вещи, какие есть в продаже, иначе пришлось бы ходить в одном и том же. Лень тут вовсе ни при чем, сказала я себе. Всего лишь элементарная практичность.

Но в обтягивающем черном платье (обычно я выбираю вещи, скрывающие проблемные места — особенно сзади), с огромными глазами, я будто превратилась в другую женщину. Не в Анну-подростка, которой плевать на все, и особенно на школу. Не в нынешнюю Анну: напряженный, опасливый взгляд, усталые морщинки вокруг глаз. Нет, из зеркала на меня глядела незнакомка. Я попыталась улыбнуться, но к моему новому образу улыбка не подходила. Открытость и дружелюбие с загадочностью не вяжутся.

Сами рассмеялся:

— Ты что, сложила губки уточкой?

— Нет! — смутилась я и тут же залилась предательским румянцем.

— А вот и да! Ты себе нравишься.

— Нет!!!

— Вот и хорошо, — сделал вывод Сами. — Все в точности как я задумал. А теперь пойдем. Мартини ждет.

Вслед за ним я вышла в темную городскую ночь. Туристы с разноцветными рюкзаками и перевернутыми вверх ногами картами разошлись по отелям, а большие рестораны с яркими меню, окружавшие площадь Согласия, закрылись. Казалось, эта ночь принадлежала только нам. Мы запрыгнули в автобус, переехали через мост и устремились к верхушке холма на севере города. Тот самый Монмартр.

Клэр часто рассказывала мне о Монмартре. Это ее любимое место в городе. Она говорила, в жаркие дни только там можно насладиться дуновением ветерка. Надо всего лишь подняться по ступенькам, и сиди на вершине в свое удовольствие. Клэр вспоминала, как Тьерри оставлял неподалеку свой маленький автомобиль — с нынешними ограничениями парковки у него бы этот фокус не прошел — и они устраивали пикник.

Сами выскочил из автобуса и повел меня сначала в один переулок, потом в другой. Я понятия не имела, где мы находимся. Время от времени до нас доносился звон бокалов, веселые голоса, запах чеснока и лука, шипение масла на ресторанной кухне или насыщенный аромат теплого хлеба из круглосуточной пекарни. Наконец Сами остановился и указал на огромное здание, откуда не доносилось ни звука. По узкому проходу вдоль боковой стены мы добрались до крошечной дверцы. За ней сиял ярко-желтый свет.

Сами громко постучал три раза. Дверь открыла юная девушка, одетая как торговка сигаретами в пятидесятые. На нас нахлынула такая мощная волна тепла, света и шума, что я отступила на шаг. Сами протянул девушке несколько купюр, и она провела нас внутрь.

Спустившись по многочисленным ступенькам, мы очутились в огромном подземелье. Видимо, раньше здесь был подвал или склад. Как бы там ни было, теперь это помещение превратили в клуб.

На сборной сцене вовсю наяривает группа музыкантов: трубач, рослый мужчина в шляпе-федоре, играющий на контрабасе, барабанщик, здорово смахивающий на Животное из «Маппет-шоу», и высокая женщина в платье цвета фуксии, завывающая в микрофон. Одни посетители танцуют, другие сидят за дешевыми складными деревянными столиками. Многие одеты в стиле сороковых. К своему ужасу, я заметила, что большинство присутствующих курит. Во Франции, как и у нас в Англии, запрещено курить в общественных местах, но здесь этот закон все игнорируют. Так же как и технику пожарной безопасности: запасных выходов не видно, и выбраться отсюда можно только по одной-единственной шаткой лестнице.

В углу окно в стене, через которое всем желающим подают огромные кувшины вина. Других напитков или еды я не заметила. У противоположной стены большой диван. Сами сразу увидел на нем знакомых и кинулся представлять меня им. Подошла официантка и предложила нам вина, но Сами потребовал классический мартини. Официантка выразительно закатила глаза, но спорить не стала.

Я ни разу не пробовала мартини. Во всяком случае, классический. Вкус такой, будто в бокал плеснули бензина. Я поперхнулась, закашлялась и этим привлекла всеобщее внимание. Пришлось притворяться, что все со мной в порядке.

Едва успели усесться, наш столик взяли в окружение многочисленные приятели Сами. Естественно, он всех здесь знает. Судя по моему опыту, очень приветливые люди приветливы со всеми. Осторожно потягивая мартини, я наблюдала, как Сами каждого встречал с одинаково бурным энтузиазмом. Видимо, Сами один из тех, кому нравятся все без разбора. Таким людям постоянно требуется публика, а из кого она состоит, не важно.

Наплыв знакомых Сами меня не особенно смутил: по крайней мере, так никто не обращает внимания на меня. Не буду врать, будто ожидала бурного интереса к своей персоне. Все девушки в клубе очень гламурные, с темными драматичными тенями на веках: такой макияж в Англии давно вышел из моды. Особенно эффектно тени смотрятся на фоне бледной кожи: здесь автозагаром никто не пользуется. А уж модельной худобой здесь отличаются все, и особенно молодые люди. Все до единого парни одеты гораздо лучше наших английских. Почти на каждом очки в массивной оправе. Кроме Сами, никто не улыбается и не смеется: просто машут руками вновь прибывшим, и все. Наконец один из тощих парней схватил одну из тощих девиц и потащил танцевать. Та надула губки еще сильнее, чем до этого. Очевидно, в знак согласия. Оба скрылись в потной толпе: изящные, элегантные и как будто не принадлежащие к современной эпохе — да что там, ни к одной эпохе.

Я отпила еще глоток коктейля — уже второго. Сама не заметила, как расправилась с первым. Чувствовала себя так, будто перенеслась в какое-то параллельное измерение. С одной стороны, понимала, что этот клуб — очень гламурное, интересное и оригинальное место. Как раз то, зачем я ехала в Париж. Но одновременно чувствовала: все это не мое. Оглядываясь по сторонам, замечала, что не вписываюсь в здешнее общество. Я не парижанка, элегантностью не отличаюсь, вдобавок недостаточно тощая и недостаточно стильно одета. Для таких увеселительных заведений я и старовата, и провинциальна. Конечно, любопытно понаблюдать за этим новым неизведанным миром, но, на мой вкус, как-то здесь слишком богемно. Я уставилась на затылок Сами: тот участвовал в четырех разговорах одновременно, при этом пил мартини и курил сигарету в мундштуке. Я рассудила, что пытаться кому-то здесь понравиться бессмысленно — даже если бы понимала хоть слово из их бесед. Глянула на часы. Уже поздно. Встала.

— Я пойду, — сказала я Сами.

Тот удивленно уставился на меня. Ох, сдается мне, курил он вовсе не табак: зрачки просто огромные.

— Как это — пойдешь? Мы же только что пришли! А еще сегодня будет вечеринка на крыше, мы просто обязаны там побывать! Она чуть попозже начнется.

— За приглашение спасибо, но мне завтра на работу, — возразила я.

— А до дома как доберешься?

— Такси поймаю, — смело ответила я.

На самом деле я понятия не имела, как доберусь домой.

Сами вяло махнул рукой:

— Как хочешь, моя трудолюбивая petite Anglaise. Ребята, пожелайте Анне спокойной ночи.

Возле столика стоял мужчина, которого мне не представили. Повернувшись к Сами, он сказал что-то вполголоса.

— Да ничего с ней не случится, — сердито отозвался Сами. — Дорогая, еще мартини, пожалуйста!

Потом медленно моргнул.

— Ах да. Я же вас еще не знакомил.

Сами схватил мужчину за руку. Тот был высоким и более плотного телосложения, чем большинство юных представителей французского бомонда. Мужчина как раз обнимал тощую девицу модельной внешности и, похоже, остался очень недоволен, что его оторвали от этого занятия.

— Знакомься — Анна.

Мужчина, судя по всему, понятия не имел, зачем ему эта информация. Вместо того чтобы чмокнуть меня в обе щеки или сказать «Enchanté», как большинство французов при знакомстве с новым человеком, он не глядя резко вытянул руку в мою сторону.

— З-здравствуйте, — растерянно пробормотала я.

А мужчина продолжал что-то сердито говорить Сами.

— Такси она здесь ни за что не найдет, — говорил мужчина.

— Найдет, — отмахнулся Сами. — А не найдет, сядет на автобус или ее кто-нибудь из друзей подвезет.

Мужчина выразительно закатил глаза.

— Все со мной будет нормально, — сказала я.

Усталость брала свое, вдобавок я немного окосела от мартини. Больше всего хотелось очутиться в кровати. И вообще, мне не нравилось, что незнакомые люди обсуждали меня, будто предмет мебели.

А метро наверняка еще ходит.

— Приятного вечера, — с дежурной улыбкой я попрощалась с Сами.

Невежливый молодой человек оказался прав. Улицы пусты. Кто сказал, что Париж никогда не спит? Два раза я была в Лондоне, и, насколько могу судить, в Сохо и на Трафальгарской площади жизнь кипит всю ночь напролет. Здесь же царит тишина.

На всех проезжающих такси горели огоньки, но ни одна машина не остановилась. Я занервничала. Может, в Париже другие правила и огоньки включают не на свободных такси, а на занятых? Попробовала поймать несколько машин без огоньков, но и это не помогло. А потом рядом со мной притормозил автомобиль, но это явно было не такси. Вдобавок за рулем сидел мужчина. Быстренько спаслась бегством. Взлетела вверх по ступенькам и оказалась на другой улице. Испуганно оглянулась. Эх, надо было изучить статистику по уличной преступности в Париже. Уже человек десять предупредили, чтобы опасалась карманников. А как насчет грабителей, нападающих на прохожих?

За спиной раздались шаги. Фонари в этом районе, конечно, очаровательные — старомодные, из кованого железа. Свет и тень отбрасывают живописно, но как-то слишком зловеще. С тоской я подумала об ослепительно-ярком освещении на автозаправках. Впереди на расстоянии вытянутой руки ничего толком не видно. Понятия не имею, куда бреду. Ускорила шаг. Тот, кто шел позади, тоже прибавил скорость.

«Вот дерьмо!» — пронеслось в голове. Угораздило же потащиться домой без провожатых! Хотя вернее будет сказать так — угораздило же потащиться в клуб с новым соседом по квартире, которого я едва знаю! Осталась бы дома, поужинала бы лапшой быстрого приготовления и... ну, не знаю... может, наревелась бы всласть? Я зашагала еще быстрее. Свернуть бы на улицу пошире и пооживленней. Здесь на спасительное появление прохожих рассчитывать не приходится. Но насколько хватает глаз, все улицы вокруг одинаково узкие и погружены в загадочный мрак. Вот попала!

Впереди я заметила очертания высокого собора. Да это же Сакре-Кёр! Решила идти туда. Конечно, не надеялась, что мне там дадут убежище, как было принято в Средние века. Зато там есть большой и наверняка хорошо освещенный двор: даже отсюда отлично видно яркую подсветку здания. Опять взбежала по ступенькам. Неизвестный тоже перешел на бег. Он все ближе и ближе. Сердце заколотилось так, будто вот-вот пробьет грудную клетку. Рука нырнула в сумку. Что тут можно использовать как оружие? Схватила тяжелый старинный металлический ключ от входной двери в дом Сами. «Если что, сразу цель в глаза», — велела я себе.

— Не![1]

Голос низкий, гортанный. Видно, парень здоровенный. Да это и по тяжелой походке слышно. Нет, убежать нечего и надеяться. Придется действовать. Сейчас или никогда. Шаги все ближе. Я в маленьком мощеном дворике, до собора еще идти и идти, вокруг запертые магазины и жилые дома с закрытыми ставнями. Интересно, если постучусь, откроют? Это вряд ли.

Набрав полную грудь воздуха, я завопила во весь голос:

— А-а-а!!!

С этим воинственным кличем на устах я кинулась на темную фигуру. Руку с ключом выставила

---

[1] Эй! (фр.)

вперед, целя в лицо. К счастью, я застала нападавшего врасплох. Тот попятился, споткнулся, рухнул на мостовую. Я повалилась на него сверху, тыча ключом мерзавцу в лицо и выкрикивая самые крепкие ругательства, какие знаю.

Поначалу я не заметила, что, судя по крикам, мерзавец испугался не меньше меня. Очень сильные руки пытались ухватить мои запястья, пока я не ткнула ему ключом в глаз. В пылу боя, естественно, я перешла на родной английский — да еще на какой английский! И вдруг мужчина тоже ответил мне по-английски.

— Пожалуйста, не надо! Я не желаю вам зла! Прекратите!

Смысл слов дошел до меня не сразу. Я так обезумела от адреналина, что неизвестно, когда очухалась бы, но вдруг над нами открылись ставни. И на меня и на моего преследователя без предупреждения выплеснули полное ведро воды.

Тут я, конечно, застыла, отдуваясь, и только тогда заметила, что сижу на ворчливом приятеле Сами. Том самом, из клуба. Он крепко, будто клещами, вцепился в мою занесенную руку, но я, как оказалось, уже успела основательно расцарапать ему лоб. От вида крови меня замутило.

— Ой! — только и смогла выговорить я.

Адреналин схлынул, вместо него накатила слабость. Я покачнулась и едва не рухнула на мужчину, но тот успел ухватить меня за талию, не дав упасть.

— Что вы, черт возьми, вытворяете? — наконец сумела разобрать я.

С трудом я поднялась на ноги и обнаружила, что мокрая насквозь.

— Я вам кричал. Разве не слышали? Просто имя ваше не разобрал.

— Нельзя вот так ходить за женщинами!

— Нельзя вот так ходить по незнакомому городу! Сами, конечно, парень приятный, но, если надо выбирать между друзьями и вечеринкой, всегда предпочтет вечеринку!

Я принялась разглаживать платье. Мужчина из клуба между тем тяжело поднялся на ноги. Все-таки хорошо он говорит по-английски! Французского акцента почти не заметно.

— Так что вам от меня нужно?

— Хотел предложить вас подбросить. Нам с вами в одну сторону, и я тоже устал. По части вечеринок до Сами мне далеко.

— Понимаю, — буркнула я.

На извинение не похоже, но ничего получше в голову не пришло. Сердце до сих пор билось с бешеной скоростью.

— О боже, я вам лоб в кровь расцарапала!

Мужчина поднес руку к лицу. Сам, что ли, не почувствовал? Нащупал капли крови, отдернул пальцы и уставился на них во все глаза.

— Фу! — передернулась я.

Стала искать в сумке салфетки, но ни одной не нашла.

— Жуть! — выдавил мужчина и покачнулся. Видно, тоже крови боится. — Чем это вы меня? Ножом?

— Нет, конечно! — возмутилась я. — Ключами.

В доказательство помахала у него под носом своим «оружием». И тут меня в очередной раз за вечер обуял страх. Сейчас мой новый знакомый будет рвать и метать от ярости! Но к моему огромному, непередаваемому облегчению, тот покачал головой, улыбнулся, демонстрируя белоснежные зубы, и разразился хохотом.

— Пойдемте, — велел он и указал в сторону узенького, пугающе темного переулка.

Меня уже в который раз за вечер охватила паника.

— Вы ведь уже убедились, что я не маньяк, — прибавил мужчина, заметив мою реакцию.

— Если что, у меня при себе ключи, — выговорила я, нервно хихикая.

Уровень адреналина наконец упал до нормальных значений.

К моему удивлению, темный переулок быстро закончился, и мы вышли на широкую, ярко освещенную улицу. Машины неслись сплошным потоком, а кое-где я даже заметила открытые кафе. Мужчина отвел меня в одно из них, совсем крошечное. Внутри не оказалось никого, кроме нескольких турок, куривших кальян, и темноглазой владелицы с мешками под глазами. При виде нас женщина удивленно вскинула брови, но когда мой новый знакомый попросил два кофе и разрешения воспользоваться туалетом, коротко кивнула.

Я тихонько сидела за столиком. Наконец мужчина вернулся, прижимая к промытой ране бумажные полотенца.

— Простите, — тихо произнесла я.

Между тем принесли кофе: черный, горячий и процентов на пятьдесят состоявший из сахара. То, что надо.

Мужчина только покачал головой, глянул на часы и тихонько выругался.

— Не говорите, сколько времени, — попросила я. — Мне вставать часа через два.

— Знаю, — кивнул незнакомец.

— Кто вы такой? — Я потрясенно уставилась на него.

Мужчина улыбнулся. Где-то я эту улыбку уже видела.

— Меня зовут Лоран, — представился он. — А вы, стало быть, Анна. Совсем из головы вылетело, но теперь я вспомнил! Вы работаете у моего отца.

1972 год

Тьерри приходил на работу очень рано, поэтому в полдень закрывал шоколадную лавку на три часа, а не на два, как другие владельцы магазинов. Когда его помощник Бену заявил, что это коммерческое самоубийство, Тьерри возразил, что итальянские магазины прерывают работу на целых четыре часа. Люди подождут.

Ровно в полдень Клэр вместе с жизнерадостной домработницей Лагардов, Инес, укладывала детей спать и убегала из дома. Мадам Лагард и Инес обменивались многозначительными взглядами.

Тьерри и Клэр бродили по парижским мостам, и каждый следующий казался им красивее предыдущего. А однажды, когда туман превратил город в черно-белую фотографию Дуано, они гуляли по мосту Понт-Неф. Здесь каждый камень за много веков истерся под шагами влюбленных, — по крайней мере, так представлялось Клэр.

Тьерри говорил без остановки: о разных вкусах и методах производства шоколада, о том, чему научился в Инсбруке, Женеве и Брюгге. Лишь изредка он спохватывался и спрашивал мнения Клэр, но ее это не смущало. Ей нравилось слушать Тьерри. Клэр радовалась, что с каждым днем понимала все больше, и с удовольствием грелась в теплых лучах его внимания. Стоило Тьерри вернуться в магазин, и его сразу окружала толпа. Всем было что-то нужно от знаменитого шоколатье: кто-то приходил по делу, кто-то — просто поговорить, кто-то — предложить идею. Другие осыпали Тьерри комплиментами, восхищались его вкусом или просто спрашивали его мнение по поводу свежей публикации в газете. На людях Тьерри принадлежал всем, но, когда они с Клэр кружили по всему Парижу, он был ее безраздельной собственностью. О большем Клэр и не мечтала.

Никогда минуты не бежали так быстро, как во время этих прогулок или обедов в кафе. Три часа пролетали незаметно, и весь оставшийся день Клэр будто парила на крыльях. Видя, что няня в веселом и благодушном настроении, Арно и Клодетт так и льнули к ней, бодро, хоть и немного картаво распевая английские песни, которым она их научила: «Ты моя сладкая, слаще конфеты...»

Мадам Лагард внимательно следила за девушкой. Наконец решила, что время пришло. Однажды вечером зашла к ней в комнату, села на край кровати и ласково спросила:

— Chérie, надеюсь, ты знаешь, как и зачем надо предохраняться?

Во время этой поездки у Клэр было много поводов для удивления, но вопрос мадам Лагард потряс ее до глубины души. Подумать только — эта элегантная светская красавица вслух говорит про «это»! Конечно, представления о контрацепции у Клэр имелись, хоть и весьма смутные: слышала что-то краем уха от девчонок из «Chelsea girl». Клэр знала, что такое «резинки» — ну, примерно. Некоторые девушки мимоходом роняли, что «пьют таблетки». Клэр пробовала представить, как она является в кабинет к старому доброму доктору Блэку, который знает ее с младенчества, и просит выписать ей таблетки для секса... Нет, такое даже вообразить невозможно! Ну а в доме преподобного темы интимной жизни попросту не обсуждались.

Конечно, Клэр было немного полегче оттого, что мадам говорила на другом языке. Но эта женщина так спокойно и непринужденно рассуждала о сексуальной гигиене, будто она ничем не отличается от гигиены обычной (именно такого мнения и придерживалась мадам). Для Клэр этот разговор стал откровением сразу в нескольких смыслах. От предложенных презервативов она отказалась, заявив, что сейчас в них нет необходимости, но пообещала, что, если таковая возникнет, не станет пренебрегать этим средством защиты. На Клэр произвел впечатление невозмутимый тон мадам Лагард, говорившей о сексе так, будто речь шла о погоде. Этот эпизод прочно отложился в памяти девушки. Много лет спустя все занятия по сексуальному воспитанию в школе проводила только Клэр. Остальные учителя на такое не отваживались. Статистики отмечали, что в больнице Кидинсборо фиксировалось меньше случаев заболеваний, передающихся половым путем, и подростковых беременностей, чем в среднем по региону, хотя в других отношениях городок благополучием отнюдь не блистал. Специалисты объясняли это обстоятельство случайными колебаниями показателей. Как же они ошибались!

Стоило мужчине представиться, и все встало на свои места. Как же я раньше не сообразила, кого он мне напомнил? То же телосложение, те же темно-карие глаза. Скорее всего, Тьерри даже в молодости не был таким красавчиком, как Лоран, но у них определенно много общего: длинные черные ресницы, озорной блеск в глазах. Последний, конечно, появляется, только когда Лорана не атакует сумасшедшая с ключами.

— Вы прямо вылитый...

— Пожалуйста, не говорите, что я «прямо вылитый отец, только худой».

Лоран опустил глаза и с унылым видом похлопал себя по небольшому животу:

— Видите? Не такой уж я худой.

На самом деле Лоран совсем не толстый: просто крупный и широкоплечий.

— Наверное, вы с отцом все-таки не очень похожи. Если бы сразу узнала в вас сына Тьерри, не расцарапала бы вам лицо ключами.

— Ну, не знаю. Может, вы таким образом мстили вредному начальнику? — предположил Лоран, допивая кофе. — Ну вот, так-то лучше. Я прилично выгляжу?

Его вьющиеся волосы торчали во все стороны. Подбородок покрывала густая темная щетина.

— Надеюсь, у вас на сегодня не назначено никаких важных встреч, — ответила я.

— Что, так плохо? — вздохнул Лоран.

— Почему Сами так рвался представить нас друг другу? — спросила я.

— Этому парню нравится думать, что он всех знает, — ответил Лоран, но, помолчав, добавил: — Впрочем, он действительно всех знает. Должно быть, Сами решил, что будет забавно нас познакомить.

— Почему?

— Ну... потому что...

— Говорите.

— Потому что Сами прекрасно знает: мы с отцом не ладим.

Трудно представить, как кто-то может не поладить с добродушным Тьерри.

— Да что вы! Почему?

Лоран вскинул руки, будто сдаваясь:

— Обычный конфликт отцов и детей. Ничего особенного. Кстати, как у него дела?

— Не знаю, — робко произнесла я. — Мне он показался вполне довольным жизнью.

Тут Лоран вспыхнул как порох:

— Серьезно? Так вот почему он растолстел как бочка! По-вашему, счастливые люди так выглядят?

— По-моему, ваша мать за ним следит, — нервно произнесла я.

Тут Лоран наградил меня ледяным взглядом:

— Эта женщина мне не мать.

Опять сболтнула лишнего! Хватит, теперь буду держать рот на замке. Лоран отпил еще глоток кофе и посмотрел на меня с улыбкой. Куда только подевались суровость и резкость?

— Извините, — произнес он. — Боюсь, первое впечатление я на вас произвел неважное.

— Если не считать попытки ограбления и больной темы с отцом, вы отлично справляетесь, — возразила я. — Хотите, заплачу за кофе?

Глаза у Лорана стали размером с блюдца, но потом он сообразил, что я пошутила.

— Нет, не нужно, — ответил сын Тьерри. — Ну и как, хорошо у вас получается? В смысле, шоколад делать, а не на людей нападать.

— Начальник на прежней работе говорил, что у меня чутье. — Я пожала плечами. — В чем это проявляется, понятия не имею. Но ваш отец работает совсем по-другому. Буду стараться изо всех сил — ради одного человека, которому многим обязана.

Я взглянула через окно на улицу, по-прежнему запруженную толпами ночных гуляк.

— Хотя Парижа для меня оказался... как бы это сказать...

— Un peu trop? — тихо подсказал по-французски Лоран. «Слишком много».

— День выдался долгий.

— Тогда пойдемте. Я ведь говорил, что подвезу вас до дома, и я свое слово сдержу.

Вслед за Лораном я вышла на улицу. Интересно, далеко ли припаркована его машина? Но нас ждал не автомобиль. Примерно в сотне метров от кафе под железнодорожным мостом стоял красивый блестящий бледно-голубой мотороллер «Веспа».

— Самое практичное средство передвижения в большом городе, — прокомментировал Лоран.

— Круто! — только и смогла выговорить я.

— А главное, удобно.

Лоран поднял сиденье, достал шлем того же бледно-голубого оттенка, что и сам мотороллер, и вручил мне. Его собственный шлем был черный, винтажный, с большими старомодными защитными очками.

— Это что, женский? — пошутила я, собираясь надеть свой.

И тут же почуяла, что от шлема пахнет лаком для волос. Ну конечно, у Лорана наверняка есть девушка. А может, у него их великое множество. Даже неловко надевать эту штуку.

— Ездили когда-нибудь на мотороллере? — спросил Лоран.

— Нет, — ответила я, натягивая шлем. — Но дело, наверное, нехитрое — как на велосипеде, да?

— Нет, — покачал головой несколько обескураженный Лоран. — С велосипедом ничего общего. Хм... Ну ладно. Короче, двигайтесь вместе со мной, понятно? Например, если наклонюсь...

— Наклониться в другую сторону — для равновесия! — бодро закончила я.

— Да... дела... — пробормотал Лоран.

— Что, неправильно?

— С точностью до наоборот. Наклоняться надо туда же, куда и я.

— Мы же упадем.

— Не исключаю, — вздохнул Лоран. — Зависит от нашей ловкости.

Я неслась сквозь парижскую ночь, вцепившись в крупного мужчину на маленьком мотороллере. На плече у Лорана висела сумка. У всех французских мужчин есть такие, я их уже не раз замечала. Хотя чему тут удивляться? Я усердно старалась наклоняться одновременно с ним, но задача оказалась нелегкой. Лоран не сигналил, а зачастую даже не дожидался, когда переключится сигнал светофора: просто несся вперед без остановки. Поначалу я утыкалась лицом в его мягкую кожаную куртку, чтобы этого не видеть. А потом, убедившись, что по-прежнему жива и здорова, решила довериться водителю и стала смотреть по сторонам.

Вот мы несемся по Елисейским Полям. Широкие мостовые и высокие белые здания сияют в лунном свете. Каждый раз, когда мы заворачиваем влево, вижу Ее: Она следует за нами, как луна. Эйфелева башня. Этот силуэт ни с чем не спутаешь. Башню подсвечивает множество огоньков. Я не в силах оторвать глаз от этого зрелища. Вот она, стоит и без малейшего стеснения притягивает все внимание к себе. Остальное рядом с ней меркнет. Я изогнулась, ища угол поудачнее.

— Вы что творите? — прорычал Лоран.

— Осматриваю достопримечательности, — ответила я, но мои слова заглушил свист ветра.

— Прекратите сейчас же! Повторяйте за мной.

Лоран довольно крепко вцепился в мое правое колено и подтянул меня ближе к себе. Я прижалась к водителю и с этого момента впечатлений набиралась лишь урывками: церковь с прямоугольной покосившейся колокольней, огромные витрины магазинов, сверкающие в свете фонарей, обрывки западноафриканского рэпа, доносящиеся из проезжающих машин. Вот пара на углу улицы медленно танцует под музыку, которую слышат только они. Месяц в небе. Аромат цветов на площади Вогезов. Ночной воздух свежий, но не холодный. А Лоран все несется на безумной скорости, — по крайней мере, такой она кажется мне. Только фонари мелькают.

Я понятия не имела, где нахожусь и в какую сторону направляюсь, — ни в прямом, ни в переносном смысле. Возможно, свою роль тут сыграли два мартини, но вдруг я почувствовала себя просто потрясающе. Никто, ни один человек в целом мире — кроме Лорана, конечно, но он не в счет, я ведь его совсем не знаю — понятия не имеет, где я и что делаю. Не представляю, что ждет меня впереди. Планы на будущее отсутствуют. Победа меня ждет или поражение? Встречу я кого-нибудь или так и останусь одна? Вернусь домой или отправлюсь навстречу новым городам и странам?

Понимаю, звучит глупо: мне тридцать лет, денег ни гроша, на ногах восемь пальцев, снимаю мансарду напополам с великаном, обожающим ночную жизнь, и работа у меня всего лишь временная. И все же — невероятно, но факт — вдруг я почувствовала себя свободной.

Глава 10

— Спагетти болоньезе.

— Нет.

— Не может быть.

— Зато я пробовала макароны-колечки, — проговорила Клэр, растягиваясь на траве.

— В первый раз слышу.

— Ничего, есть можно.

— «Есть можно»? Зачем вообще отправлять в рот то, что всего лишь «можно есть»?

Клэр захихикала. Они устроили пикник в Люксембургском саду. Клэр не могла поверить в это чудо: всего пару недель назад она с завистью поглядывала на счастливые и самодовольные влюбленные парочки с плетеными корзинами, небрежно брошенными на траву велосипедами и пустыми бутылками из-под вина. И все это так легко и непринужденно!

А теперь и Клэр оказалась на их месте. Лежит наполовину на пледе, наполовину на траве и любуется ярко-голубым небом. Месье и мадам Лагард на неделю уехали с детьми в Прованс. Сначала Клэр должна была их сопровождать, но потом мадам Лагард объявила няне, что ее услуги не потребуются. Сначала Клэр встревожилась: неужели она в чем-то провинилась? Боялась, что ее отправят обратно в дом викария с позором. Нет, такого унижения ей не вынести.

Но, взглянув на обеспокоенное лицо девушки, мадам только рассмеялась. Пусть у романа Клэр появится шанс развиться. Маленькое приключение пойдет девочке только на пользу. От внимания мадам Лагард не ускользнуло, что Клэр стала держаться увереннее: с детьми ласкова и беззаботно весела, чаще высказывает собственное мнение. Розовый румянец и золотистый загар очень ей к лицу. Аппетит хороший, глаза сверкают, а владение французским улучшается с каждым днем. Девочку просто не узнать: куда подевалась бледная, болезненно застенчивая школьница, появившаяся на пороге Лагардов два месяца назад? И теперь мадам рассудила: самое время устроить ей небольшие каникулы.

Для начала мадам повела Клэр за покупками.

— В знак благодарности, — пояснила Мари-Ноэль.

Клэр, запинаясь от смущения, возразила: они и так очень много для нее сделали! Но мадам Лагард лишь отмахнулась.

Она отвела девочку в ателье, услугами которого пользовалась сама. Маленькое заведение находилось неподалеку от Маре. В узкой витрине выставлена всего одна швейная машинка, вывески и вовсе нет. Клиенток встретила женщина в безупречно сидящем черном трикотажном платье до колене с накрахмаленным белым воротником.

— Добрый день, Мари-Франс, — поздоровалась с ней мадам Лагард.

Дамы расцеловались, но без особой теплоты. Затем бледно-голубые глаза портнихи остановились на Клэр. Под этим изучающим взглядом девушке сразу захотелось провалиться сквозь землю.

— Ноги короткие, — резко бросила Мари-Франс.

— Да, — кротко согласилась мадам Лагард, хотя такая покладистость была совершенно не в ее стиле. — С этим можно что-нибудь сделать?

— Нижняя часть ноги должна быть той же длины, что и бедро.

Мари-Франс фыркнула и, ни слова не говоря, жестом показала Клэр, чтобы та поднималась за ней по узкой винтовой лестнице.

Помещение на втором этаже оказалось полной противоположностью тесного магазинчика на первом. Здесь просторно и светло: по обеим сторонам огромные окна. Две миниатюрные швеи склонились над машинками и даже не подняли головы при появлении хозяйки с клиенткой. Еще одна женщина, такая же миниатюрная, закалывала булавками потрясающе красивый материал на манекене: широкий, тяжелый отрез бледно-серой тафты. Ткань мерцала и искрилась на солнце, будто бегущий ручей. Сначала мастерица собирала ткань в рюши на груди, потом заложила складки на талии. Булавки, еще секунду назад зажатые у нее во рту, мелькали так быстро, что уследить за работой швеи было просто невозможно. Клэр уставилась на эту женщину как завороженная.

— Раздевайся, — ровным, ничего не выражавшим тоном велела Мари-Франс.

Если мадам Лагард и находила подобную манеру общения не слишком приятной, то никак этого не показывала. Ни один мускул на ее лице не дрогнул. Клэр сняла дешевое хлопковое платье и разделась до нижней юбки и лифчика. Мари-Франс выразительно закатила глаза. Видимо, юбку тоже придется снимать. Клэр одновременно и занервничала, и рассердилась. Ну и манеры у этой женщины! Клэр никогда не раздевалась перед посторонним человеком. Невольно она подумала о Тьерри и покраснела.

Мари-Франс нетерпеливо следила за девушкой. Потом сдернула с шеи длинный портняжный сантиметр, напоминавший белую змею, и с поразительной быстротой принялась снимать мерки, выкрикивая цифры. Клэр не сразу вспомнила, что во Франции длину измеряют в сантиметрах, а не в дюймах, и поначалу удивилась: как же она так сильно поправилась и совсем этого не заметила? Женщина, закалывавшая тафту, деловито записывала мерки в толстую книгу в синем кожаном переплете.

— Грудь плоская. Это хорошо, — сказала Мари-Франс мадам Лагард. Такого комплимента Клэр еще слышать не приходилось. — И талия узкая. Превосходно.

Тут Мари-Франс заговорила с Клэр на безукоризненном английском, хотя девушка, казалось бы, уже продемонстрировала, что понимает по-французски.

— Теперь ты должна сохранить этот обхват талии на всю жизнь. Цифра записана в книгу.

Мадам Лагард улыбнулась. Клэр недоуменно уставилась на нее.

— Это хорошо, — прошептала мадам. — Раз занесла в книгу, значит одобрила.

Мари-Франс фыркнула:

— Ни разу не встречала англичанку, которой удалось бы сохранить талию. Не успевают родить, как сразу перестают следить за собой и превращаются в тучных коров.

Клэр подумала о маме: пышный бюст, крепкие, умелые руки. Клэр всегда считала маму красивой. Но трудно поверить, что они с мадам Лагард учились в школе одновременно. Неужели они и впрямь ровесницы? Казалось, мадам Лагард ближе по возрасту к Клэр, чем к ее маме.

— Подними руки.

Быстро что-то записав, Мари-Франс кивнула своей ассистентке, и та повела их на третий этаж. На этот раз они очутились в темной тесной комнате. Все стены от пола до потолка занимали полки с рулонами ткани. Каких материалов здесь только не было! Клэр казалось, будто она угодила в пещеру Аладдина.

Вот золотые ленты, а вот шелка ярких, насыщенных цветов: бирюзовые, розовые, алые. А о существовании такого количества разных оттенков черного Клэр раньше даже не подозревала. Этот цвет здесь представлен в разных материалах: от нежнейшего, тончайшего мохера до легкого, прозрачного шифона. Синий цвет по разнообразию оттенков не уступает черному. Цветочные узоры имеются на любой вкус: крупные и мелкие, от кричаще-аляповатых (кто осмелится надеть на себя такое?) до объемного узора из крошечных ромашек на хлопковой ткани, который издалека можно и не заметить. Есть здесь и тонкие вуали, и огромные рулоны ситца. Под чехлами от пыли хранятся кружево и атлас: белых, серебристых, кремовых оттенков. Материалы для свадебного платья и фаты. Клэр, не сдержавшись, ахнула. Губы Мари-Франс едва заметно дрогнули.

— Вижу, уже строишь планы на будущее, — вполголоса произнесла она.

Клэр покраснела и отвернулась.

— Ну что ж, сразу к делу, — объявила мадам Лагард. — Слишком темное нам не нужно. Клэр не француженка. В черном она будет выглядеть, как нескладная англичанка, собравшаяся на похороны.

Клэр почти не слушала: она не могла отвести взгляд от разноцветных тканей в комнате-сокровищнице. В эту волшебную пещеру даже не проникал уличный шум. Казалось, Клэр перенеслась в сказочную страну.

— Элегантность — это не для нее, — фыркнула Мари-Франс.

— А я и не хочу, чтобы она была элегантной, — парировала мадам Лагард. — Она же не избалованная золотая девочка, которая ни дня в жизни не работала. Пусть Клэр будет такой, какая она есть: молоденькой, хорошенькой и невинной.

— Надолго ли всего этого хватит? — возразила Мари-Франс.

Клэр удивилась: как эта женщина при такой грубости умудрилась открыть свое ателье и не нажить кучу врагов? Но обдумать этот вопрос Клэр не дали. Опытный глаз мадам быстро выхватил из многообразия тканей легкий кремовый поплин в синюю полоску и мягкий зеленый шелк с неброской каймой из желтых полевых цветов.

Через несколько секунд Клэр, к ее большому сожалению, пришлось спуститься обратно на второй этаж. Миниатюрная женщина, которой полный рот булавок не позволял произнести ни слова, с необычайной быстротой набросила ткань на Клэр и принялась драпировать то так, то этак. Мари-Франс и мадам Лагард препирались, спорили, здесь требовали сделать подлиннее, там покороче...

На стене напротив Клэр не было зеркала, сама оценить работу мастерицы она не могла, и скоро мысли девушки унеслись далеко. Что скажет Тьерри, когда увидит ее в этом новом великолепии? А потом мысли унеслись еще дальше: весь дом остается в полном распоряжении Клэр на неделю. А значит, она может... Они с Тьерри могут... Сердце заколотилось быстро-быстро. Конечно же, Тьерри приглашал ее к себе в квартиру, и, конечно же, Клэр ответила отказом. Нет, это как-то некрасиво.

Встречаться с Тьерри под хозяйской крышей тоже некрасиво, но, с другой стороны, мадам так спокойно и открыто говорила о том, что считала здоровой и естественной стадией развития отношений! Почему-то Клэр казалось, что возражать она не станет. Девушка нервно закусила губу. Все-таки самой пригласить его в дом — это слишком смело. Вдруг Тьерри решит, что она распущенная?

Но каждый раз, когда они шли по улице и Тьерри дотрагивался до ее руки или брал под локоть, Клэр бросало то в жар, то в холод. Это опьяняющее ощущение кружило голову и заставляло забыть обо всем вокруг. Уже август, и всего через несколько коротких недель Клэр отправится домой, обратно в Кидинсборо. А там — преподобный, школа, потом секретарский колледж или учительские курсы в мрачном, унылом здании на их улице. А про университет нечего и думать, сколько бы учителя ни твердили, что Клэр зарывает талант в землю.

Но хватит ли у Клэр смелости, чтобы...

— Bon, — наконец произнесла Мари-Франс, по-прежнему без тени улыбки. — Можешь идти. Ты хорошо стояла.

— Ты ей понравилась, — сказала мадам Лагард, когда они с Клэр шагнули на раскаленную мостовую.

Девушка и женщина переглянулись и уже через секунду разразились жизнерадостным смехом. Со стороны они больше напоминали двух подруг, чем хозяйку и няню. Клэр в первый раз видела, чтобы мадам смеялась так беззаботно. Выглядела она молодо, но в этот момент казалась совсем юной, почти девчонкой.

Прошла всего неделя, а платья уже были готовы. Клэр, едва сдерживая волнение, вошла в ателье. Безмолвная швея вносила в работу завершающие штрихи. Мари-Франс вскинула брови, поздоровалась — резко, мимоходом — и повела Клэр наверх. В этот раз девушка подготовилась к тому, что без раздевания, увы, не обойтись, поэтому надела свой самый белоснежный комплект белья. Швея еще только застегивала боковую молнию, а Клэр уже почувствовала: платье сидит идеально. На мгновение Мари-Франс и мадам Лагард воззрились на девушку в полном молчании. Клэр испугалась, что с платьем что-то не так или оно ей не подходит. Но потом Мари-Франс едва слышно вздохнула и так же тихо произнесла:

— Жаль, что молодость бывает только раз.

Потом взмахом руки велела швее выкатить на середину комнаты высокое зеркало. И тут в лучах солнца, струившихся через окна, Клэр увидела свое отражение. Оно было совсем не похоже на то, что Клэр привыкла видеть в зеркале в ванной. Бледная англичаночка с мышиным личиком, курносым носиком и чуть-чуть грустным выражением лица. Волосы бесцветные, плечи костлявые.

Лето в Париже придало ее коже легкий золотистый оттенок. Нос усеяла россыпь крошечных веснушек. Зеленый цвет платья подчеркивает цвет глаз и придает взгляду глубину, какой Клэр раньше не замечала. Волосы успели отрасти ниже плеч. И неожиданно худоба, из-за которой Клэр всегда приписывали «болезненный вид», превратилась в достоинство — в то, что выставляют напоказ. На тонкой талии сборки, широкий подол зрительно добавляет бедрам женственной округлости. Такой фасон уже не в моде, но Клэр это нисколько не смущает. Главное, что он смотрится на ней просто чудесно. Полоска желтых цветов вдоль подола подчеркивает стройность ног, но при этом отвлекает внимание от маленького роста Клэр.

Платье просто восхитительное. Клэр Форест, худосочная и застенчивая, единственная дочь грозного викария Фореста, за всю жизнь ни разу не слышала комплиментов по поводу своей внешности. Отец считал, что гордиться красотой — тщеславие и грех. Но в тот день Клэр была просто невероятно, просто умопомрачительно красива.

За следующие несколько недель я успела привыкнуть к новой жизни. Работа, конечно, была тяжелой, но мне она нравилась. Я даже почти научилась разбивать молотком какао-бобы и кон歴шировать. Фредерик веселый и все время со мной заигрывает. Каждую неделю в лавку является его очередная девица. Все как одна с надутыми губами, на окружающих поглядывают свысока. Фредерик объяснил, что ему такие нравятся: мол, нет ничего приятнее, чем отдаться власти сильной женщины, и пусть она все контролирует. Ничего удивительного, что наши с Фредериком отношения дальше флирта не продвинулись. О работе он говорит много и с искренним воодушевлением. Фредерик очень требователен: на каждой стадии изготовления шоколада все правила должны быть соблюдены в точности. А для Бенуа работа — что-то вроде сурового монашеского обета. Что касается Элис, то она каждое утро встречает меня с той же брезгливой гримасой, что и в первый день. Но Тьерри я понравилась. Он с удовольствием со мной болтает, а я, к счастью, с удовольствием слушаю. Тьерри любит порассуждать и просто о жизни, и о шоколаде — хотя шоколад для него, конечно, гораздо более серьезная и глубокая тема. Когда Элис вкалывает на работе без перерыва, Тьерри водит меня обедать. Показывает, где можно отведать лучший крок-мадам в городе, или учит правильно есть моллюсков. После работы часто хожу тусоваться с Сами. Такого веселого и омнисексуального соседа-алжирца у меня еще не было. Правда, иногда он занудно ноет: мол, оперные певцы совсем разжирели, а театральные бюджеты, наоборот, скудеют на глазах. Лорана я после той памятной ночи почти не видела. Сами говорит, он тот еще гуляка и на каждое мероприятие является под руку с новой моделью. Наверное, Тьерри в молодости тоже менял девушек как перчатки. Бедняжка Клэр.

Прошло два месяца, и я вдруг поняла, что люблю вставать ни свет ни заря, гладить Нельсона Эдди — пса, который каждое утро приносит газету нашей соседке, — смотреть, как просыпается свежевымытая мостовая и ручейки стекают по водостокам. Тут и там разноцветные фургончики доставляют свежие продукты и напитки, отовсюду доносится запах только что испеченного хлеба, сотрудники ресторанов суетятся перед входом в свои заведения. Количество ресторанов в Париже поражает, а Тьерри, кажется, поставил себе цель обойти их все до единого. А если поднять голову, то увидишь не только парижские крыши и голубей, но и легкие перистые облачка в вышине — а значит, предстоит еще один чудесный день. Кажется, этим летом погода каждый день одинаково прекрасная. Самое приятное начало дня — выходить на мой маленький балкончик. Одеваюсь и сразу спешу туда. Весь Париж раскидывается передо мной, как огромный поднос с пирожными «макарун». Любуясь городом, залитым нежно-розовым сиянием, я вспоминаю главную улицу Кидинсборо. Половина окон и дверей заколочена досками, магазин «Все по фунту», ломбард. Когда льет дождь, на берега канала выносит старые ржавые велосипеды. Да уж, далеко я забралась от дома. Разница между Кидинсборо и Парижем настолько огромная, что иногда кажется, будто я высадилась на Луну. Мы с Сами часто пересекаемся часа в четыре утра: он возвращается домой, я собираюсь на работу. Вместе перехватываем кофейку. Сами добавляет бренди, а я теперь приучилась пить черный кофе. Каждый раз, когда заканчивалось молоко, я вынуждена была преодолевать опасный спуск в виде шести темных лестничных пролетов и искать, где его можно купить. Наконец рассудила, что дело того не стоит, и приспособилась обходиться без молока.

Иногда Сами приводит парней, иногда девушек, иногда возвращается один, а бывает, что притаскивает домой целую толпу. Мне повезло, что у меня нестандартный рабочий день, а то хронически не высыпалась бы. Мансарда крошечная, кухни фактически нет: единственное, что здесь можно сварить, — это кофе. Душ отсутствует, а в ванну умещаешься, только если прижимаешь колени вплотную к подбородку. Обожаю нашу квартиру.

Я поняла, что втянулась, когда отправляла имейл Кейт. Фонтанировала восторгом и просто обязана была с кем-то поделиться. Но, оглядываясь назад, осознаю, что выбрала не того человека.

Привет, Кейт! Я только что с самой потрясающей вечеринки на свете. Представь: теплоход посреди Сены и жонглеры огнем (меня пригласил сосед по квартире, у него все друзья занимаются чем-нибудь этаким). Они поджигали напитки, а гости перепрыгивали через огонь. Потом на борт поднялись два повара. Один из них — сын моего начальника, но они поссорились. В общем, повара жарили над огнем блинчики и подбрасывали их на маленьких сковородках, но блинчики все время падали. В жизни так не смеялась! Короче, вечеринка — полный угар! Надеюсь, у тебя все хорошо. Анна.

Дорогая Анна! Во вторник четыре часа наращивала волосы «Эрмине» Магуайер (той самой, которую раньше звали Сэл, помнишь? Вот стерва тупая). Она собралась на прослушивание на «Х-фактор». Все четыре часа курила не переставая. Потребовала красные, белые и синие пряди. Все болтала, как очарует Саймона Коуэлла. Я чуть не задохнулась из-за сигаретного дыма, пришлось всю дорогу держать дверь нараспашку. Кажется, заработала бронхит. А еще, пока наращивала, у меня отвалился новый накладной ноготь со змеиным принтом. Спрашиваю у Сэл: ты кем себя возомнила, новой Мишель Макманус? Она говорит — заткнись. А я из-за нее весь день не присела. И вот является она вчера вся зареванная. Оказывается, ее даже не вызвали, а она девять часов простояла под проливным дождем, и с накладных прядей смыло всю краску, а значит, я во всем виновата. Короче, потребовала деньги обратно. Я ее послала, а она на меня с кулаками. Пришлось взяться за большие ножницы.

В полиции сказали, что дело замнут, но я должна собрать все накладные волосы в коробку и вернуть Сэл. Ну уж нет, сказала я. На них, наверное, уже ее вши переползли. Констебль Джонсон сказал, что сменяется с дежурства в девять. Так что я пошла. Скоро вернусь. Кейт.

Я вовсе не хотела выпендриваться перед Кейт, но вечер правда был веселый.

Утро не задалось с самого начала. Тьерри опять ворчал из-за холодильников (ничто не бесит его так, как замороженный товар. Даже если у нас дикий аврал, нельзя класть творения Тьерри в холодильник — от этого пропадает сияние и блеск). Пришел счет за электричество, и Элис едва от злости не лопнула. Ее послушать, так мы должны работать в потемках. Фредерик стал объяснять, что холодильники потребляют много электроэнергии, Тьерри снова распыхтелся, как чайник, а потом подал какой-то знак Бенуа. Тот сразу выбежал из лавки и вернулся с двумя десятками яиц.

— Анна! — рявкнул Тьерри. — За мной!

Можно сказать, что он взял меня под свое крыло. Меня это, конечно, радовало: значит, Тьерри не отправит меня домой, лишь бы отомстить Клэр за былые обиды. Зато всегда я чувствую на себе недобрый взгляд Элис.

— Раз уж все равно платим бешеные деньги за электричество, сделаем шоколадные горшочки.

Едва не испепелив взглядом огромные холодильники, Тьерри схватил яйца, две миски и стал отделять белки от желтков с такой быстротой и легкостью, что дух захватывало. Потом Тьерри показал, как взбивать белки со скоростью света, и сунул миску мне.

— Это ведь и в миксере можно сделать, — робко заметила я.

Запястье заныло от усталости.

— Можно и вовсе ничего не готовить, а купить в супермаркете, — гаркнул Тьерри в ответ. — Как вам такой вариант? Устраивает?

Затем Тьерри расплавил свежую порцию шоколада в огромной емкости, наподобие водяной бани. Аккуратно стал наливать шоколадную массу и все время ее помешивал. Насыпал сухое молоко и какао-порошок, потом добавил белки. Я удивленно вскинула брови.

— Раз вы такая умная, создавайте консистенцию сами. Хотите? — поинтересовался он. — А если нет, то не ставьте под сомнение мои методы.

Но все это он произнес с улыбкой. А я уж испугалась, что попала в немилость к мэтру. Когда смесь приобрела консистенцию пасты, Тьерри стал задумчиво изучать взглядом растения в дальней части теплицы. Несколько раз он менял решение: то брал мешочек с миндалем, то опять клал на место. Наконец остановил выбор на имбире и лайме. Насыпал в два разных чана, попробовал. Жестом велел мне заняться одним, сам склонился над вторым и перелил его содержимое в два десятка порционных горшочков. Я же решила не рисковать и воспользовалась огромным суповым половником. Далее мы расставили горшочки на противнях, и Тьерри распахнул дверцы холодильника.

— Вот так! Не все тебе из меня деньги вытягивать! Будет и от тебя какая-то польза!

Но конечно, полки холодильника оказались забиты молоком и сливочным маслом. Бенуа со всех ног кинулся освобождать место для наших les petits pots[1].

Тьерри отправился пропустить рюмочку дижестива, а когда он вернулся, горшочки уже застыли, потемнели и радовали глаз глянцевым блеском. Тьерри состроил гримасу, что-то буркнул, обращаясь к холодильнику, и громко объявил, что это единственное, для чего годен данный прибор. Если, конечно, не считать пожирания денег. Тьерри достал серебряную ложечку и дал мне попробовать шоколадный горшочек с лаймом. В жизни не пробовала ничего чудеснее. Взбитый десерт легче воздуха. Шоколад тает на языке, оставляя насыщенное, богатое нюансами послевкусие и непреодолимое желание съесть еще, и побольше. Кажется, будто это и вовсе не еда, а прекрасная вкусовая греза.

Тьерри назначил за шоколадные горшочки заоблачную цену. Их разобрали за пятнадцать минут. Я уговорила Тьерри не отходить от меня ни на шаг, пока делаю следующую порцию. Тьерри заявил, что на освоение этого искусства мне потребуется лет сорок, не меньше, а у него нет столько времени, чтобы исправлять мои многочисленные огрехи. И все же я восприняла это как комплимент.

Вечером дома меня встретил злой Сами. Он сейчас работает над костюмами для «Богемы». Название Сами произнес таким тоном, будто заранее предполагал: я в первый раз слышу про эту оперу. Я действительно слышала про нее в первый раз, но это не

---

[1] Горшочки (*фр.*).

помешало мне кивнуть с умным видом. Наверное, для Сами не знать «Богему» — все равно что не знать Майкла Джексона. Так вот, Сами заявил, что певцы, видно, слишком вжились в роли и нахватались таких богемных замашек, что на примерку теперь никого не загонишь. Придется тащиться прямо к ним домой, вот только живут они не в доме, а на барже.

Вечер был просто потрясающий. Солнечный свет походил на россыпь золотых капель.

— Ну, ты-то мне компанию точно не составишь, — язвительно заметил Сами.

В последнее время он каждый день меня куда-то зовет, а я в подавляющем большинстве случаев отказываюсь. Отчасти потому, что стесняюсь, но главная причина в хронической усталости и моем позорном французском.

Но сегодняшний урок с Тьерри воодушевил меня. До чего приятно, когда тебя принимают в круг избранных и считают своей! В кои-то веки я не валилась с ног от изнеможения и поэтому, к величайшему удивлению Сами, согласилась пойти с ним.

Баржа, на которой жили певцы, оказалась забита под завязку. Все наслаждались вечером, пили, жонглировали и просто болтали. Сами тут же растворился в толпе сотен «близких знакомых». Я растянула губы в самой своей обаятельной улыбке и в награду получила бокал шампанского. Удивительно: на съемную квартиру у людей денег нет, но на шипучке не экономят. К тому времени как я поднялась из тесного камбуза на палубу, кто-то завел двигатели, и теперь мы вовсю бороздили просторы Сены. Сомневаясь в законности подобных прогулок, я опасливо оглядывалась по сторонам. В один момент баржа едва не столкнулась с какой-то из парижских прогулочных лодок — bateaux mouches. Мы плыли вверх по течению вдоль каменных набережных, запруженных народом, и проходили под многочисленными мостами. Нотр-Дам и Эйфелева башня то скрывались из вида, то снова показывались. А вечеринка набирала обороты. Когда встали на якорь неподалеку от Сите, двое мужчин под одобрительные вопли зрителей достали огромные факелы. Сначала я пришла в ужас: сейчас подожгут баржу и нам всем конец. Но потом рассудила: я в чужой стране, а в путешествия как раз и ездят за новым опытом. Да, такого у меня уж точно еще не было. К тому же на берег сойти нет возможности, так почему бы не поучаствовать во всем этом безобразии? Но от мужчин с факелами на всякий случай отошла подальше — береженого Бог бережет.

Раздевшись до пояса, мужчины зажгли факелы и стали ими жонглировать. Баржа покачивалась, но жонглеры идеально держали равновесие. Смотреть на них было и занятно, и страшно. Вскоре на берегу тоже собралась толпа зрителей. Сами выступал в качестве распорядителя представления: кричал, энергично жестикулировал.

Вдруг я заметила знакомое лицо. Какая-то девушка что-то рассказывала этому мужчине, но он, казалось, совсем ее не слушал. Вместо этого смотрел по сторонам, разглядывая собравшихся. Вскоре заметил меня, улыбнулся и помахал рукой. Я ответила тем же, не успев сообразить, что делаю. Передо мной стоял Лоран, сын Тьерри. Я тут же почувствовала себя застигнутой на месте преступления и нервно закусила губу. Лоран усмехнулся и повернулся к своей спутнице, но тут Сами вцепился в его руку и что-то прокричал. Сначала Лоран покачал головой — нет-нет, и речи быть не может, — но не успел бедняга опомниться, как в руки ему сунули сковородку, а на голову водрузили белоснежный поварской колпак. Музыка заиграла громче, и все захлопали. Лоран вскинул руки, будто сдаваясь, а потом стал разбивать яйца в миску. Вот это совпадение — совсем как его отец утром! Я узнала эту быстроту, эту ловкость. Наблюдала за Лораном как завороженная. Кто-то принес муки и молока. Лоран стал взбивать смесь — и это он тоже делал точно так же, как отец. Тут жонглеры опустили факелы и стали подкидывать их медленнее, осторожнее. К моему изумлению, Лоран расплавил на сковородке кусочек сливочного масла и стал поджаривать блинчики над огнем. Лоран подбрасывал их почти одновременно с факелами. Зрители встречали каждое новое блинное сальто аплодисментами. Особенно все обрадовались, когда один блинчик вылетел за борт, и его тут же схватила огромная чайка.

Зрелище было просто завораживающим. Один раз, пытаясь поймать отлетевший в сторону блин, Лоран вытянул надо мной длинную руку, потерял равновесие и чуть не приземлился ко мне на колени.

— У-уф, — выдохнул он. — Bonsoir mam'zelle[1].

— Здравствуйте, Лоран, — ответила я.

Тот поспешно выпрямился.

— Вы за мной шпионите! — воскликнул Лоран.

Но я сразу узнала знакомый озорной блеск в глазах, поэтому не слишком встревожилась.

---

[1] Добрый вечер, мадемуазель (фр.).

— Вовсе нет! Да и в чем вы меня подозреваете? Неужели всерьез опасаетесь, что украду рецепт блинчиков?

— Расскажете отцу, что я бездельник, прожигающий жизнь на вечеринках, — ответил Лоран все с тем же хитрым блеском в глазах.

— Если подкупите меня блинчиком, обещаю молчать, — произнесла я.

Лоран взглянул на безупречно поджаренные блинчики, вытащил из ящика возле борта бутылку «Гран Марнье» и полил их оранжевым ликером. На огне алкоголь быстро испарился, и воздух наполнил аппетитный запах. Потом Лоран взял салфетку, жестом фокусника перебросил на нее блинчик и свернул в конверт, чтобы удобно было есть.

— Скажу вашему отцу, что вы очень хороший мальчик, — проговорила я.

Блинчик был обжигающе горячий, но при этом невероятно вкусный.

По лицу Лорана пробежала тень. Похоже, конфликт между ним и отцом одной любовью к вечеринкам не исчерпывается. Во взгляде Лорана читалась затаенная боль.

— Нет, — тихо произнес Лоран. — Не надо ничего ему говорить.

Я внимательно взглянула на него, гадая, из-за чего могли так серьезно поссориться два этих по-своему обаятельных мужчины.

— Заходите ко мне как-нибудь, — пригласила я.

Легкое опьянение затуманило мне мозг: только потом сообразила, что ляпнула. В ужасе прикусила язык.

— Не в этом смысле! — поспешно исправилась я. — Приходите ко мне на работу, заодно и с отцом повидаетесь. Вот и все, никаких грязных намеков.

Лоран улыбнулся, протянул ко мне мозолистую руку и неожиданно коснулся моей щеки. Я покраснела как помидор.

— Значит, никаких грязных намеков?..

Я напомнила себе, что для французских мужчин нормально заигрывать со всеми подряд. Взять хотя бы Фредерика. Флиртовать для французов — как дышать. Иногда доходит до смешного, но они совершенно неисправимы. И надо сказать, в этом деле они толк знают. Меня тут же накрыло непреодолимое желание дотронуться до колючей щетины на подбородке Лорана, погладить густые вьющиеся волосы. Я еле удержалась.

— Лоран! Лоран! — кричали девушки у противоположного борта. — Еще блинов! На бис!

Факелы пылали все так же ярко. Я взглянула на часы. Уже поздно, а мне завтра, как всегда, рано вставать. Кто-то остановил баржу у пристани, чтобы я сошла на берег, а компания незнакомцев в костюмах арлекинов, наоборот, поднялась на борт.

Лоран улыбнулся, будто прочитав мои мысли. Быстренько чмокнул меня в обе щеки — здесь это абсолютно нормально, стандартное французское прощание, краснеть вовсе не из-за чего — и снова скрылся в толпе. Испытывая нечто среднее между облегчением и сожалением, я спустилась по сходням и благополучно шагнула на твердую землю острова Сите. Огоньки, факелы, смех и музыка с баржи согревали меня всю дорогу до дома.

Глава 11

Наступило следующее утро. Стрелка часов только-только подобралась к восьми утра, а я уже вовсю подметала скорлупу от какао-бобов. Вдруг звякнул колокольчик. Кто-то зашел в лавку. Фредерик и Бенуа озадаченно переглянулись. Громко играло радио. Французская поп-музыка — штука специфическая, к ней еще надо привыкнуть. Фредерик торопливо убавил звук и окликнул неизвестного посетителя:

— Bonjour!

В утренней дымке на пороге возник массивный силуэт Тьерри. Но сегодня Элис с ним нет. И вообще, шоколатье будто подменили: куда девалась неуемная энергия, громогласные распоряжения, широкая улыбка — все то, к чему я успела привыкнуть?

— Анна! — окликнул он меня. — Пойдемте прогуляемся.

Я послушно последовала за ним. День обещал быть прекрасным, но в воздухе до сих пор ощущалась предрассветная прохлада. Туристов в такую рань не видно. Только хозяева магазинов отпирают замки и ставни, да уборщики выплескивают в водостоки грязную воду. Отовсюду долетают ароматы кофе и свежей выпечки.

— Прогуляемся, — повторил Тьерри, но больше никаких объяснений не дал.

Я искоса взглянула на шоколатье: он уверен, что его колени выдержат такие нагрузки? Здоровый образ жизни — это не про Тьерри. Перехватив мой взгляд, начальник улыбнулся, но не так жизнерадостно, как обычно.

— Раньше я любил гулять, — произнес Тьерри. — Всюду ходил пешком. Это было мое любимое занятие. Смотрите!

Тьерри повел меня по мощеному переулку в сторону острова Сен-Луи, потом мы поднялись на прекрасный мост Понт-Неф, увешанный замками влюбленных. Пары просто цепляют замки на решетку, и власти их не трогают. Красивая традиция. Прогулочный катер лениво прокладывал путь по реке. Прямо перед нами в небо взмыла большая стая чаек. Впереди возвышается мрачная, внушительная стена старой Бастилии.

— Париж так быстро меняется, — сокрушенно заметил Тьерри, хотя мне в этот момент пришла в голову прямо противоположная мысль.

Он указал на огромное море флагов на левом берегу.

— Смотрите, сейчас проходит кулинарный фестиваль, — произнес Тьерри. — Представлены блюда всех стран мира.

— А почему мы не участвуем? — не подумав, спросила я.

— Зачем? — Тьерри недоуменно уставился на меня. — Мы для подобных мероприятий слишком хороши.

— Да-да, конечно, — поспешно согласилась я. — Так, просто предложила...

— Разве «Шанель» выкладывает свои товары на лотке на уличных фестивалях? А «Кристиан Диор»?

Я не стала указывать на то, что, в отличие от шоколада Тьерри, вещи этих брендов можно купить во всех странах мира, и дипломатично сменила тему:

— А почему вы теперь не гуляете?

— Во-первых, я очень занят, а во-вторых, Элис не любит бродить по городу. Говорит, это вульгарно.

— Гулять — вульгарно? — не сдержалась я.

— Жалуется, что красивые туфли не наденешь, да и люди подумают, будто у нас нет денег на машину.

В жизни не слышала ничего глупее, но один раз я Тьерри уже оскорбила, так что лучше держать свое мнение при себе.

— А мне нравится гулять, — вместо этого сказала я. — Лучший способ освоиться на новом месте.

— Вот именно! — с энтузиазмом согласился Тьерри.

Мы перешли по мосту на тот берег. Люди, спешащие на работу, застряли в пробке на круговом развороте, но мы в сторону машин даже не посмотрели. Тьерри обернулся и указал на то, что я уже привыкла считать домом: остров Сите. В просветах между домами возвышаются знакомые прямоугольные башни Нотр-Дама.

— Вы только посмотрите! Это же просто государство в миниатюре! Все, что только может понадобиться человеку, собрано в одном месте.

«Кроме супермаркета, который работает в обеденный перерыв», — мысленно возразила я, но вовремя прикусила язык.

— Можно провести на этом острове всю жизнь, ни разу его не покинув. В прежние времена люди так и жили. Эту часть Парижа заселили первой. Самое сердце мира.

Его несокрушимая убежденность в своей правоте заставила меня улыбнуться. Тут Тьерри зашагал дальше, и я бросилась его догонять. Все-таки для такого грузного мужчины он удивительно подвижен.

Тьерри взглянул на меня.

— Получил еще одно письмо от Клэр, — мрачно произнес он. — Дела у нее совсем плохи.

— Да, — просто кивнула я, не видя смысла кривить душой.

Сразу же навалилось чувство вины. У Сами самый древний ноутбук в мире. Иногда удается подключиться к соседскому Wi-Fi, и все же я уделяю Клэр гораздо меньше внимания, чем надо бы. Заняться ей особо нечем. Наверняка она не отказалась бы посплетничать. Недавно Клэр писала, как она рада, что в моей новой жизни много дел и удовольствий, не оставляющих времени на переписку. Все это читалось так убедительно, что я ей почти поверила. Каждое воскресенье я звоню маме и папе и рассказываю про все новенькое, что видела, делала или попробовала. Родители всячески демонстрируют интерес, но, по-моему, больше притворяются. В ответ мама и папа рассказывают новости про собаку (поранила лапу о колючую проволоку) и о Джо (устроился учеником на стройку, встречается с толстой девушкой). Время от времени приходят имейлы или эсэмэски от Кейт. Но меня с головой затянул водоворот парижской жизни. Тут же я дала себе клятву больше общаться с Клэр — по крайней мере, стараться.

— Почему вы лежали в больнице? — спросил Тьерри.

— Потеряла два пальца на ноге.

Тьерри состроил сочувственную гримасу.

— Глядите. — Он показал мне мизинец: палец слишком короткий, а кончик слишком широкий, как будто верхушка срезана. — Так я понял, что моя судьба — сладости. Мясник из меня никудышный, non? Готовить для здоровенных, вечно голодных солдат в пустыне... Врагу не пожелаешь!

Я сочувственно покивала.

— А у Клэр все пальцы ног на месте? — вдруг спросил Тьерри.

— У нее рак.

— Да.

Мы шли по набережной. Сегодня течение реки было быстрым, и вода приобрела темно-синий оттенок. Множество лодок и катеров шныряют туда-сюда. По воде доставляют всевозможные товары, возят уголь.

Тьерри уставился на реку невидящим взглядом.

— Рак... — повторил он. — Эта болезнь — как снайпер на празднике. Только что все веселились, и вдруг — бум!

Мы молча глядели на реку.

— Сейчас много всяких новых методов лечения, — заметил Тьерри.

Я покачала головой:

— Да, но у Клэр опухоли в трех местах, а это очень серьезно. Но она упрямая.

— Значит, дела настолько плохи. — Тьерри взглянул на меня, но быстро отвел взгляд.

— Может быть, — пожала плечами я.

Самой не хотелось об этом думать.

— А как ее семья? Заботится о ней?

— У Клэр очень хорошие сыновья.

— Значит, у нее сыновья?

— Двое.

— Да... сыновья... — задумчиво протянул Тьерри. Наверное, он подумал о Лоране.

— И что, они с ней рядом? Поддерживают ее?

— Они замечательные.

— Даже если я буду гореть, мой сын пожарным не позвонит. — Тьерри фыркнул, потом нервно закусил губу. — Моя малышка Клэр, — вдруг произнес он так, будто забыл о моем присутствии. — Моя английская птичка. Малышка Клэр.

1972 год

— Какая ты... красивая!

Клэр смущенно захихикала. Обычно Тьерри за словом в карман не лез. Девушка никак не ожидала, что при виде нее он утратит дар речи. Тьерри так же жаден до слов, как и до идей, новых знаний, шуток, еды, вина, шоколада, Парижа — и до нее.

Они стояли в саду дома Лагардов. С тех пор как вся семья отбыла в Прованс и оставила Клэр одну в Париже, сад пустовал. Казалось, разом уехали все жители города, улицы опустели. Парижане бежали от зноя навстречу морскому ветерку и мимозам юга. Магазины стояли закрытые, рестораны не принимали гостей. Париж будто превратился в город-призрак — или в огромную игровую площадку для тех, кто остался.

Набравшись невероятной смелости, Клэр оставила в шоколадной лавке записку. Пришла рано утром, до того как Тьерри появлялся на работе. Она давно уже об этом подумывала. Наведалась в «Papeterie Saint Sabin», большой магазин канцелярских товаров. Истратила огромное количество тяжким трудом заработанных денег на самую красивую и изящную писчую бумагу, какую смогла найти. Глаза разбегались от разнообразия, но наконец Клэр остановила выбор на бледно-зеленой бумаге с желтыми цветами, очень похожей на ткань ее нового платья. Плотный кремовый конверт украшали светло-зеленые и золотистые полоски. Все это смотрелось невероятно стильно и утонченно. С бешено бьющимся сердцем Клэр проскользнула в кабинет месье Лагарда, обставленный массивными шкафами и кожаными креслами, и позаимствовала с письменного стола одну из его перьевых ручек. Рука Клэр дрожала от приятного волнения. Только бы не посадить кляксу! Она написала только время и адрес, и больше ничего.

Конечно же, Тьерри пришел. Как Клэр и рассчитывала, он нашел ее в саду. Лицо Тьерри слегка порозовело от жары. Он снял шляпу и смахнул пот со лба. Фруктовые деревья заслоняли сад от взглядов с улицы, здесь можно было уединиться, не боясь, что тебя потревожат. На идеально ровно подстриженной лужайке Клэр приготовила целый пикник: лучший сыр морбье (его любимый), паштет, дрожжевой хлеб из маленькой булочной на углу, гроздь винограда. Ягоды были крупные, глянцевые и полные косточек. Тьерри любит разрезать виноградины ножиком и с необычайной ловкостью выковыривает косточки. Даже не подумаешь, что человек с руками, больше напоминающими медвежьи лапы, может быть на такое способен! Нарезку испанской ветчины серрано она купила в лавке у грозного мясника: еле отважилась зайти! Довершала картину бутылка «Лоран-Перье» урожая 1968 года, охлаждавшаяся в ведерке со льдом. А что? Мадам сама разрешила Клэр брать все, что душа пожелает! Конечно, Клэр понимала, что бессовестно злоупотребляет хозяйским доверием. Но она пообещала себе, что будет прилежно трудиться и возместит Лагардам убыток.

Сквозь листву деревьев просвечивал солнечный шар, сегодня казавшийся особенно большим и тяжелым. Даже золотистые лучи выглядели как что-то густое, осязаемое: ни дать ни взять сироп. Клэр, скрывавшаяся от зноя в тени, не в состоянии была и минутки посидеть спокойно. То теребила волосы, то новое платье, то кидалась переставлять тарелки из тонкого фарфора: Клэр с величайшей осторожностью достала их из шкафа-витрины в гостиной. В тысячный раз поправляла букет цветов в баночке: нарвала с клумб, причем старалась собирать там, где опустошение не будет особо бросаться в глаза.

Наконец Тьерри подошел к боковой калитке, выходящей в укромный переулок между их фешенебельной улицей и другой, не менее внушительной. Тихонько постучал и быстро вошел в сад.

Клэр вскочила. В солнечном свете ее блеклые волосы сияли, будто золото. Нежно-зеленый шелк платья струился, как река. В этот момент Клэр напоминала водяную нимфу — или прекрасную дриаду.

— Клэр, какая ты... какая ты красивая! — выдохнул Тьерри.

В кои-то веки он говорил тихо, почти благоговейно. Клэр шагнула к нему, и Тьерри обнял ее. Потом сел под дерево и усадил Клэр к себе на колени. К великолепному угощению так никто и не притронулся. Влюбленные обошлись не только без еды, но даже без слов. Прошло всего несколько минут, и птицы вспорхнули в ясное голубое небо.

Тьерри довел меня до угла улицы. Мы зашли в крошечную узкую булочную: столики и стулья теснились вплотную друг к другу. Реки отсюда не видно — так же как и острова Сите, плывущего по ее середине, будто гигантский корабль. Тьерри выкрикнул заказ. Официант, с удивительной быстротой проложив себе путь между столиками, принес нам две маленькие чашки кофе. На каждом блюдце лежало по четыре кусочка сахара. А еще нам принесли огромные заварные пирожные: два профитроля друг на друге, нижний побольше, верхний поменьше. Оба политы шоколадом и склеены кремом. Эти пирожные французы называют «religieuse» — религиозными. Если приглядеться, и впрямь похожи на фигурки монахинь или священников. Тьерри проглотил свою порцию в один присест и вскинул руку, требуя добавки. Ни дать ни взять ковбой, опрокидывающий в баре стопки виски.

Некоторое время Тьерри молча наблюдал, как я ела. До чего вкусные профитроли!

— Обстоятельства были против нас, — вдруг произнес Тьерри. — Отец Клэр... как бы это сказать?.. Мы оба были очень молоды. Лето, романтика... А потом она уехала домой, а меня призвали в армию.

Я встретила взгляд Тьерри и в первый раз заметила у этого жизнерадостного толстяка столько грусти в глазах.

— В молодости думаешь, что у тебя еще все впереди. Любовь от тебя никуда не денется. Беззаботно растрачиваешь юность, свободу, чувства. Кажется, будто у тебя этого добра всегда будет в избытке. Но время все расставляет по местам. Вдруг понимаешь, что растратил все. Остается подводить итоги: достойно ли ты распорядился этими благами?

Тьерри с задумчивым видом откусил от второго пирожного.

— Казалось, у нас с ней еще будет время, много времени. Лето никогда не закончится, все останется как есть. Короче говоря, Анна, я старый дурак. Не повторяйте моих ошибок.

— А по-моему, ваша жизнь сложилась не так уж и плохо, — тут же возразила я.

— Ха-ха! — Тьерри улыбнулся. — Спасибо. Вы очень добры.

Потом он подался вперед:

— Как вы думаете, я могу поговорить с Клэр?

— Есть такая штука, называется телефон. — Я задумчиво покачала головой. — Слыхали когда-нибудь? По нему можете разговаривать с ней сколько пожелаете.

— Не люблю говорить по телефону, — возразил Тьерри. — А вдруг она трубку бросит?

— Вы оба хуже подростков, — вздохнула я.

Я вспомнила, как Джо влюбился в Сельму Торрингтон и неделю безвылазно просидел в своей комнате. Мой второй брат, Джеймс, нашел стихи, которые написал Джо, и они оказались так серьезны и драматичны, что у нас даже не хватило духу его дразнить.

— Вы взрослые люди, — заметила я. — Просто позвоните Клэр или напишите письмо, и все дела.

— Насчет писем я не мастак. — Тьерри снова помрачнел.

— Ну должны же вы хоть что-то предпринять!

— Вы правы, — согласился Тьерри. — Должен.

Он потребовал счет и вдруг спросил:

— Думаете, она рада будет получить от меня весточку?

— А то нет! — с легкой досадой ответила я.

Тьерри улыбнулся.

Обратно по берегу реки Тьерри шел почти вприпрыжку: даже вспотел. Казалось, у шоколатье открылось второе дыхание. Показывал мне разные достопримечательности, спрашивал, согласится ли Клэр приехать в гости, и если да, то разрешат ли ей врачи путешествовать. Рассуждал, как она, должно быть, изменилась за сорок лет, и задавал вопросы, на которые я не в состоянии была ответить: например, что за человек ее муж.

— Кстати... — произнесла я.

Давно искала удобный момент, но до сих пор случая не представлялось.

— Я познакомилась с вашим сыном.

— Где? — Тьерри застыл как вкопанный и уставился на меня во все глаза. — Как?

Я решила не рассказывать, что поначалу приняла Лорана за уличного грабителя, нацелившегося на мой мобильник, и промямлила:

— Да так, пересеклись в одной компании.

— А вы говорили, что никого в Париже не знаете. — Тьерри подозрительно прищурился.

— У меня очень общительный сосед по квартире, — смущенно пояснила я.

— Бездельник! — Тьерри недовольно нахмурился.

— Лоран разве не работает? — удивилась я.

А я-то думала, он повар. Впрочем, отсутствие заработков объясняет крошечный мотороллер.

— Ну, если лепить всякую дрянь — это работа... Лишь бы не у отца! А все говорят: видно, папаша у парня совсем зверь, раз он у него работать не хочет!

Лицо Тьерри приобрело багровый оттенок.

— Извините, — пробормотала я. — Не знала, что все так плохо.

— Говорит, я был никудышным отцом. — Тьерри покачал головой. — Элис после наших разговоров по десять сигарет подряд выкуривает.

Как ни крути, а Тьерри зациклен на собственной персоне, да и энтузиазм его бывает навязчивым. Пожалуй, оба эти качества и впрямь не располагают к тому, чтобы стать хорошим отцом.

— А может быть, вы просто слишком похожи? — рискнула предположить я.

— Наоборот, ничего общего, — буркнул Тьерри. — Он меня совсем не слушает.

— Нам, наверное, пора обратно, — робко произнесла я.

Не хочется, чтобы Бенуа заимел на меня зуб еще большего размера, чем есть. Скоро шоколадная лавка закрывается на обеденный перерыв, а мне еще посуду мыть.

— Не слушает отца, и все тут, — проворчал Тьерри и шагнул на проезжую часть.

Завизжали тормоза. Машина вильнула, чтобы его обогнуть. Мы оба испуганно отпрянули.

— Придурок! — рявкнул Тьерри и с багровым от ярости лицом погрозил кулаком вслед серому «пежо». — Ублюдок! Рулить научись! Кто таким права выдает?

Переключился сигнал светофора. Я стала ненавязчиво переводить Тьерри через мощеную дорогу, а тот все выкрикивал угрозы и яростно размахивал руками.

— Вот свинья! Не смотрит, куда едет!

Когда это произошло, мы были всего в шаге от моста Понт-Неф. Толпы прохожих спешили кто куда: одни торопились на службу к огромному зданию Министерства юстиции, другие направлялись в собор. Несколько человек вынуждены были замедлить шаг из-за неожиданного препятствия: огромный, как медведь, мужчина вдруг застыл посреди тротуара и схватился за грудь, а потом за левую руку.

Глава 12

1972 год

Лагарды вернулись из Прованса в середине августа, загорелые и отдохнувшие. Детям поездка понравилась. Никаких уроков: знай плескайся весь день в садовом ручье, лови ужей наволочкой и сладко засыпай в ресторанах. Последний фокус малышка Клодетт чаще всего проделывала под столом. А Лагарды-старшие тем временем общались с друзьями: с теми же самыми друзьями, с иронией заметила мадам Лагард, с которыми постоянно проводили время в Париже. Только здесь они одевались немного попроще и со сдержанным энтузиазмом обсуждали местную кухню. Время от времени мысли мадам Лагард обращались к ее подопечной. Правильно ли поступила Мари-Ноэль, оставив девочку в Париже? Да, правильно, наконец решила она. Клэр почти восемнадцать, но за всю жизнь она не вкусила ни капельки свободы. Клэр — девочка разумная, Тьерри — мужчина добрый. Ничего дурного не случится. Наоборот, это маленькое приключение пойдет Клэр только на пользу.

Мадам Лагард окинула взглядом дом. Везде чисто прибрано, все на своих местах. Клэр поглядывает на хозяев настороженно, с опаской. Должно быть, всю ночь не спала — приводила дом в порядок. В холодильнике обнаружился пастуший пирог, который Клэр испекла для хозяев, — сыроватый и невкусный. Опытный глаз мадам сразу заметил счастливый румянец на щеках девушки. Вот он, верный признак пылкой влюбленности.

Клэр же горела, будто в лихорадке. Почему-то она думала: после близости с Тьерри — если это, конечно, произойдет, во что она до последнего момента не верила, — накал чувств спадет, сердце больше не будет колотиться как безумное, и Клэр перестанет думать о Тьерри каждую секунду. Наоборот, стало еще хуже. Мягкие кудри, взгляд, полный страсти и нежности, его тяжесть на ней... Они проводили вместе каждую свободную минуту: ели, разговаривали, занимались любовью, и всему этому Тьерри предавался с одинаковым пылом. Казалось, до встречи с Тьерри Клэр жила как в спячке. Существовала в скучном черно-белом мире, но вдруг появился этот жизнерадостный француз, и все вокруг засверкало яркими красками, совсем как в фильме «Волшебник страны Оз». Дом преподобного — черно-белый Канзас, а Париж, конечно же, волшебная страна.

С хозяйкой они поговорили наедине только через два дня после приезда семейства Лагардов. За детьми Клэр присматривала более чем добросовестно. Терпеливо выслушивала все их рассказы про ловлю колюшки, игры в ручье, гамаки и пчел. Играла с ними, рисовала, водила на новые выставки. Но настоящая жизнь для Клэр начиналась только в пять часов, когда она бежала в шоколадную лавку, а Тьерри увлекал ее за собой в служебное помещение. Там они прятались за огромными медными чанами и Тьерри целовал ее так страстно, будто они не виделись несколько месяцев. А потом он угощал ее то одним лакомством, то другим. Предлагал оценить новый вкус или новую начинку. Затем они отправлялись в ресторан. Тьерри уговаривал Клэр попробовать улиток, фуа-гра, лингвини с крошечными моллюсками, которых приходилось выковыривать из раковин, омара «Термидор» — и все это под звуки лихого канкана. Потом Тьерри вел ее в свою квартирку на Пляс-дез-Ар. Даже на верхнем этаже им были слышны звуки улицы, стремительная французская речь и шум машин, порой проносившихся мимо. Снизу ярко сияли фонари. Здесь Тьерри и Клэр занимались любовью, снова и снова. Потом он одевался и галантно провожал ее до дома. Тьерри всегда следил за тем, чтобы она возвращалась до полуночи. На прощание он дарил Клэр поцелуй и несокрушимую уверенность, что завтра повторится все то же самое.

— Дорогая, — тихонько произнесла мадам, когда Клэр готовилась к очередному свиданию с Тьерри.

На этот раз она выбрала платье из бледно-кремового шеврона. При звуке голоса мадам тело девушки, как всегда, напряглось, как натянутая струна. В глубине души Клэр таилось смутное беспокойство: она не заслужила такого счастья. Встречаясь с Тьерри, Клэр поступает нехорошо, неправильно. В глазах отца так оно, безусловно, и было. Вежливые, сдержанные письма, которые Клэр добросовестно отправляла родителям раз в неделю, повествовали только о детях Лагардов и парижских достопримечательностях. Что-то по ним понять было совершенно невозможно. Мать Клэр даже беспокоилась, что в Париже дочь одинока и несчастна. Но тогда бы Клэр нашла способ позвонить домой. При каждом звонке Эллен сразу бежала к телефону: вдруг оператор спросит у мужа, ответит ли он на платный звонок, и преподобный откажется разговаривать?

— Не пугайся, просто зашла поговорить, — сказала мадам спине Клэр.

Девушка вдевала в уши крошечные изумрудные сережки — подарок Тьерри. Клэр тогда рассмеялась и сказала, что он ничего не обязан ей покупать. А Тьерри ответил, что с радостью преподнес бы ей бриллианты, как у Элизабет Тейлор, но, увы, он только начал свое дело и пока ничего другого себе позволить не может. Изумруды совсем малюсенькие: всего лишь осколки зеленых камней. Зато их цвет подходит к ее глазам, а антикварная серебряная оправа радует красивой формой. Но Клэр обрадовалась бы любому подарку: главное, что Тьерри выбрал их для нее. Ну а то, что серьги еще и сделаны со вкусом, лишний раз приятно согревало сердце.

— Не бойся, тебе не попадет, — прибавила мадам Лагард.

Клэр ощутила облегчение. Все ее страхи просто нелепы и смехотворны. Вот и Тьерри так считает. Клэр — взрослая женщина. Кто сказал, что она не заслужила счастья? И все же... Господь все видит. Столько радости, столько наслаждения — это как-то нехорошо, неправильно. Тихий внутренний голос то и дело повторял, что Клэр предается пороку.

Девушка обернулась:

— У вас чудесные дети, мадам Лагард. Такие воспитанные...

Но мадам только отмахнулась. Как и большинство француженок, она считала: чем меньше родители вмешиваются в жизнь детей, тем лучше для последних.

— Просто хотела сказать, как мы к тебе привязались за лето.

Клэр покраснела. Как мадам Лагард может хорошо к ней относиться, когда она шляется непонятно где каждый вечер, будто мартовская кошка? Этот вопрос задал ее внутренний голос, подозрительно напоминающий голос отца.

— Нам будет очень тебя не хватать, когда уедешь. Осталось всего две недели.

Мадам Лагард старалась выражаться потактичнее.

— Тебе ведь надо в школу, non? Образование — вещь полезная. Ты девочка талантливая, тебе нужно продолжить учебу. Студенческая жизнь придется тебе по вкусу, вот увидишь.

— Это вряд ли.

Клэр с несчастным видом покачала головой. Как усердно она отгоняла от себя мысли об отъезде! Две недели — это же целая вечность. Ни к чему думать о возвращении домой сейчас.

— Папа считает, что университет — бесполезная трата времени. Хочет, чтобы я закончила секретарские или учительские курсы.

Мадам Лагард нахмурилась:

— Да, с детьми ты ладишь хорошо, но разве тебе не интересно попробовать себя в чем-то еще? Познакомиться с новыми людьми?

Мадам Лагард, как всегда, была практична.

Клэр нервно сглотнула. Радостного предвкушения как не бывало. Девушка застыла, не отрывая глаз от паркета. Заговорить она не решалась. Мадам ласково взяла Клэр за подбородок и заглянула ей в глаза.

— Надеюсь, в Париже тебе было хорошо, — четко и ясно произнесла она. — Тогда домой ты увезешь много счастливых воспоминаний.

Ну конечно же, Клэр все понимала. Она ведь еще ребенок. Да и Тьерри только что исполнилось двадцать два. Он еще в самом начале карьеры. Чего ждала Клэр? Надеялась, что останется в Париже и выйдет замуж?

Разумеется, в глубине души именно об этом она и мечтала. Глупые девчачьи фантазии. Вот они с Тьерри женятся в живописном парке на острове Сите, на Клэр что-то великолепное из «свадебного» угла в мастерской Мари-Франс... Но она сама понимала: все это просто смешно и нелепо. Кто же устраивает свадьбу в парке? Да и подвенечный наряд от Мари-Франс им с Тьерри явно не по карману. Вдобавок они знакомы совсем недавно. Нет, ни о чем подобном и речи быть не может, даже если бы Тьерри обсуждал с ней какие-то планы дальше августа. А он не обсуждал.

Клэр пробовала представить Тьерри в Кидинсборо — и не могла. Чтобы Тьерри ездил на девятнадцатом автобусе, бегал в магазин азиатских продуктов на углу за лапшой к ужину или сидел с кружкой пива в местном пабе «Корона» и заинтересованно обсуждал с завсегдатаями, кто забьет гол на матче в субботу? Не бывать этому. Тьерри даже по-английски не говорит. А как такой гурман будет есть мамины разваливающиеся йоркширские пудинги или овощи, больше напоминающие жидкую кашицу? Когда Клэр в первый раз попробовала глазированную морковь в ресторане «Максим», она долго не могла поверить, что это тот же самый овощ, который они едят дома. Нет, в Кидинсборо Тьерри делать нечего. Даже подумать смешно.

Арно и Клодетт скоро пойдут в школу, а значит, услуги Клэр Лагардам больше не потребуются. Ей и самой надо в школу. Тьерри может позволить себе забросить дела в августе: в это время не устраивают ни приемов, ни званых вечеров. Все светские львы и львицы разъезжаются на лето, но к сентябрю ситуация изменится. Тьерри придется закатать рукава и работать с утра до вечера, лишь бы удержаться на плаву. Для Клэр в этой его новой жизни места не будет, и она это понимала.

Все эти мысли пронеслись в голове Клэр за одну короткую секунду. А потом она подняла голову, встретилась взглядом с неизменно хладнокровной мадам Лагард и ответила:

— Да. У меня осталось много приятных воспоминаний.

Тьерри покачнулся, попятился. Прохожие расступились, образовав вокруг него круг. Я схватила его за руку. К счастью, мускулистый мужчина с бородой помог мне уложить Тьерри на тротуар. Тот издавал жуткие стоны. Я достала телефон и набирала 999 снова и снова, но почему-то не могла дозвониться. Чувствовала себя так, будто угодила в ночной кошмар. Бородач взял у меня телефон и объяснил, что звонить надо по номеру 112. Мне даже в голову не пришло, что во Франции своя служба спасения. А когда оператор ответила на французском, у меня вдруг язык отнялся. Хорошо, что бородач догадался отобрать у меня телефон и прокричал, где мы находимся.

Тем временем женщина, объявившая, что она медсестра, подложила под голову Тьерри шарф. Похоже, он потерял сознание. Я опустилась на корточки и взяла его за руку, бормоча по-английски, что все будет хорошо, хотя сама была в этом не уверена. Тут кто-то подошел и крикнул: «Тьерри Жирар!» Лишь намного позже мне пришла в голову мысль: только в Париже на улице могли узнать шоколатье. После этого многие прохожие остановились, обмениваясь встревоженными взглядами и комментариями вполголоса. Кто-то сделал фотографию на телефон. Разгневанный бородач обрушил на этого человека поток такой отборной брани, что тот стыдливо опустил голову и скрылся в толпе. Потом медсестра склонилась над Тьерри и стала делать непрямой массаж сердца — наконец-то! Тут я от всей души поклялась, что по возвращении первым делом запишусь на курсы при скорой помощи Святого Иоанна. Нам ведь и на фабрике все время твердили, что это дело полезное. Но сама мысль о том, что тренироваться делать искусственное дыхание рот в рот придется на мистере Астене, была настолько отвратительна, что мы только смеялись и фыркали. Теперь же я поклялась, что выучу правила оказания первой помощи назубок и всех знакомых уговорю, лишь бы с Тьерри все было в порядке. Он должен поправиться. По-другому и быть не может.

Через несколько минут подъехала машина скорой помощи. Медсестра сказала, что Тьерри дышит и парамедики прекрасно знают, что делать в таких случаях. Но вот они выскочили из машины, поглядели на Тьерри, потом на носилки, покачали головами и принялись что-то обсуждать. Хотелось крикнуть, чтобы поторапливались, но тут я поняла: они просто не смогут взгромоздить Тьерри на носилки.

Наконец какой-то из парамедиков вместе с бородачом нашли в толпе шестерых крепких мужчин. Они вкатили носилки обратно в машину, закрепили их, потом осторожно внесли внутрь огромного пациента. Я разрыдалась от облегчения. Как же я злилась на Элис и Лорана, что они не пытались контролировать жадный аппетит Тьерри! А потом вспомнила, что только этим утром он на моих глазах съел четыре пирожных с кремом и выкурил три сигареты. Ну и как бы я его остановила? Фонарный столб легче уговорить!

Парамедик жестом показал мне, чтобы садилась в машину. Я на секунду замерла в нерешительности. Надо вернуться в магазин, рассказать всем, что случилось с Тьерри, и — о боже! — связаться с Лораном. Но конечно же, кто-то должен ехать с Тьерри. Нельзя бросать его одного.

Запах больницы во всех странах одинаков. Парамедики заранее позвонили и объяснили нашу ситуацию, поэтому нас встречали с большими носилками. Я бестолково топталась в сторонке. Потом меня подозвала администраторша и спросила номер страховки Тьерри. Я, естественно, ответить не смогла. Я и не знала, что французская система здравоохранения работает совсем по-другому. Здесь нельзя просто взять и приехать в больницу. Администраторша ясно дала понять, что я, никчемная проходимка, только зря отнимаю у нее время из-за всякой ерунды: подумаешь, у начальника сердечный приступ! В этот момент я порадовалась, что наша Национальная служба здравоохранения, несмотря на все свои многочисленные недостатки, первым делом окажет тебе помощь и только потом будет спрашивать про документы, а не наоборот. Я уж испугалась, что сейчас у меня потребуют кредитку. Но тут какая-то медсестра пришла с кошельком Тьерри и с быстротой, свидетельствовавшей о давнем навыке, стала перебирать содержимое. Наконец отыскала карту зеленого цвета, — похоже, это и был страховой полис. А потом медсестра глянула на меня так, будто я с самого начала знала, что полис там, и нарочно это скрывала.

Ну а после этого оставалось только искать доступ к Интернету, или телефонную книгу, или еще что-нибудь, что поможет связаться с шоколадной лавкой. Но уходить далеко не хотелось: вдруг что-то случится или Тьерри просто понадобится дружеская поддержка? Время от времени из кабинета выглядывала молодая женщина-врач и задавала вопросы на медленном, неуверенном английском: какая у Тьерри группа крови, страдает ли он диабетом, подпишу ли я какую-то «форму согласия». Я чувствовала себя как в кошмарном сне. Понятия не имела, какой во Франции номер телефона справочной. Бесполезно потыкала пальцем в телефон, вздохнула. Мобильник между тем разряжался на глазах. От отчаяния я едва не швырнула его об пол.

Оставался только один вариант. Больше ничего в голову не приходило.

Когда Клэр подошла к домашнему телефону, голос у нее был сонный. Я порадовалась: во-первых, тому, что она дома, а во-вторых, тому, что она спала. В больнице она иногда маялась без сна ночи напролет.

— Анна! — Клэр сразу взбодрилась и повеселела. — Ну, что нового? Как раз о тебе думала! Уже освоилась? Нравится в Париже?

— Потом расскажу, — торопливо вклинилась я. — Сейчас не до того. Мне нужно у вас кое-что узнать. В другой раз поболтаем, договорились?

— Хорошо. — Голос Клэр зазвучал растерянно. — А что случилось?

— Потом перезвоню и расскажу. Пожалуйста, мне очень нужен номер телефона шоколадной лавки. У вас ведь он есть? Можете посмотреть?

— Шестьдесят семь — восемьдесят девять — двенадцать — пятнадцать, — без запинки ответила Клэр.

Ну не могла же я сразу отсоединиться!

— Вы его наизусть помните? — удивилась я.

— О да, — задумчиво произнесла Клэр. Похоже, она витала мыслями где-то далеко, но быстро взяла себя в руки. — В те времена мобильных телефонов не было. Номера приходилось набирать по памяти.

— И вы их до сих пор помните? Все?

Клэр немного помолчала.

— Нет, не все.

— Мне пора, — произнесла я, нервно сглотнув. — Обязательно перезвоню. Обещаю.

И поспешно дала отбой, пока Клэр не задала еще какой-нибудь неудобный вопрос.

К телефону в шоколадной лавке не подходили так долго, что я уж думала, они закрылись на обед. Молилась, чтобы в магазине кто-то остался и чтобы этим кем-то был Фредерик, а не Бенуа.

К счастью, в тот день мои молитвы были услышаны. Я постаралась как можно толковее объяснить потрясенному Фредерику, что произошло. Французские слова и грамматические правила вдруг вылетели из головы. Казалось, я начисто позабыла все, что учила. Только когда Фредерик спросил, в какой Тьерри больнице, я сообразила, что понятия не имею. Пришлось спрашивать у нелюбезной администраторши. Та поглядела на меня с непередаваемым презрением — мол, в жизни такой идиотки не встречала.

— «L'Hôtel-dieu»[1], — сообщила я Фредерику.

— Хорошо, — ответил он. — Это близко. Сейчас закрою магазин и всем сообщу.

Фредерик помолчал. Наконец спросил дрогнувшим голосом:

— Он ведь... поправится, да? Его ведь вылечат?

— Не знаю, — честно ответила я. — Ничего не знаю.

Перед операцией врачи позволили мне зайти в кабинет. Даже странно: разве можно за несколько недель так привязаться к человеку? Но, увидев Тьерри без сознания, я разрыдалась. Казалось, из него вытекла вся могучая жизненная сила, и теперь он походил на огромный сдувшийся воздушный шар. Усы уныло обвисли, в нос вставлена трубка.

— Нужно делать стентирование, — объяснила по-английски молодая женщина-врач. — Будем надеяться, что все пройдет благополучно. Пациент трудный.

— Вы про лишний вес? — уточнила я.

---

[1] «Отель-Дьё де Пари», парижская больница, центральное лечебное заведение дирекции государственных больничных учреждений.

Врач кивнула:

— Таких пациентов оперировать нелегко. Трудно... подобраться.

Да уж, не завидую.

— Зато у него большое сердце, — вдруг само собой сорвалось с языка. — Вы уж постарайтесь, дело того стоит.

— Дело всегда того стоит, — резко бросила она, снова кивнув.

Я еще раз сжала руку Тьерри в своей, а потом его увезли в операционную на специальной большой каталке. Я сидела в коридоре, рассеянно листала журнал, содержание которого меня совершенно не интересовало, и старалась не прикасаться к телефону, иначе он совсем разрядится. Когда приедут остальные, пойду домой, позвоню Клэр и все расскажу. Но при одной мысли об этом меня охватывала тревога. Тьерри ее давний друг. Наверняка Клэр расстроится. Может, соврать? Сказать, что заблудилась, потому и спрашивала телефон шоколадной лавки? Нет, обманывать Клэр нельзя. К тому же они с Тьерри столько лет не виделись. Значит, не такие уж они и друзья, верно?

Я глядела на дверь. Скорее бы кто-нибудь приехал. Кто угодно. В жизни я не чувствовала себя так одиноко.

1972 год

Для Тьерри все было легко и просто.

— Ты же моя девушка, — говорил он. — Ты ведь приедешь еще? Когда мне дадут увольнительные из армии? На Рождество? Отлично! Мы с тобой чудесно проведем время. Париж на праздники — просто сказка. На бульварах зажигают сотни огоньков, а Эйфелева башня сверкает красным и зеленым. А если будет снег, я согрею тебя в своей мансарде. А еще сварю мой фирменный горячий шоколад. Его надо размешивать тысячу раз и добавить сливки. Тает во рту, как поцелуй любимого. Что скажешь, chérie?

Клэр попыталась улыбнуться. Они гуляли, поддевая ногами первые осенние листья. Через четыре дня Клэр опять наденет школьную форму, из которой наверняка успела вырасти за каникулы. Клэр и сама заметила, что ее фигура приобрела новые, более пышные очертания. На щеках расцвел румянец. В Париж она приехала девчонкой, а уедет женщиной.

— Ну, не знаю, — произнесла Клэр.

Рождество в Кидинсборо всегда проходило одинаково. В праздник на преподобного сваливалось много дополнительных обязанностей, и Клэр ему помогала. Вместе они навещали страждущих в больнице и дарили Библии бедным семьям, хотя те, наверное, предпочли бы продукты или игрушки для детей. Ну и конечно, придется целыми днями сидеть за уроками и готовиться к экзаменам. Клэр протяжно вздохнула. Она привезла с собой в Париж целую стопку учебников. Собиралась заниматься, пока дети спят. Но за все лето Клэр к книгам не притронулась.

Она крепко сжала огромную руку Тьерри в своей. Дул холодный ветер, и в тоненьком пальто Клэр мерзла. Как бы они с Тьерри ни притворялись, что ничего не изменилось, оба понимали: лето подошло к концу.

Тьерри поглядел на нее.

— Совсем замерзла, моя птичка, — произнес он. — Я тут придумал новый рецепт горячего шоколада. Будешь моим первым дегустатором. Пойдем.

Клэр сидела на деревянном прилавке, куда ее подсадил Тьерри, а сам шоколатье суетился вокруг: мешал что-то в большом кувшине, подливал сливок, добавлял чуть-чуть рома, дожидался, когда алкоголь выветрится, и отмерял еще несколько капель. Клэр попробовать не давал, пока напиток не будет готов. Тьерри подсыпал щепотку то того, то другого, замирал в задумчивости, бегал в служебное помещение и обратно, громко звал Бенуа, всерьез подумывал о том, чтобы начать все заново. Наконец сыпанул в шоколад чуть-чуть соли и остался доволен результатом.

Стоило Клэр отпить первый глоток — и она убедилась: Тьерри знал, что делал. Приятное тепло разлилось по всему телу, согревая каждую клеточку. Клэр замерла от восторга. Наверное, этим напитком Белая Колдунья из «Хроник Нарнии» угощала Эдмунда, чтобы он предал свою семью. Неудивительно, что ее коварный план сработал.

— Тьерри... — только и смогла с придыханием выговорить Клэр.

— Знаю, знаю, — рассеянно отозвался он. Тьерри что-то торопливо записывал на листе бумаги — он всегда делал записи впопыхах. Потом нашел баночку, открутил крышку и налил внутрь часть шоколада.

— Бенуа! — рявкнул он.

Из служебного помещения выбежал молодой человек крепкого телосложения.

— Вот такой вкус должен быть у шоколада. Готовь, пока не освоишь, а потом запри рецепт в сейфе.

Бенуа торопливо кивнул, отпил глоток и застыл, уставившись на Тьерри как завороженный.

— Шеф... — потрясенно выговорил он.

— Знаю, знаю, — отмахнулся Тьерри, но во взгляде шоколатье промелькнуло удовлетворение. — Я же сам его приготовил.

Клэр улыбнулась Тьерри. Он повернулся к ней.

— Ты моя муза! — воскликнул Тьерри и поцеловал ее, слизнув с губ густую каплю волшебного напитка. — А так еще вкуснее... — пробормотал он и поцеловал ее снова. — Видишь? Ты просто обязана вернуться. Ты нужна мне. Ты вдохновила меня на величайший из шедевров.

Тут один из покупателей спросил:

— А мне можно попробовать?

— Ну, не знаю. — Тьерри окинул его строгим взглядом. — Вы хороший человек? До сих пор этот шоколад пробовали только хорошие люди.

— Хороший я или нет, судить не берусь, — ответил мужчина. На нем была фетровая шляпа и желтый шарф. Как раз то, что нужно, когда на улице царит пронизывающий холод. — Зато я журналист из газеты «Монд».

Тьерри взял большую чашку, наполнил до краев и протянул журналисту:

— Пей, друг, и будь счастлив!

Мужчина отпил глоток и сразу полез за блокнотом.

— Вот, пожалуйста. — Тьерри одарил Клэр взглядом, исполненным нежности. — Ты сделала из меня гения.

Клэр весело засмеялась. В эту секунду она с радостью порвала бы на мелкие клочки обратный билет и навсегда отказалась бы от возвращения домой. Ну и пусть они с Тьерри будут жить во грехе! Клэр выпила еще волшебного шоколада. В этот момент почти ничто не омрачало ее счастья.

Вот только вспомнилось мамино недавнее письмо. Мама спрашивала, сильно ли Клэр выросла, передавала добрые пожелания от друзей и родственников, с энтузиазмом рассказывала о новом молодежном клубе при церкви и о приеме для всех прихожан. В глубине души Клэр понимала: она вернется. Конечно же вернется.

Дверь отделения распахнулась так резко, что ударилась о стену. Я вскинула голову — сама не заметила, как задремала. Странная реакция на стресс, но я просидела в коридоре больше двух часов, телефон разрядился, и больше делать было нечего.

Время от времени я встречала Лорана на вечеринках, обычно в лихой компании громогласных молодых поваров и моделей. Сами предпочитал общество художников и музыкантов, поэтому на друзей Лорана поглядывал свысока. Лорана часто можно было увидеть под руку с какой-нибудь тощей девицей с надутыми губами — каждый раз с другой. Лоран кивал мне при встрече, но не более того. Я рассудила, что такой легкомысленный тип мне неинтересен, и не обращала на него внимания. Но сейчас Лорана никто бы не назвал легкомысленным. Ни разу не видела его таким напуганным.

Лишь сейчас я заметила, как он похож на отца, только стройнее и кожа смуглее. Глаза большие и выразительные. В них читается страх и тревога. Рот широкий, губы чувственные. Лоран выше большинства французских мужчин. Фигура крепкая, но не полная: как раз то, что надо. Я вскочила, вытирая рот рукой. Жаль, что в сумке нет жвачки.

— Как он? Где он? — злым голосом выкрикивал вопросы Лоран. — Его уже прооперировали?

Такое чувство, будто в случившемся виновата я.

— Еще нет, — ответила я, стараясь говорить мягким, успокаивающим тоном. — Врачи сказали, операция будет идти долго.

— Почему долго?

Я пожала плечами:

— Кажется, врачам труднее работать, когда пациент... немного крупнее большинства.

— Это потому, что он толстый? Вот дурак! Полный идиот!

Лоран обвел коридор сердитым взглядом.

— Где Элис?

— Разве Фредерик ей не позвонил?

— Это вряд ли. Он ее терпеть не может.

— Не до такой же степени!

Лоран промолчал.

— Что он делал, когда случился приступ? Почему вы были с ним?

— Ничего мы с ним не делали! — оскорбилась я. Между прочим, это не я раскормила Тьерри, как на убой.

— Он просто позвал меня прогуляться, и все.

— Значит, вы только гуляли? А бренди случайно не пили?

— Меня никто не предупреждал, что в мои обязанности входит не давать начальнику пить бренди! — почти прокричала я.

Лоран примолк.

— Извините, — буркнул он. — Вы и впрямь ни при чем. Просто я очень волнуюсь.

— Понимаю, — кивнула я. — Это совершенно естественно. Надеюсь, новости скоро будут.

Лоран огляделся по сторонам затравленным взглядом:

— Он не может... не может умереть...

Тут Лоран запнулся.

— Анна, — услужливо подсказала я.

— Помню, — буркнул он, рассеянно ероша густые темные волосы.

— Мы с ним несколько месяцев не разговаривали, — пробормотал Лоран. — Он не может... не может...

Я покачала головой:

— Он о вас вспоминал сегодня утром.

— Что, рассказывал, какой я неуч?

— Вроде того. Но с большой любовью.

Лицо Лорана приобрело сероватый оттенок. Он взглянул на часы:

— Куда провалились все врачи?

Я нервно сглотнула.

— Что он еще говорил? — вдруг спросил Лоран. — С чего вдруг он откровенничал с вами? Англичанка, в Париже недавно...

Вдруг брови Лорана взлетели вверх.

— Вы же не имеете отношения к...

Я медленно кивнула:

— Меня сюда прислала Клэр.

Тут Лоран впал в такую ярость, что, казалось, вот-вот готов был в меня плюнуть.

— Опять эта женщина! — прошипел он.

— Она ничего плохого не сделала, — поспешно заверила я.

— Скажите это моей матери! — выпалил Лоран. — Отец бросил ее и связался с тощей английской стервой, потому что она, видите ли, напомнила ему первую любовь!

— У Элис ничего общего с Клэр, — решительно возразила я.

— Может, и так, вот только поздновато он это понял, — заметил Лоран. — Сделанного не воротишь, а опять что-то менять он боялся. Слава богу, у них с Элис хоть детей нет.

Лоран фыркнул и опять уставился на дверь, будто гипнотизируя ее взглядом.

Когда дверь наконец распахнулась, Лоран порывисто вскочил, но тут заметил, что вошла Элис. Ни разу я не видела ее такой бледной. Черный шарф контрастной полосой пересекал белую шею. На напряженно сжатых губах ни следа помады. От этого они казались тонкими и какими-то обнаженными. На шее вздулась жилка. В первый раз Элис выглядела старой.

— Что вы натворили? — прошипела она прямо с порога.

К кому Элис обращалась: ко мне, к Лорану, к нам обоим?

— Нет, что ты натворила? — парировал Лоран, выпрямившись во весь рост. — Это ты таскала его на скучнейшие званые обеды и ужины с твоими светскими приятелями. Ну конечно, надо же похвастаться! Отцу там делать было нечего, от скуки он наедался и напивался сверх меры! Но ты не оставляла его в покое, верно? Мешала заниматься тем, что ему удавалось лучше всего и приносило больше всего радости: работать, творить!

— Тебе-то откуда знать? — фыркнула Элис. — Не припомню, когда ты в последний раз к нам заглядывал. Ах да, ты слишком занят: идешь «своим путем»! Вот только самому пробивать дорогу гораздо проще, когда тебе так повезло с фамилией!

На какую-то секунду мне показалось, что Лоран вот-вот на нее набросится, но он лишь молча отвернулся.

— Наконец беспокоишься об отце? — выпалила Элис. На ее высоких скулах двумя розовыми пятнами проступил румянец. — Поздновато спохватился, не находишь?

Тут я рискнула вмешаться.

— Давайте все успокоимся, — робко предложила я. — Тьерри, наверное, не хотел бы, чтобы все из-за него ссорились. Это... плохая карма.

Тут оба повернулись ко мне. Я испугалась, что меня сейчас растерзают. Но Лоран лишь удрученно развел руками.

— Да, вы правы, — согласился он и пронзил Элис острым, как нож, взглядом. — Ради Тьерри постараемся на время забыть все обиды. Договорились?

Элис в истинно французской манере пожала плечами. Трудно поверить, что эта женщина росла и воспитывалась не в Париже. Потом она молча достала мобильный телефон.

Через несколько минут обстановку слегка разрядили приехавшие Бенуа и Фредерик. Вид у обоих был несчастный и удрученный. Наконец-то и у меня появилось дело: подбадривать их.

На вторую половину дня магазин закрыли, и все же несколько покупателей упорно не уходили и интересовались, в чем дело. Фредерика и Бенуа это обстоятельство беспокоило. В лавку уже звонили из нескольких газет, но, похоже, этими вопросами занимается Элис.

Она мерила шагами коридор и говорила по телефону. Можно подумать, эта ее суета поможет Тьерри! Я уставилась на линолеум. Оптимизм убывал с каждой минутой.

Наконец в дверях показалась женщина-врач и сняла маску. Лицо ее было совершенно непроницаемо.

Клэр осторожно оперлась на ручку кресла. Она пыталась дозвониться до Анны, но к телефону никто не подходил. По голосу Анны Клэр сразу поняла: случилось что-то серьезное. Она нервно закусила губу. Ее сиделка, Монтсеррат, бодро суетилась, готовясь к приходу медсестры: прибиралась, выстраивала в ряд пузырьки с лекарствами. Монтсеррат женщина хорошая, но Клэр не готова до такой степени посвящать ее в свои дела и тем более делиться чувствами.

Когда ей только поставили диагноз, Клэр решила никому о нем не рассказывать. Сама не могла объяснить почему. Наверное, просто не хотелось привлекать к себе излишнее внимание. Нет, сочувственных взглядов ей не вынести. Клэр всегда терпеть не могла, когда ее жалели: и после развода, и после того, как завалила выпускные экзамены в школе. Легче вытерпеть химиотерапию, чем жалость. В глубине души Клэр понимала, что это всего лишь глупая, ложная гордость. Должно быть, перешла по наследству от папы. Но как бы там ни было, побороть ее Клэр была не в состоянии.

Да и зачем кому-то эта информация? Можно подумать, Ричард, ее бывший муж, бросит все, помчится к ней и перевернет их жизни с ног на голову! А у мальчиков своих дел хватает.

Когда дольше скрывать стало невозможно, все ее очень поддерживали. И все же Клэр старалась лишний раз не показывать, как ей плохо: не хотелось никого волновать. Гораздо больше ей нравилось слушать про новые проделки внуков и разглядывать открытки, которые они для нее нарисовали. Это отвлекало Клэр от тяжелых мыслей, иначе в голове крутилось только одно: рак, рак и снова рак.

Но лучше всего о болезни помогал забыть «проект Анна»: так его называла Клэр. Она говорила себе, что просто помогает девушке расширить горизонты. Показывает, что существует другая жизнь. Так же ей самой когда-то открыла глаза мадам Лагард. Но теперь та хорошенькая девушка осталась лишь в воспоминаниях (сейчас Клэр могла признать без ложной скромности: она и впрямь была очень хорошенькой). А теперь все ее тело покрыто бледными складками, отекло от гормональных препаратов и сильнодействующих лекарств, изменилось из-за возраста и родов. Клэр сама чувствовала, что обвисла, расползлась. Кажется, даже зубы стали мягче. Но в семнадцать лет она была свежа как роза. Ничего удивительного, что Тьерри увлекся светловолосой англичанкой, хотя в те времена Клэр воспринимала его интерес как чудо.

Как только Клэр подключила Интернет — а сделала она это поздно: хотя отец скончался много лет назад, не давало покоя ощущение, что он этого не одобрит, — сразу стала искать что-нибудь про Тьерри. И конечно нашла. Его имя часто упоминалось и во французских СМИ, и в кулинарных книгах, и в путеводителях по Парижу. Увидев, как он поправился, Клэр удивилась. Впрочем, с теплотой вспоминала она, Тьерри всегда отличался жадным аппетитом: к еде, шоколаду, сексу, вину, сигарам — и к ней. Ничего странного, что последствия этого аппетита в конце концов дали о себе знать. С другой стороны, Клэр всегда была добропорядочной особой: преподавала в школе, готовила для семьи полезную еду, следила за фигурой, не курила, не злоупотребляла алкоголем. Но это не помешало ей угодить в отделение интенсивной терапии, где она лежала, вся утыканная трубками, и чувствовала себя лет на сто, не меньше. Так какое все это имеет значение?

Клэр много раз невольно задумывалась: как бы все обернулось, напиши она Тьерри хоть пару строк? Она ведь знала его адрес. Но Клэр всякий раз себя останавливала. Это же просто нелепо! Подумаешь, юношеский роман! Да и длился он всего два месяца. Клэр сомневалась, что Тьерри вообще ее помнит. Что может быть унизительнее: выходишь на связь с мужчиной, а он понятия не имеет, кто ты такая! Клэр представила: вот он старается не подавать вида, что не узнает ее, а сам тем временем лихорадочно роется в памяти. А Клэр столько времени потратила на мысли о нем! Нет, врагу такого не пожелаешь. И вдруг Анна, сама о том не подозревая, обеспечила Клэр отличным поводом подать весть Тьерри.

1972 год

Клэр лежала на кровати в своей комнате и глядела на глупые постеры: певец Дейви Джонс, пони. Одно слово — детская. Теперь былые увлечения казались ей смешными. Лишнее подтверждение тому, что больше она не вписывается в прежнюю жизнь.

Всю дорогу Клэр плакала: и в поезде, и на пароме, и на другом поезде. В ушах так и звучали пылкие слова Тьерри: «Не забывай меня, не уезжай, возвращайся скорее». Клэр пообещала, что приедет, но сама на это не надеялась: денег нет, взять их негде. Она понятия не имела, что предпринять. В комнате с пастельно-голубыми обоями, уточками на каминной полке, балдахином над кроватью и школьной формой в шкафу Клэр чувствовала себя как в тюрьме.

В последний вечер мадам Лагард взяла Клэр за обе руки. Ей было искренне жаль, что девушка уезжает. Арно и Клодетт жались к ногам своей бывшей няни.

— Надеюсь, поездка в Париж многое тебе дала, — произнесла мадам.

Со слезами на глазах Клэр заверила, что так оно и есть и она не знает, как благодарить мадам за все, что та для нее сделала.

— Не хочу, чтобы мои слова прозвучали снисходительно, но когда еще заводить легкие романы, как не в юности? Но не он первый, не он последний, понимаешь? Как там говорят у вас в Англии? «Одна ласточка лета не делает»? Ты приобрела уверенность в себе, многому научилась. Скоро ты станешь взрослой женщиной. Сохрани воспоминания о Париже, но не цепляйся за них, хорошо? У тебя своя жизнь, свой путь. Ты слишком умна и талантлива, чтобы сидеть сложа руки, ожидая, когда тебя одарят хоть каплей внимания. Понимаешь, о чем я?

Не в силах выговорить ни слова от подступавших к горлу рыданий, Клэр лишь молча кивнула. Вспоминая этот разговор, она в глубине души понимала, что мадам Лагард дала ей мудрый совет. Но в тот момент Клэр жаждала услышать совсем другое! Вот бы мадам сказала: «Нам без тебя не обойтись. Бросай школу и живи у нас, пока вы с Тьерри не поженитесь». Но даже сама мысль была настолько нелепа, что Клэр невольно покраснела.

Мама очень радовалась ее возвращению домой, но даже в ее объятиях Клэр чувствовала себя чужой. Неужели прошло всего два месяца? За это короткое время Клэр стала другим человеком: независимой женщиной, которая сама зарабатывает на жизнь и проводит время где и как пожелает. Ну и как теперь прикажете снова засесть за алгебру и склонения глаголов?

Папа оглядел ее с головы до ног. Ему с самого начала не нравилось, что Клэр начала взрослеть, хотя такого уважительного и послушного подростка было поискать. Ну а теперь даже его неопытный в таких делах взгляд видел, что Клэр отдалилась от семьи и дома еще больше. Преподобный хмыкнул.

— Надеюсь, в Париже ты не набралась французских привычек, — заметил он. — Все-таки они там очень распущенные.

— Клэр хорошая девочка, — заверила мама, гладя ее по волосам. — Вид у тебя цветущий, дорогая. Очень мило со стороны Мари-Ноэль, что она так хорошо о тебе заботилась. Она мне писала.

— Разве? — удивилась застигнутая врасплох Клэр.

Мама заговорщицки улыбнулась. Похоже, поездка Клэр в Париж полностью оправдала ожидания Эллен и принесла много пользы ее замечательной, но чересчур послушной дочери.

— Не волнуйся, ничего плохого она про тебя не рассказывала. Нашей дочерью можно только гордиться, Маркус.

— Приятно, что наши труды не пропали даром, — слегка смягчился преподобный. — Ты ведь не какая-нибудь ленивая бездельница, верно, Клэр?

Клэр кивнула. Пока она ехала на поезде к дому, всю дорогу лил дождь. После текучих золотистых лучей парижского солнца, льющихся на старинную мостовую, зеленые парки и величественные церкви, Кидинсборо, с его однообразными строениями из красного кирпича и рифленого железа, цементом, уже успевшим растрескаться на новой парковке, и торговым центром с вечно опрокинутыми тележками у входа, смотрелся особенно уныло. Ну и что ей здесь делать? Жаль, что у Клэр нет лучшей подруги: было бы кому довериться.

К возвращению дочери мама приготовила рубленое мясо с картошкой. Когда-то это было любимое блюдо Клэр.

— Я не голодна, — извиняющимся тоном произнесла она. — Лягу сразу спать. Очень устала с дороги.

— Твоя мать старалась, готовила, — возразил преподобный. — Грех разбрасываться хорошей едой.

Пришлось сидеть за столом в старомодном дорожном костюме, который она в последний раз надевала в начале лета. Теперь он слишком короток, да и в груди узок. Клэр давилась переваренными морковкой и картошкой и старалась не вспоминать нежный камамбер, который запекали в печи с травами и подавали в плетеной корзинке с хрустящим зеленым салатом. Единственный салат, который можно было отведать в Кидинсборо в начале семидесятых, — пара влажных листьев салата «айсберг» с порезанными на четвертинки помидорами и майонезом. Жуткая безвкусица! А курица с золотистой корочкой! Они с Тьерри шли мимо уличного торговца и не могли не попробовать его товар, поджаривавшийся на решетке прямо у них на глазах. О, этот дивный вкус — и острый, и соленый одновременно! Жир тек у них по подбородкам, Тьерри его слизывал, а Клэр никак не могла перестать смеяться. Остатки жира они вытерли ломтями удивительно свежего хлеба: теплого, только из печи. Тьерри научил Клэр определять свежесть хлеба по хрусту, а потом самодовольно прибавил: «Но Пьеру в голову не придет предлагать мне хлеб второй свежести».

Но теперь Клэр казалось, будто все это происходило не с ней, а с какой-то другой девушкой. Дни становились короче, школа снова распахнула двери для учеников. Клэр будто угодила в ловушку. Она заперта в теле ребенка, а дети должны слушаться старших и делать что велят.

Каждый день Клэр просыпалась ни свет ни заря, боясь пропустить приход почтальона. Папа не поймет писем Тьерри, зато их может прочесть мама. Да и папа способен догадаться, что это за послания, но даже если нет, все равно будет недоволен, что дочери пишут из Парижа. Клэр следила за папой, как ястреб. Перехватить письмо — поступок вполне в его духе.

Но папа вел себя как обычно: сердито ворчал над газетой, ругая всех и вся. Сетовал, что Великобритания катится в пропасть, а профсоюзы и вовсе воплощение зла.

Теперь он и в проповедях об этом говорил. У населения Кидинсборо эти речи популярностью не пользовались, особенно среди рабочих со сталелитейного завода. Паства убывала с каждым днем. По вечерам к папе наведывались люди от епископа и вполголоса что-то ему втолковывали.

Дни шли, а письма все не приходили. Клэр забеспокоилась. Перед школой она смотрела на незнакомку в зеркале и глазам не верила: куда подевалась беззаботная девчонка, весело гулявшая по Булонскому лесу? Ее место заняла угрюмая школьница в короткой серой юбке и слишком тесной блузке, как две капли воды похожая на остальных учениц.

На всех уроках, кроме французского, Клэр думала отнюдь не об учебе. Вместо того чтобы прилежно заниматься, строчила бесконечные письма Тьерри. Рассказывала, как сильно скучает и как ненавидит Кидинсборо. Обещала, что летом опять устроится на работу и приедет в Париж, но на этот раз никто не заставит ее вернуться. Клэр отправляла письма на адрес магазина. Она понятия не имела, где Тьерри, куда его отправили служить.

А ответа все не было.

В ноябре Форесты переехали.

Клэр плакала. Упрашивала. Умоляла. Ей никак нельзя менять адрес. Клэр использовала весь репертуар бунтующего подростка: хлопала дверьми, поздно возвращалась домой, дулась, но ничего не помогало. А на папу одна за другой сыпались жалобы: проповеди, в которых прихожан только и делают, что запугивают страшными карами, давно устарели. «Все зло от хиппи», — сетовал преподобный.

Назло ему Клэр купила ароматические палочки. Преподобного от ярости чуть удар не хватил.

Клэр написала Тьерри последнее письмо, повторяя себе, что уж оно точно дойдет до адресата.

Chéri, mes parents horribles insistent que nous
déménagemons. Jeles detestes. Alors, si tu penses de moi
du tout, s'il te plaît sauve-moi! Sauve-moi! Je suis à
«The Pines 14 Orchard Grove Tillensley». Si tu ne reponds pas,
je comprendrais que tu ne m'aimes pas et je ne te contacterai
encore.
Mon couer, mon amour, viens avec vitesse,
Claire[1]

И снова тишина.

---

[1] Милый, мои ужасные родители настаивают, чтобы мы уехали.
Я их ненавижу. Поэтому, если я тебе хоть чуточку небезраз-
лична, спаси меня! Спаси меня! Мой адрес — Сосны, 14, Ор-
чард-гроув, Тилленсли. Если ты не ответишь, я пойму, что ты
меня не любишь, и больше не буду тебе писать. Сердце мое,
любовь моя, приезжай за мной скорее! Клэр *(фр.)*.

Глава 13

Все-таки во французской манере поведения есть много плюсов. Французы — люди прагматичные, обеими ногами стоящие на земле. Они редко захлебываются от восторга или горестно сокрушаются по какому-либо поводу. Даже из вежливости они не растягивают губы в фальшивой улыбке, когда ситуация не располагает к веселью. А это значит, можно получить у них много полезной информации без лишних эмоций.

Лоран порывисто вскочил:

— Как он?

Элис развернулась и, не говоря ни слова, выключила телефон.

Лицо женщины-врача было все так же бесстрастно. Мое сердце заколотилось с бешеной скоростью. Вдруг захотелось схватить Лорана за руку и сжать покрепче. Мне не хватает поддержки — кто знает, какие новости мы сейчас услышим? Я посмотрела на крупную волосатую кисть руки, застывшую возле кармана пиджака. Пальцы Лорана дрожали.

— Пока ситуация не прояснилась, — объявила врач безупречно ровным тоном. Ее голос эхом отражался от стен узкого обшарпанного коридора. —

Мы прооперировали больного, установили стенты. Но его общее состояние не позволяет делать уверенных прогнозов.

Эти слова врач произнесла с неприкрытым упреком.

— Но он жив? — уточнил Лоран.

В его взгляде надежда боролась со страхом.

— Разумеется, — подтвердила врач, отрывисто кивнув. — Но больной не скоро придет в сознание.

— Пустите меня к нему, — взмолился Лоран.

Врач еще раз кивнула. Мы все последовали за ней. Но вот цоканье каблуков по блестящему линолеуму стихло. Врач развернулась к нам.

— Всех сразу не пущу, — предупредила она.

Фредерик и Бенуа тут же отошли в сторону, я за ними. Но Лоран, не оглядываясь, взял меня за рукав и потянул к себе.

— Пойдемте, — тихо произнес он.

Только потом я догадалась, что Лоран просто не хотел оставаться наедине с этой женщиной, Элис. Между ними слишком много скрытой враждебности. Но тогда мне показалось, что Лоран пригласил меня в палату неспроста. Однако мне не давал покоя страх: вдруг Тьерри умрет и Лоран обвинит в случившемся меня?

— Конечно, — ответила я, стараясь не выдавать своих противоречивых чувств.

— С какой стати? — громко произнесла Элис, но Лоран не ответил.

Что ж, постараюсь держаться от нее подальше.

В послеоперационной палате царит мрачный полумрак. Аппараты пищат и жужжат. Я внимательно смотрю под ноги, чтобы не споткнуться о какую-нибудь жизненно важную трубку или провод. Живот Тьерри возвышается над кроватью, будто огромный холм. Ни дать ни взять гигантское пасхальное яйцо. К моему большому сожалению, Тьерри сбрили усы, чтобы удобнее было вставить трубки ему в нос. Без усов лицо Тьерри смотрится непривычно. Почему-то оно кажется обиженным. Кожа Тьерри приобрела серый оттенок: жуткий землистый цвет, долго смотреть на который нет сил.

Элис нервно кашлянула и опустила взгляд. А Лоран смотрел только на то, как вздымалась и опускалась широченная грудь отца.

— Папа! — воскликнул он и шагнул к кровати, широко раскинув руки.

Точно ребенок, нуждающийся в утешении.

Врач неодобрительно поцокала языком. Лоран послушно отошел, но в его глазах стояли слезы.

— Спасибо, — сказал он врачу.

— Пока не за что, — пожала плечами та.

Раз сто велев ничего не трогать, женщина-врач вышла. В палате остались только мы. Более странное и неподходящее трио представить сложно. Тьерри лежит между нами, будто огромный кит, выброшенный на берег. Тишину нарушает только писк аппаратов и шипение респиратора. Пружина ползет вверх-вниз, будто меха сломанного аккордеона.

— Да уж, — наконец протянула Элис.

Но Лоран ее проигнорировал. Сел на стул и подался вперед, не сводя пристального взгляда с Тьерри.

— Выходит, твой отец непременно должен был попасть в больницу, чтобы ты его навестил, — продолжила Элис.

Я едва сдержалась, чтобы не дать ей по башке. Видимо, все эти два часа в коридоре Элис придумывала, как побольнее уколоть Лорана. Заметив выражение моего лица, он успокаивающе похлопал меня по руке.

— Не обращайте внимания, она всегда так, — сказал он по-английски.

Ловкий ход: Элис все время притворяется, будто забыла родной язык.

— Вообще-то, я избегал не отца, а вас, — любезным тоном ответил Лоран. — Наверное, закурить хотите? Давайте — пусть ему станет хуже. Или, может, желаете отвезти его на одно из ваших любимых суаре?

Элис снова побледнела как простыня.

— Теперь у меня на них не останется времени: придется управлять бизнесом, которым ты заниматься не желаешь, — отрезала Элис. — Из сотрудников только два недоумка и эта... особа. Все сама. Благодарю за сочувствие.

Тут у меня сердце ухнуло в пятки. Как-то я не подумала, что теперь придется работать на Элис. Но она права. Конечно права. О боже! Я еще столько всего не освоила, а с этого дня придется учиться под презрительным взглядом женщины, которая меня не выносит.

— Что-то раньше вы о помощи не просили, — парировал Лоран. — Думал, вам нравится все делать самой.

Тут противники умолкли. Сложилась патовая ситуация: силы равны и никто не готов уступать.

Вскоре стало ясно, что уходить первым тоже никто не готов. Вдруг Тьерри очнется? В палате было тепло, и вскоре я, к своему ужасу, почувствовала, что меня неумолимо клонит в сон. Наверняка и Элис, и Лорану нужно обзвонить кучу народу, но возле медицинского оборудования мобильными телефонами пользоваться запрещено, а из палаты эти двое ни за что не выйдут. Вдруг я рассердилась: нашли время бороться за власть! Наконец не выдержала и встала.

— Схожу за кофе, — сказала я. — Еще кому-нибудь принести?

Тут Элис вскочила вслед за мной, явно досадуя, что сама до этого не додумалась.

— Нет, я схожу, — резко произнесла она, разыскивая в сумке пачку «Эрмес», зажигалку и телефон. — Через пару минут вернусь.

Стоило ей покинуть палату, как Лоран откинулся на спинку стула и облегченно вздохнул. Потом снова подался вперед и опустил кудрявую голову на край кровати. Заметив, как задрожали его плечи, я сообразила: да он же плачет!

— Все будет хорошо. — Подойдя, я погладила его по спине. — Ваш отец поправится. Вот он лежит, живой, а скоро будет еще и здоровый.

Я сама понимала, что несу полную чушь. Просто хотела его успокоить, вот и бормотала первое, что взбредет на ум. Как ни странно, это помогло. Не поднимая головы, Лоран потянулся к моей руке и сжал ее в своей.

— Спасибо, — выговорил он сдавленным голосом.

— Все будет хорошо, — повторила я, продолжая гладить его по спине.

— Все хорошо никогда не бывает, — приглушенно возразил Лоран.

— Наверное, — признала я, опустившись рядом с ним на колени. — Но с отцом помириться вы уж точно можете.

— Хотите сказать — пока он коньки не отбросил? — Лоран поглядел на меня и попытался улыбнуться. — Спасибо, вы умеете утешить.

— А что? Многие люди не успевают попрощаться с близкими. Но с вами этого не случится. Вам повезет, даже не сомневайтесь.

— Значит, вы мой счастливый талисман?

Я улыбнулась. Чтобы самый невезучий человек на свете вдруг стал счастливым талисманом?

— Думайте так, если хотите.

Лоран сел, вытер лицо, пригладил волосы.

— Глаза не красные? — спросил он. — Только бы эта ведьма не догадалась, что я плакал!

— Может, это заставит ее смягчиться, — предположила я. — Поймет, как вы любите отца.

— Эту стерву хоть с головой в смягчающий раствор окуни — все равно не поможет, — сердито бросил Лоран. — Не человек — камень.

— Она волнуется. Люди часто говорят что-то не то, когда переживают.

— Выходит, она все время переживает, — съязвил Лоран.

— Ну да, похоже на то, — согласилась я и погладила его по руке.

Тут мне в голову пришла идея.

— Знаете что? — произнесла я. — Конечно, в шоколадной лавке я недавно, зато быстро учусь. Ну а Фредерик с Бенуа и вовсе виртуозы. Предлагаю вам взять управление магазином на себя, пока Тьерри не поправится. Он будет рад, что мы продолжили его дело.

— Или поймет, что не является незаменимым, — криво усмехнулся Лоран. — Это его и добьет.

Он сжимал вялую руку отца в своей. Рука Тьерри была бледнее и более полная, а в остальном они ничем друг от друга не отличались.

— Скажем, что без него, разумеется, совсем не то, — предложила я.

— Это он и сам скажет, — ухмыльнулся Лоран. — Думает, без него все на свете хуже.

— Может, он и прав.

Тут вернулась Элис с подносом. На нем стояли три крошечных пластиковых стаканчика с черной жидкостью.

— Пойду в шоколадную лавку. — Я ободряюще сжала плечо Лорана. — Все равно здесь от меня никакой пользы.

— Хорошо, идите. — Лоран кивнул. — Надо же кому-то на звонки отвечать.

— Конечно, — кивнула я. — Только что мне говорить? Что он...

— Скажите, что он скоро вернется, — категоричным тоном приказала Элис. — Тьерри поправится, и магазин будет работать как раньше, и все будет по-прежнему.

Лоран, наверное, сказал бы, что Элис боится, как бы ее труды не пошли прахом. Но я услышала в ее словах кое-что другое. Элис не хочет, чтобы люди хоронили Тьерри, и тем самым поддерживает его дело. Я невольно прониклась к ней уважением.

Выйдя из больницы, я глазам своим не поверила: летний день был все таким же погожим и прекрасным. По небу тянутся тонкие ленточки белых облаков, солнце ласково светит и на парижан, и на туристов. Все вокруг кажутся счастливыми и беззаботными, будто ни у кого нет ни единой проблемы.

Тут я сообразила, что понятия не имею, где нахожусь. Долго шла наугад, но наконец заметила слева Эйфелеву башню. Выходит, я на левом берегу, а значит, надо перейти через мост. Удивительно — все это время я не покидала пределы острова Сите. Если посмотреть вправо, вдалеке можно разглядеть знакомый силуэт Нотр-Дама. Доехать на такси или метро было бы быстрее — в Париже все дальше, чем кажется, — но решила прогуляться пешком. Надо проветрить голову. Внимательно глядя по сторонам, я шагала вперед. Снова заныли отсутствующие пальцы на ноге. Видно, больничный запах навеял неприятные ассоциации. А может, погода скоро испортится. Неудивительно — все, что могло пойти не так, уже пошло не так. Я замедлила шаг, сменив уверенно-целеустремленную парижскую походку на прогулочно-туристическую, и упорно продолжала путь. Главное — не потерять из вида Нотр-Дам.

Есть в этом соборе что-то особенное. Во все эпохи он служил убежищем. Уже в те давние времена, когда весь город помещался на одном острове и этот собор был в Париже единственным. Трудно не вспомнить Квазимодо и Эсмеральду. Глядя на горгулий, невольно вздрагиваешь. А ведь в Средние века люди даже не сомневались, что они реально существуют. Верили, что человека от ада отделяет всего одна мелкая оплошность — и все, гореть ему вечно в геенне огненной, в окружении таких вот чудовищ с каменных стен, которые разорвут грешника на части.

Моя семья не особо религиозная. Правда, в школе у нас были уроки религии. А некоторое время в классе было модно ходить в церковь. Не помню, с чего это началось. То ли ребята хотели казаться взрослее, то ли пытались угнаться за мусульманскими детьми, которые молились как следует и тем самым вызывали у нас уважение. Короче говоря, я тоже одно время ходила в церковь, но один раз задала вопрос на эту тему миссис Шоукорт. Она была единственной учительницей, с которой можно было попросту обсудить то, что тебя волновало. В тот раз лицо миссис Шоукорт застыло, как маска, и она сказала: «Уж поверь, церкви мне в свое время на всю жизнь хватило». С тех пор пыла у меня поубавилось.

Но возле Нотр-Дама я почувствовала что-то такое, чего раньше не ощущала. Перед собором выстроились длинные очереди. Итальянские школьники от скуки валяют дурака, американские студенты громко переговариваются, а похожие, как близнецы, пожилые пары просто хотят поставить очередную галочку в списке посещенных достопримечательностей. Но есть среди них и совсем другие люди: например, монахини или те, кто пришел один. Они совсем не похожи на отдыхающих: их лица серьезны, а иногда даже мрачны. Две величественные башни на фасаде создают особую, ни с чем не сравнимую атмосферу.

Подойдя ближе, заметила, что очередь только для желающих записаться на экскурсионный тур или подняться на колокольню. А если хочешь просто зайти внутрь — пожалуйста, двери открыты.

Ступни болели, во рту давно уже маковой росинки не было, больше всего на свете хотелось прилечь отдохнуть, и все же ноги сами собой стали подниматься по ступенькам.

Внутри собор огромен. Пахнет цветами, воском для натирания полов и еще чем-то незнакомым. Наверное, ладаном: бабушка как-то рассказывала, что католики им пользуются. Доносится органная музыка. Сначала я не могла понять откуда, но потом заметила динамики. Внутри собор впечатляет своим масштабом. Если он кажется большим мне, живущей в эпоху небоскребов, аэробусов и круизных лайнеров, что же чувствовали люди сотни лет назад? Стены покрывают потрясающе детальные рельефы с изображением Страстей Христовых. Впереди огромное окно с розовым стеклом.

Сидящие на скамьях люди кажутся крошечными, как муравьи. В основном они пришли сюда одни: помолиться, поразмышлять. Чтобы присоединиться к ним, нужно заплатить за вход. Но я не католичка, и, даже будь я ею, трудно представить, чтобы Бог, вместо того чтобы помогать жертвам войн и голодающим, бросил все и кинулся спасать пожилого толстяка, с которым я знакома совсем недавно. И все же в сердце родилось что-то вроде молитвы — совсем коротенькой, состоявшей из одного слова. «Пожалуйста», — снова и снова мысленно повторяла я. «Пожалуйста, пожалуйста». Просто «пожалуйста», и больше ничего.

Сразу стало легче.

В витрине магазина висела табличка: «Fermé cause de maladie»[1]. Возле нее со встревоженным видом толпились покупатели. Я громко постучала в дверь. В мастерской есть запасной выход, но я ни разу не входила в эту дверь снаружи и понятия не имею, где ее искать. Молотила изо всех сил — никакой реакции. Наконец Фредерик гаркнул:

— Уходите! Мы закрыты!

---

[1] Закрыто в связи с болезнью (фр.).

— Это я! — проорала в ответ.

Фредерик тут же отпер дверь и впустил меня внутрь.

— Почему не позвонила? — накинулся он на меня. — Где тебя носило?

— Телефон разрядился, а в больнице автомат не нашла.

— Очень жаль, — буркнул Фредерик. — Мы тут с ума сходим. Как Тьерри?

— Без изменений. По крайней мере, насколько я знаю. Но в таких случаях отсутствие новостей — уже хорошая новость.

— Не уверен. — Фредерик фыркнул.

Только тогда я заметила: в магазине царила непривычная тишина.

— Почему выключили мешалки?

— Как же мы будем работать без шоколатье, chérie? — Фредерик пожал плечами. — Это же невозможно.

— Как это — невозможно? Вы что, забастовку устроили?

— Нет, просто без Тьерри...

— Хотите сказать, что проработали здесь столько лет и все это время не обращали внимания, что он делал?

Узкое лицо Фредерика исказила сердитая гримаса.

— Разумеется, мы видели, что делал Тьерри. Но то, что делал он, и то, что делаем мы... Разница — как между шедевром великого художника и детской мазней. Конш128ирование — процесс тонкий, индивидуальный, работу Тьерри невозможно воспроизвести.

Я привыкла работать на фабрике. Производство поставлено на поток, а значит, делать изо дня в день одинаковый шоколад способна даже обезьяна: лишь бы запомнила, в каком порядке жать на кнопки. Впрочем, тогда вся продукция, скорее всего, будет с банановым вкусом.

— А мы попробуем, — не сдавалась я. — Бенуа тут еще мальчишкой работал. Из уважения к Тьерри мы должны продолжить его дело.

— Невозможно, — повторил Фредерик таким тоном, будто объяснял что-то очень простое кому-то очень глупому, вдобавок не взрослому, а ребенку. — Такого шоколада у нас не получится.

— А может, получится, — с надеждой произнесла я. — К тому же Элис не собирается закрывать магазин. Хочешь спорить — ради бога, спорь с ней.

— Не может быть, — выпалил Фредерик, побледнев.

— Еще как может, — возразила я. — Своими ушами слышала.

— Она просто не понимает. — Фредерик покачал головой.

Но в этой ситуации я была на стороне Элис. В конце концов, людям надо платить зарплату — и мне тоже. Покупатели будут по-прежнему сюда стекаться. В магазине Тьерри в основном общался с покупателями, завораживая их своей бурной энергией и обаянием. Ну а в мастерской Фредерик и Бенуа вполне справятся вдвоем. Конечно же, я буду им помогать. Я ведь наблюдала за их работой несколько недель подряд, а это чего-то да стоит. Разве на фабрике мне не говорили, что у меня есть «чутье»?

Фредерик позвал Бенуа и сердито затараторил, тем самым лишний раз напомнив мне, что все знакомые французы в разговоре со мной стараются выговаривать фразы помедленнее, чтобы я все поняла. Но я уловила общий смысл даже в этой гневной скороговорке: у всех поехала крыша. Бенуа, как обычно, только хмыкал в ответ, но даже в его хмыканье звучало еще больше недовольства, чем обычно. Наконец Бенуа произнес всего одно слово:

— Les Anglais.

«Англичане»! Я возмутилась до глубины души. Можно подумать, мы с Элис заодно!

— Я тут ни при чем, — торопливо дала задний ход я. — Все вопросы к Элис. Мне убрать в мастерской?

Бенуа покачал головой.

— Все сделано, — зловеще произнес он по-английски. — Все кончено.

Глава 14

Еле-еле я вскарабкалась по лестнице. Скорее бы попасть в квартиру и завалиться спать! О боже... А ведь еще придется звонить Клэр. Совсем из головы вылетело. Но сначала надо зарядить телефон. Тогда и подумаю об этом. А пока приму ванну.

Сами, конечно, оказался дома. Сегодня он накинул на смуглые плечи синюю шаль с бахромой и подвел глаза ярко-синим карандашом. Явно подготовился к моему приходу.

— Дорогая! — гаркнул Сами. — Слышал ужасные, кошмарные новости. У меня есть коньяк. Отлично успокаивает.

Предложение прозвучало заманчиво, хотя Сами, скорее всего, не столько беспокоился о моих нервах, сколько жаждал узнать свежие новости. Мой сосед по квартире — тот еще сплетник.

— Весь Париж гудит! Где же мы будем брать горячий шоколад? Между прочим, наш тенор Истобан Эмереновиц отказывается петь, пока не выпьет шоколада от Тьерри Жирара! А теперь его переманит Метрополитен-опера, он сбежит от нас в Нью-Йорк — и для всего мира это будет величайшее горе!

Я усомнилась, что по этому поводу будет горевать весь мир, но вслух этого говорить не стала. Лишь попыталась улыбнуться и сказала, что беспокоиться не о чем: с Тьерри все будет в порядке. Удивительно: всего за несколько часов я вдруг превратилась в ценный источник информации.

— Ты ведь была с ним? — участливо спросил Сами. Вот она, борьба добра и любопытства. — Бедняжка. Перепугалась, наверное?

В первый раз за сегодняшний день я перестала держать себя в руках и дала волю слезам.

— Бедненькая моя, — произнес Сами и обнял меня.

Чем это от него пахнет? Опять какая-то экзотика?

— Хочешь, дядя Сами возьмет тебя на вечеринку? Ну конечно хочешь. Сейчас пойдем, ты всем все расскажешь, и тебе станет легче.

В этот вечер мне меньше всего хотелось тусоваться. Я попробовала объяснить свое состояние Сами, но тот уставился на меня с таким же растерянным видом, как Фредерик, когда я заявила, что мы постараемся воспроизвести рецепты Тьерри. Но слава богу, Сами оставил меня в покое.

Я не сомневалась, что Элис добьется своего: она из этой породы. Выходит, в ближайшее время я буду крутиться как белка в колесе. Но это не страшно: только бы справиться.

1972 год

Когда Клэр пошла в школу (увы, в ту же самую школу: Форесты хоть и переехали, но остались в своем округе), она была целиком поглощена своими делами. Но, даже несмотря на крайнюю рассеянность, Клэр в конце концов заметила, что с одной из девчонок в классе что-то не так. Поначалу она просто почувствовала, что в Лоррейн Хеннеси что-то изменилось. Вот только что? Потом все начали сплетничать и шептаться, а на бедняжке Лоррейн перестала сходиться школьная юбка. К этому моменту все уже знали: Лоррейн беременна. Некоторые говорили, что от парня из парка аттракционов, который этим летом приезжал в Кидинсборо. Мол, так закружил Лоррейн на карусели, что она совсем голову потеряла.

Конечно, дни, когда таких, как Лоррейн, отправляли в особые дома для падших женщин, закончились, но произошло это совсем недавно. И — подумать только! — Лоррейн чуть-чуть не успела закончить школу! Казалось бы, если уж продержалась до выпускного класса, можно вздохнуть спокойно, сплетничали домохозяйки на рынке. Но бедняжка Лоррейн срезалась на последнем решающем этапе. Подпала под чары паренька с озорным взглядом и отсутствующим передним зубом, грязными ногтями и длинными буйными кудрями. Лоррейн ушла из школы осенью, в середине четверти, а большинство других учеников продолжили учиться как ни в чем не бывало.

Но Клэр этот случай не давал покоя. Она никак не могла выкинуть его из головы, даже когда преподобный упомянул о нем за ужином — разумеется, с горячим осуждением и неодобрительными покачиваниями головой. Клэр представила, как носит ребенка Тьерри. А вот у нее на руках смеется пухленький розовощекий ангелочек. Клэр каждый день внимательно разглядывала живот. А вдруг?.. Да, они предохранялись, но в одной из самых смелых и откровенных своих проповедей преподобный объявил, что толку от контрацепции мало: единственная надежная защита — это целомудрие и любовь Иисуса Христа.

Клэр жалела, что они с Тьерри были так осторожны. Как-то раз она шла по главной улице с мамой и вдруг заметила Лоррейн. Мама, боявшаяся, что папе донесут об этой встрече, повернула было в другую сторону, но Клэр встала как вкопанная и поздоровалась с Лоррейн. Не смогла удержаться. Она во все глаза разглядывала фигуру бывшей одноклассницы, напоминавшую пузатую вазу. Грудь Лоррейн округлилась, высокий живот был натянут, как барабан. В голове не укладывается, что внутри живое существо. Лоррейн смотрела на Клэр одновременно и со страхом, и с вызовом.

— Удачи, — пожелала Клэр.

Они стояли на тротуаре всего две минуты, но прохожие уже начали шептаться.

— Спасибо, — буркнула Лоррейн.

Ее мать, стоявшая рядом, казалось, разом постарела на десять лет. Лоррейн не гордилась своим поведением, но ее пышущее плодородием тело выглядело гордо. Клэр единственная в школе завидовала Лоррейн и не участвовала в мерзких пересудах, замаскированных под выражение сочувствия. Будь Клэр в положении, села бы на паром и поздно вечером явилась бы к Тьерри в мансарду. Как бы он ей обрадовался! Хотя нет, Тьерри сейчас не там. Наверное, марширует где-нибудь на плацу. Но даже будь он дома, вдруг Тьерри отреагировал бы по-другому? При появлении Клэр его лицо бы растерянно вытянулось. А может, в его постели и вовсе лежала бы другая.

Клэр не питала иллюзий: Тьерри пользуется немалой популярностью у женского пола. Но нет — он бы вскочил, широко улыбнулся — ах, эта неотразимая улыбка! — и стал бы целовать живот Клэр снова и снова, щекоча его усами. А потом они бы всю ночь сидели, строя планы и разговаривая про будущего ребенка: это будет самый красивый, самый хорошо накормленный малыш в Париже! А потом заря осветит крыши Рю де Риволи и ясное розовое утро превратит белые улицы в море роз, обещая еще один свежий золотистый день.

— Ты сегодня рассеянная, — заметила миссис Кар, учительница французского.

К стыду Клэр, миссис Кар очень удивилась, насколько ее владение французским улучшилось за каникулы. Теперь учительница настаивала, чтобы Клэр продолжала совершенствоваться. Клэр умная девочка, она вполне может поступить в университет, стать переводчицей, объехать весь мир... Поэтому миссис Кар выводила из себя рассеянность Клэр и равнодушие к учебе. Годы спустя сама Клэр больше всего внимания уделяла именно задумчивым и мечтательным. Трудным детям нужны четкие границы и твердая рука. Это легко. С прилежными учениками еще легче. Но попробуй достучаться до тех, кто вечно витает в облаках! Никогда не знаешь, что творится у них в голове.

Миссис Кар уже потеряла всякое терпение. Клэр говорила по-французски лучше всех ее учеников, бывших и настоящих, но домашнего задания не делала, иногда пропускала уроки, а даже если приходила, мыслями была где угодно, только не в классе. Миссис Кар втолковывала Клэр, как важно хорошо сдать выпускные экзамены, но увещевания не действовали.

Может, дело в мальчишке? Сколько многообещающих девушек возраста Клэр свернули на кривую дорожку именно по этой причине! Взять хотя бы Лоррейн Хеннеси. Но Клэр такая благоразумная девочка, к тому же воспитывалась в религиозной семье... Впрочем, как раз про таких и говорят: «В тихом омуте черти водятся».

На счету Клэр в почтовом сберегательном банке лежит шестьдесят два фунта. Более чем достаточно, чтобы доехать до Франции. Но проблема в том, как получить доступ к этой сумме. Клэр нельзя снимать деньги со счета, пока ей не исполнится восемнадцать, а до дня рождения ждать еще целых пять месяцев. Для Клэр пять месяцев все равно что пять лет — невообразимо долгий срок.

Шли дни. Погода испортилась. Стало пасмурно, ветрено, сыро. Дети оделись в куртки с капюшонами, закрывавшими лицо. В них бедняги не видели, куда шли, и вдобавок в пасмурной мгле все как один напоминали каких-то карликов-монстров.

Клэр понимала, что надо бы подтянуть учебу, но не могла себя заставить. Преподобный кричал на нее, а она кротко стояла перед ним. В слова не вслушивалась: просто ждала, пока гроза отгремит. Эта покорность еще больше выводила папу из себя. Но Клэр с раннего детства привыкла слушать, как преподобный рвал и метал на своей кафедре во время проповедей, и его гневные вспышки совсем ее не трогали. Когда по почте пришла анкета для поступления в университет, мама потихоньку спрятала ее в комоде. Клэр на бумаги даже не взглянула.

Вес, который она набрала в Париже, быстро спал. Загар прошел. Вся поездка казалась сном или полузабытым сюжетом книги или фильма. Нет, не Клэр бегала по дорожкам Булонского леса. Не она впервые пробовала свежий авокадо с острым соусом сальса, от которого глаза вылезли на лоб. Клэр не ожидала такого сногсшибательного эффекта, и Тьерри смеялся над ней. Той Клэр больше нет, а та, что осталась, выглядела еще моложе, чем раньше: бледненькая, хрупкая, с трудом пытавшаяся согреться темными вечерами, бродившая по Кидинсборо, точно привидение.

А между тем ее друзья и ровесники развлекались на полную катушку: тайком проникали в бары, пили сидр на вечеринках друг у друга дома, целовались у канала — и не только целовались. А Клэр сидела у себя в комнате и писала дневник. Однажды утром она потихоньку вышла из дома, заглянула в крошечную табачную лавку и отыскала в шкафу у задней стены ярко-синюю упаковку тех самых сигарет «Голуаз», которые курил Тьерри. Трепеща от страха, Клэр ушла в лес и закурила одну. От одного запаха на глаза навернулись слезы, и все равно Клэр устраивала эти «перекуры» на холодном ветру снова и снова.

Позже Клэр думала: случись это все сейчас, на ее поведение обратил бы внимание школьный психолог — а может, и родители. За много лет педагогического опыта Клэр убедилась: депрессия у подростков — обычное дело. Чаще всего это лишь короткий этап. Причина в семейных неурядицах или непонимании, что все подростки сталкиваются ровно с теми же самыми проблемами и тоже стесняются своей сексуальности. Клэр всегда старалась быть особенно ласкова и терпелива с такими детьми, хоть ее и раздражало, что они не смотрели в глаза: только теребили слишком длинные рукава формы и что-то неразборчиво бурчали в ответ. Клэр понимала, каково им сейчас и какое большое значение они придают своим нынешним переживаниям. Но надо им показать, что все совсем не так плохо, как кажется. Самыми большими своими провалами Клэр считала не плохие оценки учеников, а те случаи, когда не могла до них достучаться.

Но в семидесятые никто не обращал внимания на переживания Клэр. Так она и жила в сыром сером мире. Клэр успела привыкнуть, что отделена от всех и вся тонкой пеленой. Но потом она встретила Ричарда, и все изменилось.

Глава 15

Проснувшись на следующее утро, я поначалу ни о чем не думала: только наслаждалась тем, как хорошо отдохнула за ночь. С балкона в комнату проникал солнечный свет, расцветивший яркими желтыми квадратами белое постельное белье и старомодное голубое покрывало.

Но тут я вспомнила, что произошло вчера, и у меня упало сердце. О боже! Я вскочила и заметалась по комнате, не зная, за что взяться. Надо обязательно позвонить Лорану, и... Вдруг я сообразила, что не знаю его номера. Вот идиотка! Надо спросить у Сами, но мой сосед встает только за полдень. Что ж, для начала в любом случае надо одеться и попить кофе. Натянув халат, я потащилась на кухоньку и едва не споткнулась, увидев на нашем диване спящего гостя с прекрасными ангельскими крыльями за спиной. Быстро взяла себя в руки и сварила эспрессо. Насыпала в крошечную чашечку побольше сахара и отправилась на балкон. Этот маленький утренний ритуал уже успел войти у меня в привычку.

Я замерла, любуясь утренним Парижем. Вдалеке, за рекой, выводят размяться полицейских лошадей.

Группа школьников уже толпится на берегу в ожидании прогулочного катера. Напротив женщина высунулась из окна и снимает с веревки белье. Мы улыбнулись друг другу. Даже подумать дико, что в такой прекрасный день Тьерри лежит без сознания в больнице, а жизнь в нем поддерживают громко пищащие аппараты и подсоединенные к сердцу трубки. Наверное, Лоран до сих пор в палате, держит отца за руку и упорно борется с усталостью. Живо представила эту картину. А вот насчет Элис не уверена. Что-то мне подсказывает, сегодня я увижу ее в шоколадной лавке. Со стоном я отправилась в ванную играть в нашу ежедневную лотерею: есть сегодня горячая вода или нет? И тут я вспомнила, что так и не набрала Клэр. Просто зла на себя не хватает! Посмотрела на часы. В Англии пять утра. Клэр еще спит, — во всяком случае, очень на это надеюсь. Нет, в такую рань ее беспокоить нельзя. Позвоню из магазина.

Приняла прохладную ванну, еще раз глянула на спавшего Купидона — Сами частенько пускает ночевать на диван своих богемных приятелей — и тихонько вышла из квартиры. Мои пальцы ног... нет, так нельзя. Все время забываю. Больничный психолог учила: «пальцы ног» надо заменять на «место, где раньше были пальцы ног», иначе так и не перестроюсь. Короче говоря, это место немножко ныло, но не болело, как вчера. Очень кстати. Лишние недомогания сейчас совсем ни к чему. Что-то подсказывало: силы мне сегодня понадобятся.

Клэр сидела у окна и глядела то на улицу, то на телефон, то опять на улицу, и так по кругу. Ни к чему другому у нее душа не лежала. Клэр пыталась уснуть, но сон не шел. Хотела позвонить Анне, но стоило взять телефон, как сразу занервничала. Вдруг дурные новости? И если да, то какие? Голос Анны звучал так испуганно! Может, просто заблудилась? Наверное, в этом все дело. Потерялась, запаниковала. Но почему тогда Анна не перезвонила и не сказала, что все нормально? Почему? Где она? Что, если эта затея с Парижем — вторая величайшая ошибка в жизни Клэр? Нет, ей этого не вынести. Клэр тяжело задышала и осмотрелась по сторонам. Куда подевался кислородный баллон? Пэтси, ее невестка, бодро маршировала по дорожке и катила перед собой мусорный бак. Пэтси — женщина сильная. Клэр считает ее своей спасительницей. Меньше всего Клэр хотела стать обузой для детей и их семей, но у нее попросту нет выбора. Труднее всего видеть, как меняется выражение лица внучек, когда они на нее смотрят. У Пэтси и Рики две дочери, Каденс и Коди. Клэр же всего пятьдесят семь: ей бы вовсю участвовать в играх девочек, вырезать бумажных кукол и наряды для них, сочинять смешные истории, петь песенки и рассказывать, что делал папа, когда был маленьким мальчиком.

А вместо этого внучки с ужасом глядели на разом постаревшее, серое лицо и дыхательный аппарат. Клэр их не винила. Пэтси сердито подталкивала дочек в спину, и те послушно доставали рисунки для бабушки и новый платок для ее лысой головы. Увы, и Каденс, и Коди слишком малы, чтобы помнить Клэр до болезни. Для них она — иссохшая старуха, похожая на ведьму. При одной мысли у Клэр больно сжималось сердце.

— Здравствуйте, мама! — прокричала Пэтси, открывая дверь своим ключом.

Клэр не любит, когда невестки зовут ее мамой: сразу чувствует себя древней. Но говорить об этом вслух ни за что не станет.

— Сейчас поставлю чайник. Монтсеррат ведь сегодня придет и поможет вам принять ванну? Отлично. Я могу для вас что-нибудь сделать?

Клэр уставилась на телефон на коленях. «А я могу что-нибудь сделать?» — пронеслось в голове.

У Фредерика и Бенуа такой вид, будто они вот-вот устроят бунт. Даже покурить не вышли. Я было воззрилась на них с удивлением, но тут заметила в окне высокую стройную фигуру Элис и быстро сообразила, в чем причина. Элис открывала ставни. Фредерик и Бенуа помахали мне, я смущенно ответила. Может, они теперь считают врагом меня?

— Как он? — с порога спросила я по-английски у Элис.

— Без изменений. — Та удостоила меня мимолетным взглядом искоса. — Состояние стабильное.

— Ну, главное, что не хуже, — неловко пробормотала я.

Значит, стабильное. На самом деле мне эта новость совсем не понравилась. Пока я лежала в больнице, усвоила: худшее состояние — критическое. Лучшее, естественно, выздоровление. А стабильное состояние означает, что со вчерашнего дня ничего не изменилось. То есть жизнь Тьерри по-прежнему висит на волоске. Нет, не такой ответ я надеялась услышать.

— Вот, возьмите. — Хмыкнув, Элис протянула мне свой телефон. — Трезвонит не переставая. Мне сейчас не до того.

Чего она хочет от меня, Элис не объяснила. С трудом преодолев соблазн зашвырнуть мобильник в Сену, я отключила звук и сунула телефон в карман передника. Мобильник все вибрировал. Постаралась не обращать внимания.

Подняв все ставни, Элис повернулась к нам:

— Итак, шоколадная лавка будет работать в обычном режиме.

— Мадам, это невозможно! — Фредерик всплеснул руками. — Оркестр не играет без дирижера. Кухня не готовит без шеф-повара. Мы же не можем продавать товар пониженного качества!

Элис побледнела.

— Такова воля Тьерри, — произнесла она.

Фредерик и Бенуа недоверчиво переглянулись, да так демонстративно, чтобы Элис уж точно заметила. Она сердито закусила губу.

— Анна, вы умеете конширровать шоколад?

Фредерик и Бенуа едва не испепелили меня взглядами, но я слишком боялась Элис, чтобы промолчать в ответ на ее вопрос. Трусость меня и сгубила.

— Э-э... Ну, я, конечно, могу попробовать, только...

— Хорошо. Значит, вы этим и займетесь.

Бенуа едва не поперхнулся.

— И все-таки лучше подождать, пока...

— Глупости. А все, кто не хочет работать, пусть отправляются домой прямо сейчас. Считаете, что Тьерри был бы против, — обсуждайте этот вопрос с ним, когда он поправится. Но к тому времени для вас рабочего места в шоколадной лавке может не оказаться. Я совладелица магазина. Если думаете, что я такая же мягкотелая, как Тьерри, то глубоко заблуждаетесь.

Так в шоколадной лавке не думал никто.

— Ради процветания магазина и поддержания бизнеса я готова уволить вас всех. Без предупреждения. В любую секунду. Поэтому не надо меня провоцировать.

Мы все уставились себе под ноги.

— А теперь за работу. Открывайте магазин. Делайте все как обычно. Коншировать будет Анна. И смотрите, чтобы все шло гладко. Я ужасно занята, не хватало еще с вами возиться.

С этими словами Элис бросила ключи Бенуа, развернулась на каблуках и зацокала прочь, прежде чем я успела напомнить, что ее телефон у меня.

Ни слова не говоря, мы вошли в полутемный магазин и направились в мастерскую. Свет мигнул, потом загорелся ровно. Бенуа включил кофе-машину, но сварил всего две чашки, для себя и Фредерика. Я смущенно кашлянула.

— Простите, — тихо произнесла я.

Фредерик поглядел на меня.

— Не будем держаться вместе — пропадем, — сердито бросил он.

— Это я понимаю, — стала оправдываться я. — Но я думаю, что Элис права. Тьерри хотел бы, чтобы шоколадная лавка работала по-прежнему. Ему бы не понравилось, если бы мы все устроили себе незапланированный отпуск.

Бенуа что-то неразборчиво буркнул.

— Надо хотя бы попробовать, — прибавила я.

— И навеки сгубить репутацию магазина? Вам, британцам, не понять нас, французов. Вы вбили себе в голову, будто обязаны работать, работать и работать, — ничего, кроме работы! У вас даже по воскресеньям все открыто. Заставляете отцов и матерей с детьми выходить в ночную смену в супермаркетах. А в воскресенье, вместо того чтобы заниматься домом, ходить в церковь или проводить время с детьми, у вас все несутся по магазинам.

— У них магазины работают в воскресенье? — удивился Бенуа.

— Именно! Заставляют людей вкалывать по выходным! Да еще без обеденных перерывов! И ради чего? Ради барахла из Китая? Ради дешевых шмоток, которые шили бедные женщины из Малайзии? По-вашему, дело стоит того? Пахать сутками, чтобы чаще ходить в KFC и набивать брюхо жареной курицей? По-вашему, лучше сделать шесть плиток плохого шоколада, чем одну хорошего. Но почему? Почему шесть плохих лучше, чем одна хорошая? В голове не укладывается. Мы с вами говорим на разных языках — во всех смыслах.

— Да, я все понимаю, — ответила я, с трудом сдерживая вдруг навернувшиеся слезы. — И все равно считаю: мы должны хотя бы попытаться сделать что-то хорошее и вложить в работу столько же любви и старания, сколько Тьерри.

Фредерик и Бенуа молча уставились на меня.

— К тому же у нас нет выбора, — прибавила я.

После долгих раздумий я выбрала мяту. Этот вкус самый простой. Фредерик и Бенуа пили кофе и невозмутимо наблюдали, как я чистила и полировала все чаны, подметала пол, а потом стала собирать ингредиенты.

— Мне что, самой все делать? — не выдержав, спросила я.

Красная и взмокшая от натуги, я мучилась от жары, раздражения и досады: чем дальше, тем больше.

— Это твой выбор, — ответил Фредерик и этим еще сильнее вывел меня из себя.

А вот Бенуа меня удивил. Встал, вышел покурить, а вернулся с ящиками масла и свежих сливок. Я чуть не расплакалась. После этого Фредерик тоже понемногу помогал, но все делал нехотя и кое-как. Видно, считал своим долгом каждую минуту напоминать присутствующим, что он тут не по своей воле. Дожидаться, пока шоколад застынет сам, нет времени: придется его охлаждать. И так я разбираюсь во всем по ходу дела. Все валится из рук, бестолково суечусь, гремя посудой, и обливаюсь по́том с головы до ног. Один раз даже немного поплакала, когда у меня никак не получалось смешать шоколад правильно.

Наконец, несмотря на все ошибки, неудачи и полный беспорядок на кухне, шоколад очутился в холодильнике. А около половины двенадцатого, то есть примерно через полчаса после того, как магазин должен был открыться, мы вынули из форм мой первый шоколад и настороженно уставилась на него. Я осторожно отрезала ножом кусочек. Консистенция более или менее приемлемая, хотя, конечно, оставляет желать лучшего: слишком тягучая.

— Ну, была не была, — сказала я по-английски мужчинам, усердно притворявшимся, что их это все не интересует.

Взяла кусочек, закрыла глаза и сунула в рот.

———

Ну что ж, могло быть и хуже. По крайней мере, никого не вырвало. Как-то раз на фабрике в Кидинсборо насыпали в смесь просроченного молочного порошка. В результате двадцать тонн продукции пошли на выброс. Потом всех заставили пробовать то, что получилось, чтобы больше подобного не происходило. Так вот, мой шоколад вышел не таким отвратительным, как тот.

Но вот чего ему не хватает, так это ощущения чуда. Куда моей продукции до воздушного, тающего во рту, ошеломляющего восторга, который дарил покупателям Тьерри!

Но что я сделала неправильно? Смесь мы взбили как полагается, коншировали тоже и ингредиенты использовали те же самые — только свежайшие, разумеется. Но наблюдать, как кто-то творит, и взяться за дело самой — разные вещи. Не хватает чего-то главного. Сравнивать мой шоколад и шоколад Тьерри — все равно что шедевр великого художника и картинку, раскрашенную по номерам.

Я поморщилась. Мужчины сразу оживились. Да эти гады радуются! Наверное, с самого начала боялись, что у меня сейчас откроется талант.

— Омерзительно, — вынес вердикт Фредерик, попробовав мое творение.

— Да брось, не так уж он и плох, — возразила я. Бенуа молча выплюнул свой кусочек в большой засаленный платок. Я выразительно закатила глаза.

— Да ладно вам, ребята! Для первого раза нормально.

— Это нельзя продавать, — покачал головой Фредерик.

— Не так уж он и плох, — повторила я.

Фредерик только плечами пожал, всем своим видом давая понять: раз я даже не чувствую, насколько мой шоколад ужасен, разговаривать со мной бесполезно.

Звякнул дверной колокольчик. Мы вскинули головы. О боже, Элис нагрянула. Раздалось знакомое цоканье каблуков. Когда я увидела Элис, у меня челюсть отвисла от удивления. Невероятно, но факт: судя по новой прическе, она все это время провела у парикмахера. Элис подошла ко мне и вытянула руку. Я полезла в карман передника за ее телефоном. Успела заметить, что последний пропущенный звонок от Лорана. Сердце забилось быстрее. Вдруг какие-то новости? Он сейчас в больнице? Зачем он набирал Элис? Тут она отвлеклась на мой шоколад. Я воспользовалась этим и переслала себе на телефон номер Лорана — на всякий случай.

Элис откусила крошечный кусочек моей продукции и кивнула:

— Нормально.

— Ничего подобного, — возмутился Фредерик, но Элис бросила на него предостерегающий взгляд.

— А теперь идите в магазин и начинайте торговать, — угрожающим тоном велела она. — Иначе отменю обеденный перерыв.

Фредерик и Бенуа застыли от потрясения и ужаса.

— А я поеду в больницу, — сообщила Элис.

— Э-э... Вам Лоран звонил.

Элис с раздраженным видом проглядела список пропущенных звонков.

— Если бы дело было серьезное, позвонили бы из больницы.

— То есть вы не будете ему перезванивать? — спросила я.

Элис убрала телефон обратно в сумку и взглянула на меня с каменным лицом.

— Магазин сам себя не откроет, — произнесла она по-английски.

Когда наконец отперли двери, внутрь ввалилось даже больше народу, чем обычно. О болезни Тьерри сообщили в прессе. Общеизвестно, что мастер предлагает покупателям только свежайший шоколад, и теперь многим любопытно, не поменяется ли ситуация в его отсутствие. Наверняка многие подозревают, что качество теперь сильно понизится. Я вздохнула, едва скрывая нервозность. Сейчас они убедятся, что были правы.

Конечно, никто ничего не говорил — только Фредерик все бросал на меня многозначительные взгляды из-за стойки. Покупатели выходили из лавки, пробовали кусочек и переглядывались. Те, кто пришел в магазин впервые, всем своим видом выражали: «Вот уж не пойму, по какому поводу шумиха! Такого шоколада в любом супермаркете навалом!»

А с постоянными покупателями еще хуже. Возьмут крошечный кусочек на язык — примерно как полицейские в телесериалах пробуют кокаин, — а потом кивают друг дружке так, будто их худшие опасения подтвердились. Выбрасывают остальное и спешат уйти. Одно слово — ужас!

Все это время Фредерик самодовольно на меня поглядывал, — мол, я же говорил. В обеденный перерыв я постаралась найти местечко потише — на острове Сите это почти невыполнимая задача — и наревелась от души. Только потом вспомнила, кому забыла позвонить.

— Клэр?

— Слава богу!

Голос у Клэр слабый, но в тоне явно слышится облегчение.

Ну почему я ей раньше не позвонила? Прямо зла на себя не хватает!

— Простите, что так долго не перезванивала. Телефон разрядился, а потом было уже поздно.

— У тебя там все нормально?

— Да, — нехотя ответила я.

— Но что-то все-таки случилось?

— Да. С Тьерри.

И тут Клэр все поняла. Несмотря на прописные истины о том, что время лечит, а люди взрослеют и идут каждый своей дорогой. Все это Клэр слышала от других, повторяла себе много раз и даже делала вид, что верила, — годами. Она растила детей от другого мужчины, была женой другого мужчины, потом стала бывшей женой другого мужчины. Но теперь ее сердце пронзил электрический разряд такой силы, что Клэр поняла: ее чувства так же свежи, как если бы все это было вчера. Прошедших лет как не бывало. Ничего не изменилось — ни чуточки.

— Что с ним случилось? — спросила Клэр, нервно вцепившись в кислородный баллон.

— У вас там все нормально, мама? — бодро прокричала из кухни Пэтси.

— Да, спасибо.

— Чайку принести?

— Нет! — едва скрывая раздражение, ответила Клэр. Потом обратилась к Анне: — Ну? Говори!

В горле у Клэр встал ком. Нет, не может быть, чтобы... Тьерри не мог умереть! Просто не мог, и все. Это она на последнем издыхании, мрачно подумала Клэр. А Тьерри — совсем другое дело, его ведь буквально переполняют жизненные силы!

— У него случился сердечный приступ, — ответила я. В подробности лучше не вдаваться. — Он сейчас в больнице.

— Сердечный приступ? Серьезный?

— К сожалению, да.

— Вот до чего доводят шоколад и сливочное масло, — пробормотала Клэр. — Что говорят врачи? Он ведь... о боже...

— Пока непонятно, — сказала я. — Вчера ему провели стентирование. Прогнозы делать не берутся.

— Но если операция уже была...

— Тьерри трудный пациент.

Как бы это объяснить потактичнее?

— У него очень большой избыточный вес.

— Ясно. — Голос у Клэр задрожал. — Но он ведь жив?

— Да, вот только состояние очень тяжелое.

Повисла пауза. Наконец Клэр произнесла:

— Как бы я хотела с ним увидеться!

Я не знала, что ответить. Разве Клэр в состоянии сесть на самолет до Парижа? Пройдет три шага и уже задыхается. Нет, и речи быть не может. Мне стало ее жаль.

— Когда Тьерри поправится, скажу ему, чтобы навестил вас, — предложила я.

— Нет, не надо, — возразила Клэр. — Обязательно позвони мне, если будут какие-то новости. Держи меня в курсе.

— Конечно, — пообещала я. — Обязательно.

— А у тебя как дела? — резко сменила тему Клэр. — Чем занимаешься? Нравится в Париже?

Я криво усмехнулась и стерла из-под глаза черную кляксу потекшей туши. Ну уж нет, хватит Клэр на сегодня дурных известий.

— Жизнь бьет ключом, — уклончиво ответила я.

— Tout va bien apart ça?[1]

— Oui, apart ça[2].

Только дав отбой, я осознала: я надеялась, что Клэр меня утешит. Поплачусь ей в жилетку, а она меня выслушает и поймет. Клэр ведь и сама когда-то одна приехала в незнакомый Париж. Конечно, она тогда была намного моложе меня, но я привыкла видеть в Клэр кого-то вроде наставницы.

Я не ожидала, что случившееся так ее потрясет. Конечно, я предвидела, что она огорчится, но не думала, что Клэр примет болезнь Тьерри так близко к сердцу. Когда я лежала в больнице, неприятности других людей меня не особо задевали. Я была настолько поглощена собственными проблемами, что ничего вокруг не замечала. Но Клэр повела себя по-другому. Можно подумать, будто они с Тьерри до сих пор близкие друзья — или даже больше, чем просто друзья. Казалось, человек, с которым она не виделась сорок лет, до сих пор для нее очень важен.

[1] А в остальном все хорошо? *(фр.)*
[2] Да, хорошо *(фр.)*

1972 год

Клэр и раньше видела Ричарда Шоукорта. Он носил очки в коричневой роговой оправе. В них вид у него был такой серьезный, будто перед тобой не мальчишка-школьник, а учитель. Иногда в руках он нес футляр с музыкальным инструментом. Вот и в тот день, когда он срезал путь через лес, Ричард шел, помахивая этим футляром.

А Клэр прогуливала школу. Иногда ей бывало грустно, иногда она весь день проводила в мечтах, но сегодня ею овладело бунтарское настроение. За завтраком Клэр то и дело огрызалась на мать (преподобному грубить опасно, иначе из дома больше не выйдешь). Потом Клэр не ушла, а почти убежала, хлопнув дверью, и даже не заглянула в почтовый ящик. Направилась было в сторону школы: на утро назначены устные занятия по французскому, а разговорная речь у Клэр лучше всех в классе. Но на полпути Клэр заметила большую толпу девчонок во главе с Рэйни Коллендер. Все дружно хихикали, визжали и хохотали. Все ясно: опять прицепились к слабоумной Мэри. Эта крупная, полная девочка училась в их классе, всегда ходила одна и ни с кем не разговаривала. Девчонки, как всегда, над ней издеваются. Хотя любому ясно, что Мэри — девочка с особенностями развития, ее забрасывают дурацкими вопросами: есть ли у нее парень, на какую дискотеку она с ним ходит? Вдруг Клэр не выдержала. Эта глупая, бессмысленная подростковая жестокость стала ей невыносимо противна. Интересно, как бы на ее месте поступил Тьерри? Уж точно не прошел бы мимо: в этом

Клэр даже не сомневалась. Он слишком добрый, чтобы мириться с такими мерзостями.

Клэр подошла к девчонкам.

— Вам сколько лет? Дети вы, что ли? — набросилась на них Клэр. Ее голос даже не дрогнул. — Летом школу заканчиваете, а ведете себя как глупые малыши! Устроили травлю!

— Отвянь, — буркнула Рэйни Коллендер.

В доказательство того, что она взрослая, Рэйни красила волосы.

— Какие люди! Неужели до нас любимица француженки снизошла? О, je t'aime![1] — принялась кривляться Минни Эванс, верная подпевала Рэйни.

Все засмеялись, но Клэр их проигнорировала. Повернулась к слабоумной Мэри и спросила:

— Ты как? Они тебя не обидели?

Мэри растерянно уставилась на Клэр. Наверное, с самого начала не поняла, в чем дело. Тогда Клэр развернулась и поспешила прочь. Девчонки собрались в круг и принялись громко и возбужденно обсуждать ее «выходку». Звучали фразы вроде: «Кем она себя возомнила?» или «Думает, что лучше всех». Клэр вздохнула, устало закатила глаза и зашагала прямиком в лес.

— Что, испугалась? — крикнула ей вслед Рэйни.

Клэр даже не обернулась.

Она сидела на ветке любимого дерева в роще за школой и курила одну из своих драгоценных сигарет «Голуаз». Дым почти не вдыхала, но этот запах действовал на нее успокаивающе. Клэр до сих пор кипела

[1] Я люблю тебя (*фр.*).

от возмущения и все пинала ногой ствол ни в чем не повинного дерева.

Вдруг раздались шаги. Клэр торопливо сползла с ветки и потушила сигарету. Только бы ее не заметили!

— Извини, — промямлил Ричард Шоукорт, смущенно переступая с ноги на ногу. Учебный год только начался, а форменные брюки ему уже оказались коротки. — Я тебя напугал, да? Я не нарочно. Просто хотел сказать, что ты молодец. Хорошо, что они тебя не тронули. Я с хулиганами связываться боюсь. Они мне очки разбивают.

Клэр окинула Ричарда взглядом с ног до головы.

— А что у тебя в футляре? — спросила она.

Наши дела еще хуже, чем я ожидала. Когда я вернулась, Фредерик и Элис стояли возле шоколадной лавки и ссорились во весь голос. Оба выкрикивали фразы слишком быстро, чтобы я могла полноценно следить за разговором. Но, судя по сердитым взглядам, бросаемым в мою сторону, причина скандала — я и моя профессиональная несостоятельность. Фредерик явно продолжал настаивать на закрытии магазина. Элис такое решение проблемы совершенно не устраивало. Тут оба выжидающе уставились на меня.

Есть у местоположения нашей шоколадной лавки большой плюс: от улицы ответвляется множество крошечных переулков, куда при желании можно нырнуть. Именно так я сейчас и поступила. Спрятавшись, набрала номер, который переслала себе с телефона Элис.

— Алло? — быстро ответил тихий голос.

— Лоран, это я, Анна.

Лоран выдохнул:

— Анна, я в больнице. Только что вышел из палаты попить кофе, но, вообще-то, мне сейчас не до разговоров. Перезвоните попозже.

— Да, конечно. Понимаю. Извините. Но скажите хотя бы, как Тьерри.

— Все еще без изменений. — Лоран вздохнул. — У меня от этих проклятых аппаратов скоро уши лопнут. Пищат и пищат! А еще мне надо на работу. В смысле, никак не могу остаться в больнице. Без меня не справятся.

Очень жаль. Лоран мне нужен. Прямо-таки жизненно необходим. Так я ему и сказала.

— Пожалуйста, — ныла я. — Вы мне очень нужны. Помогите готовить шоколад. Сама я не справляюсь.

— Вы разве не на шоколадной фабрике работали?

— Да, но до вашего отца мне как до луны.

— Что верно, то верно, — вздохнул Лоран.

Я, конечно, сама это сказала, но обязательно было соглашаться с такой готовностью?

— Без вашей помощи шоколадная лавка пропадет. У нас все наперекосяк. Фредерик и Элис орут друг на друга.

— Элис и с мертвой собакой в ратуше подерется, — ответил Лоран.

Видимо, это такая оригинальная французская пословица.

Лоран опять вздохнул и надолго замолчал. Даже через телефон я слышала далекий писк и шипение респиратора.

— Ну ладно, — наконец произнес Лоран. — Сейчас пойду на работу, а когда смена закончится, вернусь обратно в больницу. Приходите ко мне. Так и быть, дам пару советов, но не более того, договорились?

Я ответила согласием.

— Где вы работаете?

— В «Притцере».

В первый раз слышу, но Лоран произнес название таким многозначительным тоном, будто уверен, что я должна его знать.

— Заходите с черного хода. Жду вас в три часа.

— Хорошо, только как я отпрошусь у Элис?

— Передайте Элис, что идете спасать шоколадную лавку, а если ей что-то не нравится, пусть пишет на ножницы.

Да, французский мне еще учить и учить.

С высоты шпилек Элис смерила меня взглядом:

— Тьерри об этом даже слышать не захочет. Ни за что не согласится, чтобы наши покупатели пробовали стряпню Лорана.

Последние слова Элис выговорила с особенным презрением.

— Я все понимаю, — сказала я. — Но будет лучше, если...

— Еще бы не лучше! — встрял Фредерик. — Сейчас мы подсовываем людям мел вместо шоколада!

Когда я к ним подошла, он на некоторое время перестал орать, но уши у него до сих пор оставались ярко-красные. Бенуа нигде не было видно.

— Это же издевательство! — продолжил злопыхать Фредерик. — Да что там — грех!

— По-моему, тут вы преувеличили, — робко заметила я. — Не так уж мой шоколад и плох.

— В нашей шоколадной лавке «не так уж плох» означает «ужасен», — парировал Фредерик.

Элис закусила губу и на секунду задумалась.

— Магазин должен работать без перерывов, — произнесла она. — О закрытии и речи быть не может. У нас обязательства, надо платить по счетам. Вдобавок сейчас самый горячий сезон. Поэтому не могли бы вы заняться продажей сегодняшней продукции?

Последний вопрос был адресован Фредерику.

Тот выпрямился во весь рост — во все сто шестьдесят пять сантиметров — и гордо объявил:

— Могу, но не стану, мадам.

Элис устало возвела очи к небу.

— Ну хорошо, — сказала она мне. — Идите. И в следующий раз постарайтесь все сделать как следует. К вашему сведению, французские законы об охране труда на вас не распространяются.

Глава 16

Оказалось, «Притцер» — это роскошный отель на площади Согласия, недалеко от отеля «Крийон». Построен из красивого желтого камня и напоминает дворец. Маленькие балкончики, над каждым окном маркиза. По бокам от входа стоят два швейцара в ливреях и цилиндрах. Рядом с каждым фигурный куст, подстриженный в виде петуха. Безупречно чистая красная ковровая дорожка спускается по ступеням крыльца на тротуар. Из огромной черной машины высаживаются крупный мужчина и очень хрупкая женщина, будто сделанная из сахарной глазури. Друг на друга даже не смотрят. На руках у женщины карманная собачка, которую она держит, будто ребенка. Швейцары тут же кинулись им помогать.

— Извините, — произнесла я, когда постояльцы благополучно скрылись в здании. — Не подскажете, где вход на кухню?

Сзади отель смотрится совсем по-другому. Дверь, ведущая на кухню, выходит в переулок, заставленный мусорными баками. Задняя стена здания сложена из старого белого кирпича. Обшарпанная дверь эвакуационного выхода подперта камнем, возле нее стоят несколько поваров в белых передниках и высоких колпаках и остервенело курят. Я занервничала и все же храбро прошла мимо них. За дверью стоял стол, за которым сидел старичок в фуражке с козырьком и зеленом блейзере. Рядом с ним длинным рядом лежали карточки с отметками времени. Прямо как у нас на фабрике. Я сразу почувствовала себя почти как дома. Сказала, кого я ищу. Старичок позвонил Лорану.

Передо мной протянулся длинный коридор. С одной стороны тележки с бельем, возле них суетятся женщины в черных платьях и белых передниках. С другой стороны — высокие распашные двери с круглыми стеклянными окошками, явно ведущие на кухню. Оттуда и вышел Лоран. В белом вид у него строгий и внушительный. На ходу он обернулся, выкрикивая инструкции для подчиненных.

Похоже, он был не слишком рад меня видеть, но я его за это не виню. С тех пор как я приехала, у бедняги от меня одни неприятности.

— Добрый день, — тихо произнесла я.

— Идите за мной, — распорядился Лоран. — И уберите волосы.

Я поплотнее затянула резинку на хвосте, надеясь, что этого будет достаточно. Лоран что-то неразборчиво хмыкнул, поблагодарил старичка и указал на дозатор с дезинфицирующим средством для рук, висевший на стене возле дверей.

Ни разу я не бывала на такой огромной кухне. Не удержалась и остановилась на секунду, чтобы все рассмотреть. Здесь царит суета — ни дать ни взять пчелиный улей. Сотрудники — почти одни мужчины — на бешеной скорости носятся туда-сюда. Почти все одеты в белые кители, синие брюки в клетку и сабо. Но на некоторых, включая Лорана, белые брюки. К тому же на их кителях вышиты имена. Видно, начальство.

Шум на кухне такой, что оглохнуть можно. Все кричат на разных языках, гремят кастрюлями и сковородками, бросают их через всю кухню. В углу четверо молодых людей в футболках лихорадочно загружают и разгружают огромные посудомоечные машины. Двое отскребают котлы вручную. Справа от меня мальчишка лет шестнадцати невероятно быстро режет овощи. В жизни не видела, чтобы кто-то с такой скоростью орудовал ножом: даже руки толком не разглядеть.

Слева от меня в длинный ряд выстроились очень красивого и аппетитного вида салаты. Мужчина добавлял в них ломтики идеально приготовленной розовой утки, все до единого одинакового размера и толщины. Тут подошел мужчина постарше и стал сердито выговаривать ему за то, что ломтики слишком толстые. Вместо того чтобы оправдываться, тот молча стоял с опущенной головой, пока не закончился выговор, а потом извинился и снова принялся за работу.

Лоран заметил выражение моего лица и сдержанно улыбнулся:

— Неужели раньше не бывали на ресторанной кухне?

Покачала головой. Ничего подобного мне видеть не приходилось. Такое чувство, будто угодила на аэродром. Но стоит привыкнуть к огромным размерам, шуму, дикому количеству народа, суете и клубам пара, замечаешь, что все здесь устроено очень разумно. Сначала кажется, будто на кухне царит хаос, но потом понимаешь, что она работает упорядоченно и согласованно, как огромный муравейник.

Лоран отвел меня в дальний угол кухни, где двое мужчин месили тесто. У обоих были массивные мускулистые предплечья. Эти ребята больше походили на шахтеров или моряков, чем на пекарей. Напротив них стоял здоровяк и покрывал глазурью крошечные пирожные. Такое несоответствие между статью кондитера и масштабом работы смотрелось забавно.

Рабочее место Лорана у окна, которое выходит на Сену. На плите булькает огромный медный чан — такой же, как в шоколадной лавке Тьерри. От расплавленного шоколада исходит чудесное благоухание. Но вместо апельсинов и мяты на рабочем столе Лорана разложены самые разнообразные ингредиенты. Вот рядки крошечных перцев чили — одни ярко-зеленые, другие ярко-красные. Желтый майоран и цветки тыквы кое-как помещаются на столе рядом с сосновыми иголками и морской солью.

— Прямо лаборатория сумасшедшего ученого, — прокомментировала я.

— Буду считать, что это комплимент, — резко отозвался Лоран. — Новостей никаких? Вы первая обо всем узнаете.

— Неправда, — тихо возразила я. — Просто мне очень нужно попросить вас об услуге.

Лоран помешал в небольшой кастрюльке и взглянул на содержимое.

— Попробуйте, — велел он.

Я с энтузиазмом открыла рот. Лоран улыбнулся.

— Вижу, вы большая любительница шоколада. Погодите секунду.

Лоран подул на смесь, чтобы немного ее охладить.

— Что это?

Но Лоран лишь покачал головой и сунул ложку мне в рот. Первым моим желанием было выплюнуть эту гадость. Вкус отвратительный и совсем не сладкий. Резкий, горький и с каким-то странным теплым привкусом, который я никак не могла определить. Но Лоран предостерегающе вскинул палец, давая понять, что нужного эффекта надо еще дождаться.

— Вы просто не привыкли, — сказал он. — Дайте себе время прочувствовать вкус.

— Уже прочувствовала: кошачий корм, — ответила я, но резко умолкла.

Теплота шоколада постепенно окутала мой язык и распространилась по всему рту. Таких необычных, мощных вкусовых ощущений я еще не испытывала. Мерзкий привкус остался, но сразу захотелось попробовать еще.

— Ух ты! Это что такое? — наконец спросила я, с надеждой поглядывая на кастрюльку.

— Шоколад медленной обжарки с помидором и чили, — с гордостью объявил Лоран. — Приходится использовать самые горькие бобы, иначе будет тошнить. Тут трудно соблюсти верную пропорцию.

— Он ни чуточки не сладкий, — заметила я.

— Верно, — согласился Лоран. — Подождите, вы еще не видели, что я с уткой делаю.

Даже вообразить не могу.

— И ваш отец совсем вами не гордится?

— Хочет, чтобы все было так, как он привык.

— А вы не хотите?

— Пожалуй, отцам и детям вместе лучше не работать. — Лоран пожал плечами.

Молодой мужчина маленького роста подошел к столу и стал убирать подносы с быстро твердевшим шоколадом в огромные холодильники. Лоран состроил недовольную гримасу и взглянул на часы.

— Alors, мне пора в больницу. Так что вы от меня хотели?

Я дала ему кусочек шоколада, который сделала утром. Лоран прокатал его по нёбу, совсем как Тьерри. Через пару секунд его лицо вытянулось.

— Понятно, — произнес он.

— Шоколадной лавке без вашей помощи не обойтись. У меня ничего хорошего не получится.

— Я тут поразмыслил, — произнес Лоран. — К сожалению, ничего не выйдет. Я передумал. Не обижайтесь, но вы работали на фабрике, занимались производством массовой продукции. У вас ни нужных генов, ни опыта.

— Глупости! — сердито возразила я. — Просто у меня еще нет навыков, вот и все.

— Нет, даже пытаться нет смысла, — возразил Лоран и стал мыть руки.

За плиту встал другой мужчина и стал мешать шоколад. Нет, это просто нелепо. Неужели у них на кухне ни одной девушки?

— Вы нам нужны, — произнесла я. — Качество моей работы пока оставляет желать лучшего. Я наблюдала, как работал Тьерри, но этого мало. Честное слово, я быстро учусь.

Лоран поглядел на меня, потом обвел широким жестом кухню:

— Знаете, как долго я к этому шел? На скольких кухнях отпахал, сколько шеф-поваров на меня орали, сколько я терпел и прикусывал язык? А как надо мной издевались из-за того, что я сын известного шоколатье! Но я старался не обращать на все это внимания. Наблюдал, учился, совершенствовался!

А теперь я, стало быть, должен все бросить, вернуться в шоколадную лавку и добавлять мяту в молочный шоколад? Вы этого хотите?

— Дело не в том, чего хочу я, — возразила я. — Помогите ради шоколадной лавки — и ради отца.

— Ради отца, говорите? — Лоран убрал с глаз густую челку. — Забавно! Когда мы с ним в последний раз обсуждали эту тему, он потребовал, чтобы больше ноги моей в «Шоколадной шляпе» не было. Заявил, что я, бездарь, так ничему и не научился.

Я протянула к Лорану руку, но не осмелилась до него дотронуться.

— Это дело прошлое.

— Хорошо, допустим, я соглашусь. Но разве мне позволят работать в моем стиле, самому разрабатывать рецепты? Нет, конечно! Элис захочет, чтобы все оставалось по-старому, и я снова окажусь в ловушке. Буду служить отцовскому делу, как раб. Папина заветная мечта наконец сбудется! Нет, я там готовить не стану!

Лоран кричал так, что в любом другом месте на нас бы оборачивались, но шум и грохот на кухне заглушали его голос. И все равно я чуть не провалилась сквозь землю от стыда. Даже покраснела. Уставилась в пол, чтобы Лоран не заметил, как я зла. Но он, конечно, заметил. Впрочем, ему было плевать, в каком я настроении.

— Мне надо в больницу, — резко бросил он. — А уйти с этой работы я не могу. Даже не просите. Другого такого места мне не найти. Я очень долго работал, чтобы подняться. Мне и так пошли навстречу: из уважения к отцу разрешают приходить позже и уходить раньше.

— Я все понимаю, — ровным, ничего не выражающим тоном произнесла я, кивнув.

А Лоран между тем повел меня к двери, по пути сняв с крючка на стене свой шлем.

— Папа ясно дал понять: его не интересует то, что я могу предложить... К ужину вернусь, — прибавил он, обращаясь к старичку у двери.

Светило солнце, воздух подрагивал от жары. Лоран взглянул на мое несчастное лицо и слегка смягчился.

— Просто потренируйтесь еще немного, — посоветовал он. — Поверьте, не так уж и трудно делать шоколад, как у Тьерри Жирара. Наберетесь опыта, и все получится.

— Сами же говорили, что мне генов не хватает.

— Чтобы придумывать рецепты — да, но готовить по тем, которые уже есть, можно и обезьяну научить.

Я едва не испепелила его взглядом.

— Виноват — сморозил глупость, — с выражением искреннего раскаяния на лице произнес Лоран.

— Уже не в первый раз, — буркнула я.

— Вас подвезти?

— Нет, спасибо, — сухо ответила я.

Мы застыли друг напротив друга, будто борцы перед поединком.

— Передавайте привет отцу, — наконец произнесла я. — Что-нибудь будет известно — сразу сообщайте. Фредерик там с ума сходит.

— Представляю. — Лоран криво улыбнулся. — Но он парень безобидный. А вот с Бенуа будьте осторожнее.

— Спасибо за все ваши ценные советы, — язвительно произнесла я.

Лоран сел на мотороллер и унесся прочь.

Глава 17

К счастью, ближайшие несколько дней оказались праздничными и шоколадная лавка не работала. Все это время дома я не появлялась. Пропадала в магазине сутками. Готовила, смешивала, экспериментировала, добавляла, убавляла и занималась проклятым коншированием — раз за разом, снова и снова. Пробовала делать шоколад с фисташками. Получилась редкостная мерзость. Потом добавляла фиалку, вслед за этим — миндаль. Убедилась: к орехам мне даже прикасаться нельзя.

Я трудилась, пока не начала засыпать стоя, но результата все-таки достигла. Теперь буду держаться нескольких рецептов, которые удалось освоить — и ни шагу в сторону. Никакого пралине, карамели, фигурного шоколада и шоколадных напитков. То же самое касается горького шоколада: мои вкусовые рецепторы на него не настроены. Если готовить только простые рецепты (самые элементарные) и использовать правильные ингредиенты (Бенуа уже все подобрал), я справлюсь. Ну, не то чтобы справлюсь, но кое-как выкручусь. Буду готовить два самых простых шоколада: апельсиновый и мятный. Оба получаются у меня почти как настоящие — почти, да не совсем. Но туристов обмануть сумею. Большинство из них интересуют сувениры, а не кулинарные шедевры.

Я плавила, смешивала, наливала: раз за разом, снова и снова. Чтобы не уснуть, включала радио и литрами вливала в себя эспрессо. К ночи понедельника устала больше, чем за всю предыдущую жизнь. В три часа ночи зазвонил мобильник.

— Алло.

— Живая! Ты жива! Надо предупредить пожарную бригаду и Интерпол, что тревога ложная!

— Сами, это ты?

Вдруг я сообразила, что за выходные словом ни с кем не перемолвилась.

— Только не ври, будто на самом деле звонил в Интерпол!

Сами рассмеялся:

— Ну и где тебя носит? Познаешь новую сторону Парижа — эротическую?

— Что за грязные намеки! — возмутилась я и обвела взглядом мастерскую. — А ты что поделываешь?

— Мы сейчас на вечеринке артистов цирка дю Солей. Видела бы ты, какие номера гимнасты откалывают!

— А-а, — протянула я. — Если проголодались, можете зайти в шоколадную лавку. У меня тут куча образцов осталась.

— Vraiment?[1]

Всего полчаса спустя я пила из горлышка бутылки что-то непонятное и подозрительное. Сами сказал, эта штука называется пастис. Смахивает на шо-

[1] Правда? *(фр.)*

колад Лорана: сначала хочется выплюнуть эту гадость, но потом распробуешь и втягиваешься. Учитывая, что я валилась с ног от усталости и все праздники нормально не ела, опьянение наступило очень быстро. А между тем красивые молодые люди, пол которых я не бралась определить, набросились на шоколад с энтузиазмом, на какой способны только люди, каждый вечер по четыре часа висящие вверх ногами под куполом. К рассвету образцов шоколада почти не осталось, в мастерской царили чистота и порядок, а я поняла, что и сегодня полноценный сон мне не светит.

Не успело с улицы повеять запахом сигареты Фредерика, и прекрасные золотистые цирковые существа растаяли, как сон. Войдя в лавку, Фредерик с подозрением принюхался.

— Давно ты здесь?

— Решила попрактиковаться в выходные, — пожала плечами я.

Фредерик огляделся по сторонам, вскинул брови, подошел к охладительной решетке, где лежал единственный оставшийся поднос шоколада. Я с тревогой наблюдала за Фредериком. Да, гимнастам моя продукция пришлась по вкусу, но эти ребята с удовольствием смолотили бы что угодно — особенно посреди ночи. А профессионал вроде Фредерика — совсем другое дело.

Он отпил большой глоток воды из бутылки «Эвиан», чтобы вкус воспринимался лучше. Взял кусочек с противня, посмотрел на свет, раскрошил часть между пальцами, проверяя консистенцию. Наконец отправил кусочек в рот. Я затаила дыхание. Я перепробовала все, что могла, и, откровенно говоря, эти образцы — лучшее, на что я способна. Я застыла в ожидании. Фредерик тоже ждал: все нюансы вкуса ощущаешь, только когда шоколад расплавится на языке. И тут меня напугал Бенуа: возник рядом с Фредериком будто ниоткуда и тоже стал наблюдать за процессом.

Наконец Фредерик взглянул на меня. Нет, восторга я не заметила. Нового шоколадного гения он во мне не открыл. И все же Фредерик коротко, отрывисто кивнул.

— Сойдет, — тихо произнес он.

Я едва не падала от изнеможения, но губы сами собой растянулись в улыбке.

— Merci[1], — с радостью ответила я.

Бенуа тоже взял кусочек и сунул в рот. А потом ни с того ни с сего, ни слова не говоря, подошел ко мне и расцеловал в обе щеки.

— Это все, что есть? — спросил Фредерик.

— Да, — кивнула я. — Я решила, освою один или два сорта, зато как следует.

— Правильно.

Фредерик взглянул на телефон:

— Элис не звонила?

Я покачала головой.

— А Лоран?

— По-моему, он не хочет иметь со мной никаких дел, — грустно произнесла я.

— Между прочим, мы им бизнес спасаем, а они нас держат в неведении, — возмутился Фредерик.

---

[1] Спасибо (фр.).

Но я подумала: если бы состояние Тьерри ухудшилось, мы бы точно об этом узнали. Я покинула мастерскую, чтобы подышать свежим утренним воздухом и умыться в ванной.

Элис нигде не было видно.

— Ну, что будет, то будет, — произнес Фредерик. — А сегодня нам надо открывать магазин.

Пока я была в ванной, Бенуа приготовил мне чашку кофе.

Клэр посмотрела на Пэтси снизу вверх:

— Пэтси, я приняла решение: мне нужно уехать.

Невестка с испугом уставилась на Клэр: похоже, гадала, не поехала ли у свекрови крыша. Может, Пэтси вообразила, будто Клэр собирается отъехать на тот свет и просит помочь с эвтаназией. Или думает, что свекровь решила плюнуть на все и рвануть на курорт.

Как-то Рики приносил Клэр фильм «Пока не сыграл в ящик». Сюжет неправдоподобный: два старика, больных раком, отрываются на всю катушку. И все же сама идея нашла отклик в душе Клэр.

— Я должна кое-что сделать, пока не поздно.

— Не говорите так, — торопливо перебила Пэтси.

1972 год

Жизнь Ричарда Шоукорта разительно отличалась от жизни Клэр. Во-первых, его семья жила в собственном доме, а не в домике викария, выделенном церковью. Дом был роскошный, отдельный. Впрочем, теперь Клэр роскошные дома не пугали: она их повидала достаточно.

Раньше Клэр в голову не пришло бы обратить внимание на Ричарда: она считала его существом из другого мира. Она бы от одной мысли рассмеялась. И вообще, ребята вроде него в государственной школе Кидинсборо учились редко, а с кларнетом и вовсе никто из учеников не расхаживал. Клэр припомнила: в детстве Ричард был очень маленьким: не парень, а боксерская груша для хулиганов. Но к выпускному классу он вырос и сформировался. Сразу видно: готов покинуть школу ради лучшей жизни. А если приглядеться, за очками в проволочной оправе в стиле Джона Леннона скрывался вполне симпатичный молодой человек: вьющиеся темные волосы, четко очерченные брови. Впрочем, Клэр внешность Ричарда Шоукорта не интересовала.

В тот день он провожал ее домой из леса и всю дорогу задавал вопросы, но она отделывалась туманными, неопределенными ответами. А потом Клэр стала натыкаться на Ричарда повсюду.

Прошло Рождество. Клэр получила открытку от мадам Лагард. Мари-Ноэль подробно рассказывала, как дела у детей, а в длинном постскриптуме сообщала, что вся семья очень скучает по Клэр и надеется, что та прилежно учится (Клэр верно догадывалась, что упоминание об учебе появилось в письме не случайно). О Тьерри ни слова.

Вот почему, когда Ричард подарил Клэр огромный букет алых роз и брошку в форме лягушки, а потом пригласил на рождественский бал, она позволила ему поцеловать себя у задней стены спортза-

ла, где, кроме них, обжималось великое множество
парочек. Клэр хотела показать всему миру, и Тьерри,
и мадам Лагард, и Рэйни Коллендер, что совсем не
переживает — ни чуточки.

Когда Клэр завалила все выпускные экзамены,
кроме французского, утешал ее именно Ричард. Говорил, что ее все равно примут на учительские курсы.
И Ричард же — милый, надежный Ричард, собирав-
шийся учиться на инженера в Лестере, — уговорил
преподобного отпустить Клэр в самостоятельную
жизнь. С Ричардом Клэр переспала в крошечной
комнатенке общежития. Там пахло лапшой быстрого приготовления, ароматическими палочками и га-
шишем. Постельные умения Клэр одновременно и
шокировали, и порадовали Ричарда, что лишний раз
доказывало: Тьерри не похож на других мужчин, он
единственный и неповторимый. А после свиданий
с несколькими длинноволосыми молодыми людьми
из общаги, которые чувствовали себя неловко в модных брюках клеш и наигранно глубокомысленным
тоном рассуждали о Германе Гессе или политике Ник-
сона, Клэр постепенно убедилась, что Ричард очень
даже неплохой вариант: приятный, добрый, умный,
надежный и вдобавок обеспеченный. А годами сох-
нуть по первой любви — все равно что всерьез надеяться выйти замуж за певца Дейви Джонса.

Много лет спустя Клэр и Ричард развелись. После первых сокрушительных скандалов оба старались
вести себя как можно более цивилизованно: дожда-
лись, когда мальчики благополучно вылетели из родного гнезда, и все это время не давали воли эмоци-

ям. Ричард держался отстраненно и говорил с Клэр только о делах, но однажды не выдержал и спросил: «Признайся: ты ведь никогда меня не любила? Ты была влюблена, но только в другого. Я думал, ты особенная: не такая, как все, загадочная. Но теперь понимаю: ты просто все это время думала о нем, вот и вся загадка».

Ричард покачал головой, будто удивляясь: «Я-то ни на что не жалуюсь: двадцать пять лет прожил с любимой женщиной. А вот ты... Не представляю, ради чего ты истратила столько лет».

Клэр натянуто улыбнулась, подписала бумаги, составленные юристом мужа, дождалась, когда его «ровер» скроется за поворотом, и только потом рухнула на колени как подкошенная. Броня развалилась на части, и наружу хлынул поток слез, соплей и горьких чувств, заливая дорогой ковер из магазина «Джон Льюис», в который они с Ричардом вложились вместе. Некоторые думают, что рак — это что-то вроде наказания или злой силы, которая питается негативными эмоциями. Клэр так не считает, и все же в голову невольно закрадывается мысль: если виновник болезни и в самом деле злой дух, в тот день — и последовавшие за ним долгие ночи — у него было более чем достаточно возможностей проникнуть в душу, окутанную беспросветной чернотой.

— Как это — уехать? — спросила Пэтси. — Куда?

По решительному выражению лица свекрови невестка поняла: Клэр настроена серьезно и отговорить ее не удастся.

Клэр опустила глаза на трубку катетера и вздохнула. Да, устроить это дело будет сложно: ее ждет много досадных трудностей и даже опасностей. Дети будут волноваться. Анна, скорее всего, тоже. Только сейчас Клэр поняла: она отправляла эту девушку в Париж, руководствуясь исключительно собственными интересами. Короче говоря, запланированная Клэр поездка обойдется дорого, причем не только в финансовом смысле. Вполне возможно, ее затея обернется ничем. Тогда окажется, что и Ричард, и преподобный, да и вообще все были правы насчет Клэр: она и впрямь эгоистичная, бессердечная особа, одержимая порочными желаниями.

Клэр глубоко вздохнула. Похоже, она унаследовала от отца больше, чем кажется.

— Хочу в последний раз увидеть Париж.

— Вы уверены, что это хорошая идея? — осторожно спросила Пэтси, нахмурившись.

Она ничего не знала о прошлом Клэр.

Даже Ричард слышал от нее лишь несколько отрывочных упоминаний о том лете. Клэр была против того, чтобы они ездили во Францию, даже ненадолго. Нарочно искажала свой французский акцент и не участвовала в разговорах о Париже, хотя ее часто о нем спрашивали.

Клэр понимает: Ричард сразу догадается, в чем дело. Его ведь привлекла в ней именно непохожесть на других, которая появилась после парижского лета.

Но Пэтси ни о чем таком не подозревала и глядела на Клэр снисходительно, будто речь шла о простом капризе.

— Да, уверена, — подтвердила Клэр. — Я сама все устрою. Деньги у меня есть.

Клэр может себе позволить такую роскошь. При разводе Ричард имущество от нее не утаивал, да и учительская пенсия — отличное подспорье. А к ежегодным страховым выплатам Клэр пока ни разу не притрагивалась. Клэр иронично усмехнулась: повезло же страховой компании с такой клиенткой, да и для экономики страны одна польза.

— До Парижа теперь можно добраться на поезде, — сказала Пэтси. — Мы с Рики ездили, когда встречались. Только мне в Париже совсем не понравилось. Все жутко невоспитанные, толкаются, цены запредельные, а в чем прелесть французской кухни, так и не поняла. Даже карри приличного не найти. А про приличное такси вообще молчу.

Тут на Клэр тяжелым грузом навалилась усталость. Она любит Пэтси, но как объяснить невестке, что, будь Париж копией Кидинсборо, он не был бы Парижем? А может, сейчас там все по-другому. Может, Париж уже не тот: как новенький торговый центр в Кидинсборо, который теперь стоит полузаброшенный и служит приютом для наркоманов. Или как уютная мощеная площадь, у которой теперь, кажется, только два назначения: парковка для машин скорой помощи и место, где народ выворачивает наизнанку после пьяных загулов в выходные.

Под Эйфелевой башней раньше стояла старомодная карусель. Крутилась медленно, с громким скрипом, зато играла музыка. Дети ее обожали. У каждого была своя любимая лошадка. А от второго яруса ребятня была просто в восторге. Они радостно карабкались на него по винтовой лесенке из кованого железа, и никого не смущало, что верхний ярус вертится еще медленнее, чем нижний. Интересно, эта карусель до сих пор на месте?

— А я все равно поеду.

— Хорошо, позвоню в офис «Евростар». Должна же у них быть организована перевозка больных пассажиров.

— Нет, на поезде ехать не хочу, — вдруг поняла Клэр. — Только на пароме.

— Но так же намного дольше, да и рискованнее, — возразила Пэтси. — Раз уж есть деньги, путешествовать надо со всеми удобствами.

Клэр увидела в окно шедшую по садовой дорожке Монтсеррат и слабо помахала ей рукой. Стоило решиться на смелый план, и бодрости сразу прибавилось.

— Нет, я поплыву на пароме, — повторила Клэр. — У меня в Париже друзья. Они помогут.

Глава 18

Работать с Элис — одно удовольствие: она так благодарна нам за все, что мы для нее делаем! Что, поверили? Ну и зря. Честное слово, заставить эту женщину улыбнуться еще сложнее, чем вынудить ее что-нибудь съесть. В общем, у нее не рот, а неприступная крепость.

— Ну как, дела у вас получше? — небрежно поинтересовалась Элис.

— А у Тьерри дела получше? — спросил Фредерик таким тоном, будто объявил забастовку: пока Элис не ответит, шоколад продавать не станет.

Даже огромные темные очки не скрывали, какое изможденное у Элис лицо.

— Немного получше, — нехотя произнесла она. — Во всяком случае, ухудшений нет. Стенты прижились, и... — Тут губы Элис исказила легкая гримаса. — С каждым днем лишний вес понемногу уходит. Это хорошо, но...

Элис отвела взгляд.

— Черт возьми! Скорей бы он очнулся и сказал хоть что-нибудь!

Увы, новости не слишком обнадеживающие. После пребывания в больнице я кое-что в таких вещах понимаю. Спасибо доктору Эду — объяснил: чем быстрее больной придет в сознание, тем лучше. Вдруг захотелось позвонить доктору Эду. А что? Узнаю, стояло ли что-нибудь за его дружелюбной манерой общения. Хотя что я дурака валяю? Доктор Эд даже имени моего не вспомнит.

— Что говорит врач? — уточнила я.

— А вы у нас медицинский работник? — съязвила Элис.

Только напомнишь себе, что к Элис надо относиться снисходительно (все-таки переживает человек), и через пять минут от снисхождения не остается и следа — так же как и от уважения к этой особе.

— Нет, — ответила я. — Просто долго лежала в больнице.

— У вас со здоровьем проблемы? — без обиняков поинтересовалась Элис. — Какие?

Все уставились на меня.

— Нет, никаких проблем, — поспешно ответила я.

Не люблю, когда приходится рассказывать про свою травму: ни дать ни взять сюжет плохой комедии. Но я в этой истории ничего смешного не нахожу.

Элис вздохнула:

— Врач говорит: «Мадам, наберитесь терпения и ждите». Как будто у меня есть выбор! А потом уходит обедать.

Элис огляделась по сторонам.

— Ну что ж, если магазин хоть кое-как держится на плаву, до остального мне нет дела.

С этими словами она удалилась.

К Фредерику почти вернулась былая живость. Флиртом с покупательницами он частично компенсирует отсутствие Тьерри и его неотразимого обаяния. Вот и теперь он шутливо заметил:

— Ну и дела! Никогда еще она не была с нами так любезна!

А у меня, наоборот, стремительно заканчивается терпение. Из-за того что новость о болезни Тьерри попала в газеты, нас буквально осаждают покупатели. Даже когда Фредерик суровым тоном объявил, что сегодня в продаже только апельсиновый и мятный шоколад, а если кого-то такой скудный ассортимент не устраивает, пусть уходят, никого это не смутило. Видно, списали на французскую эксцентричность.

Я драила, мыла, готовила, смешивала. Хотя бессловесный Бенуа усердно и самозабвенно помогал мне в мастерской, к семи часам вечера хотелось только одного — рухнуть в кровать и уснуть. Если Сами затеет импровизированный бал-маскарад или еще что-нибудь в этом роде — убью.

Из лавки я уходила последней. Запирала массивным металлическим ключом дверную решетку — похожие решетки ставили на входе в старинные лифты, — и вдруг на улицу въехал мотороллер. Поначалу я не обратила на него внимания: они тут весь день туда-сюда гоняют. Но этот мотороллер остановился прямо за моей спиной.

— Merde![1] — выговорил хриплый голос.

Я обернулась. Лоран стоял, уставившись на меня дикими глазами. Я отвернулась. Как он мне надоел! И он сам, и эта его глупая вражда с человеком, который сейчас лежит в больнице без сознания.

---

[1] Дерьмо! *(фр.)*

— Все уже ушли?

— Да, — самым своим язвительным тоном ответила я. — Важные персоны разошлись, остались одни неумехи.

Когда я заперла магазин и снова повернулась к Лорану, тот растерянно заморгал:

— Просто хотел сказать... Отец очнулся.

Несмотря на раздражение, усталость и острую потребность принять душ, я невольно расплылась в широкой улыбке:

— Правда?!

— Правда. Но пока ничего важного не сказал: только ругается и требует пончик.

— Да это же просто замечательно!

— Наша дама-эскулап говорит, расслабляться рано, — серьезно прибавил Лоран. — Но он уже не такой серый, как раньше. Больше не смахивает на слоновью тушу.

— А Тьерри знает, что вы его слоновьей тушей называете?

— Понятия не имею. — Лоран нахмурился. — Я сразу выскользнул из палаты. Он меня не заметил.

— Издеваетесь?.. — Я всплеснула руками от негодования.

— Элис всю дорогу глядела на меня как на врага, а потом Тьерри сказал ей, что хочет есть, а Элис ответила, чтобы привыкал: теперь его ждет голодная диета. В общем, не успел он в себя прийти, а они уже ругались. Тут я вспомнил, почему раньше держался от этой парочки подальше, и смылся.

Лоран помолчал.

— Я его завтра навещу. Честное слово. Хватит смотреть на меня, как на злого волка из сказки.

Раньше я не замечала, но, вообще-то, Лоран и впрямь смахивает на сказочного волка: темные всклокоченные волосы, кустистые брови, сверкающие белизной зубы.

— Обещаете? — уточнила я.

Лоран кивнул и отвел взгляд.

— Жаль, не успел до закрытия, — произнес он. — Мне очень стыдно за мое поведение.

— Поделом, — ответила я. Потом с удовольствием блеснула французским словарным запасом: — Вели вы себя просто... бессовестно.

— Сам знаю. Собственно, поэтому я здесь. У меня в тот день просто нервы сдали, понимаете? Столько времени в больнице... От усталости еле соображал.

— Значит, приехали извиниться?

— Нет. Я вас научу, как делать шоколад.

— А может, я уже сама научилась, — парировала я.

— Да уж конечно! — Лоран состроил гримасу. — Элис на днях приносила в больницу это ваше мятное недоразумение. Она-то думала, что шоколад вполне приличный. Но на самом деле гадость жуткая. Больничный персонал поверить не мог, что в лавке знаменитого шоколатье такое делают.

А-а, это он про мой первый блин.

— Все-таки вы ужасный грубиян, — вздохнула я.

— Говорю как есть. Вы, похоже, сами не понимаете, до какой степени не справляетесь. Поэтому я и приехал.

— Вы опоздали, — гордо произнесла я.

— Сомневаюсь. — Лоран шутливо вскинул брови.

Я вздохнула. Несмотря на усталость и на то, что уже девятнадцать часов подряд мечтаю о ванне —

если Сами опять использует всю горячую воду, чтобы смыть макияж, горько об этом пожалеет, — я выловила ключи из кармана передника.

— Ну ладно, заходите, — устало произнесла я.

В шоколадной лавке было темно.

Лоран окинул помещение взглядом опытного профессионала. Я на ощупь добралась до мастерской и включила свет. В торговом зале освещение зажигать не решилась: вдруг кто-то из прохожих подумает, что мы открыты, и начнет молотить в дверь, будто жаждущий шоколада зомби?

Почему-то Лоран за мной не пошел. Я обернулась. Он запустил пятерню в густые кудри и произнес:

— Я тут не был уже... уже...

Я выжидающе глядела на него.

— Уже давно, — наконец договорил Лоран. — Много лет. Может, все десять.

Даже я была шокирована.

— Десять лет?!

Лоран кивнул с несчастным видом.

— А пахнет здесь все так же. — Он провел рукой по длинному, истершемуся за годы использования деревянному прилавку. — Ничего не изменилось, — с удивлением прибавил Лоран и покачал головой. — Иногда встречаю на улице людей с папиным шоколадом. Я этот запах за милю учую. Такого шоколада больше нигде не делают. Бывает, улавливаю этот аромат или замечаю знакомый пакет — и каждый раз будто удар под дых.

— Родные люди из-за чего только не ссорятся. — Я покачала головой и включила кофе-машину. — Мама моей подруги Кейт не разговаривала с ее сестрой шестнадцать лет, потому что та стащила у нее шарф, выпущенный на серебряный юбилей правления королевы. Но разругаться вдрызг из-за того, класть специи в шоколад или нет...

Я помолчала в задумчивости и сделала вывод:

— А может, если разобраться, все семейные ссоры глупые.

Лоран, похоже, хотел возразить, но передумал и молча зашел в мастерскую. Осмотревшись, не смог сдержать ностальгический вздох. Я его понимала: даже мне очевидно, что теплица не менялась десятилетиями.

— Иногда я приходил сюда в детстве, — произнес Лоран, вдыхая восхитительный теплый аромат растений и какао, ни дать ни взять шоколадные джунгли. — Бенуа все гонял меня от чанов.

— Он до сих пор здесь работает.

— Не удивляюсь. Папа очень привязан к сотрудникам, которые ему не перечат.

Тут Лоран сел за один из рабочих столов и с вызовом произнес:

— Ну, чего же вы ждете?

Видно, от усталости мой сонный и затуманенный мозг на секунду решил, будто Лоран приглашает меня к нему присоединиться. Он так удобно и непринужденно расположился на своем месте: вытянул длинные ноги и обводил взглядом мастерскую, которая когда-то была для него почти родной. Я едва не взгромоздилась ему на колени. А потом...

Но тут я сообразила: Лоран просит меня принести образцы моего творчества. В смятении я покраснела как помидор. Готова поспорить, все мои грязные мыслишки отразились у меня на лице! Но Лоран не смотрел в мою сторону. Я нашла несколько квадратиков апельсинового шоколада: не продали, потому что плохо завернуты.

— Да ладно, не бойтесь. — Лоран взглянул на меня с улыбкой. — Давайте свою новую продукцию. Понимаю: вы сделали все, что могли, а теперь я вам помогу, договорились?

Лоран решил, будто я разнервничалась из-за шоколада. Знал бы он, что в голове у меня отнюдь не работа!

Я протянула Лорану шоколад на тарелке. Он взял кусочек и отправил в рот. Проверку Фредерика я прошла, но Лоран уж точно будет недоволен. Впрочем, я хотя бы попыталась.

Лоран зажмурился. В мастерской повисла тишина, только часы на стене тикали да из глубины под мощеными улочками доносился далекий грохот метро. Казалось, прошла целая вечность. Все это время я провела, разглядывая Лорана: длинные ресницы отбрасывают тени на щеки, кудри буйные и непослушные, массивную челюсть покрывает густая щетина, губы неожиданно изящной формы — у мужчин таких не видела...

Наконец Лоран открыл глаза и пристально уставился на меня. Но теперь я не заметила в его взгляде ни тени привычной насмешки, смешанной с легкой досадой. Даже подумать дико, но в глазах Лорана мелькнуло нечто, подозрительно напоминавшее уважение.

— Сами готовили?

Я кивнула.

— Никто не помогал?

Я покачала головой.

Лоран отвел взгляд:

— Это, конечно, не шоколад Жирара...

Я кивнула в третий раз.

— Но я ел и похуже.

— Вы ели похуже? Ничего себе комплимент!

— Поверьте — это комплимент, и еще какой. В вас определенно что-то есть.

Лоран попробовал еще кусочек.

— Здесь не хватает черного перца. В следующий раз обязательно положите: он подчеркнет базовые вкусовые ноты. А масла кладите поменьше. Вы же не для детей готовите и не для американцев. И не надо так энергично мешать шоколад, вы его слишком сильно взбили. Не нарушайте консистенцию.

Я огляделась в поисках листа бумаги. Надо это все записать. На секунду Лоран перестал жевать.

— Но в целом вы неплохо справились, — произнес он.

Я не хотела говорить, что ради этого результата провела в мастерской все праздники, но Лоран и без того заметил, что у меня глаза сами собой закрываются.

— Ладно, на сегодня достаточно. В следующий раз обсудим мятный шоколад, хорошо? Может, сходим куда-нибудь перекусить? Вам, наверное, подкрепиться не помешает. Я-то уж точно нуждаюсь в дозаправке.

С благодарностью я кивнула. Очередного ночного бдения в мастерской мне просто не вынести. Мы с Лораном вышли из магазина. Я снова заперла дверь, и он повел меня по лабиринту узких переулков, в которых я до сих пор путалась. Три поворота — и вот мы стоим возле какой-то темной двери: в Париже они имеют свойство возникать ниоткуда. Я посочувствовала туристам, ужинающим на огромных летних верандах ресторанов на берегу Сены или в Булонском лесу: бедняги понятия не имеют, где искать вот такие тайные местечки для посвященных. Местные жители берегут секретные адреса как зеницу ока и вовсе не намерены делиться ими с кем ни попадя. Париж встречает новичков недоверчиво. Вот и у этого ресторана единственный опознавательный знак — крошечный гриб над дверью, и тот еще надо разглядеть.

Лоран постучал. Нам открыл сгорбленный старик с салфеткой, переброшенной через плечо. На секунду он застыл и уставился на нас. Потом отступил на шаг.

— Лоран? — с трудом выговорил ошарашенный старик.

— Да, Сальваторе, это я, — подтвердил Лоран.

Старик, вот-вот готовый расплакаться, обнял Лорана за шею, потом три раза расцеловал в обе щеки.

— А я уж подумал... Спаси Господи! На секунду показалось, будто на пороге призрак твоего отца стоит. Вы с ним прямо одно лицо.

— Не от тебя первого слышу.

— Ты к нам не заглядывал уже... — Старик покачал головой. — Давно. Очень давно.

— Что верно, то верно, — согласился Лоран.

— Наконец-то пришел! Значит, берешь шоколадную лавку на себя. Как отец?

— Поправляется, — сухо ответил Лоран. — А я пока помогаю, вот и все.

Старик окинул меня внимательным взглядом:

— А это кто? Жена? Девушка?

Лоран отмахнулся:

— Ничего подобного. Просто сотрудница моего отца. Ну что, синьор, покормишь нас?

— Разумеется! — воскликнул Сальваторе и распахнул старинные деревянные двери, ведущие в коридор. — Что за вопрос!

Изнутри доносились соблазнительные запахи грибов с чесноком, жарившихся на сливочном масле. Еще я уловила аромат белого перца и чего-то, что не смогла распознать.

Но мне было не до сногсшибательных ароматов. Видно, от переутомления и нервов меня вдруг охватила злость. Кто дал Лорану право так пренебрежительно обо мне отзываться? «Просто сотрудница моего отца»! Строго говоря, Лоран сказал правду, но после всего, что мы вместе пережили, мог хотя бы представить меня как приятельницу.

Мы вошли в зал ресторана — надо же, какой маленький! Размером с гостиную в обычном доме. Да и обстановка тоже напоминает гостиную: повсюду семейные фотографии и безделушки. Почти за каждым столом сидят люди, полностью сосредоточившиеся на еде. Миниатюрная старушка деловито снует между столиками с полными тарелками в руках. Кажется, будто она исполняет какой-то причудливый танец.

Так и быть, признаюсь: откровенно говоря, я надеялась, что мы с Лораном станем больше чем просто друзьями. Ну а если совсем на чистоту, я нахожу его очень даже привлекательным. Хотя полагаю, что причина в высоком эмоциональном накале: понервничать нам на этой неделе пришлось немало. И вообще, я уже давно одна, вот и заглядываюсь на первого встречного мужчину.

А еще дело в Париже. Здесь я будто пробудилась от долгого сна. После несчастного случая и продолжительной болезни все в Кидинсборо казалось холодным, серым и безжизненным. Я замечала сходство между собой и Клэр, хотя она в два раза старше меня. Клэр его тоже заметила, поэтому и отправила меня в Париж, чтобы я взбодрилась и вернулась к нормальной жизни. Но я уже позабыла, как люди присматриваются друг к другу, знакомятся и становятся парой. Но вряд ли мужчина может воспылать страстью к женщине, которая была с его отцом, когда у того случился сердечный приступ, и которая вдобавок не умеет готовить нормальный шоколад. В общем, я почувствовала себя полной дурой.

— Анна?

Думала, Лоран спрашивает, что я буду пить, но оказалось, он уточнял, хочу ли я красного вина, которое Сальваторе уже принес. Я пожала плечами и позволила налить себе на самое донышко бокала.

— Обязательно возьмем ризотто, — сказал Лоран. — Марина, надеюсь, вы в нем ничего не изменили?

Маленькая старушка встретила Лорана так же радостно, как и Сальваторе, и расцеловала его еще с большим пылом. Марина на бешеной скорости тараторила по-французски с итальянским акцентом, поэтому разобрать удалось не все, но общий смысл был такой:

— Нет, конечно, ризотто все то же. Зачем его переделывать? Если у тебя есть что-то хорошее, не надо ничего в нем менять, иначе все пойдет наперекосяк! А если все пойдет наперекосяк, добра не жди! Быть беде.

Лоран взглянул на меня с улыбкой, но я была не в настроении с ним заигрывать. Лишь молча кивнула. Как же я устала! Лоран попытался завести разговор, но я вдруг застеснялась и лишь бормотала что-то невразумительное в ответ. Наконец Лоран сдался и умолк. Так мы не проронили ни слова, пока не принесли еду. Лоран закрыл глаза и с наслаждением вдохнул пар. В жизни не чуяла такого насыщенного, вкусного запаха! Уловила аромат лука, сливок, мяса и еще чего-то просто восхитительного.

— В детстве я тут часто ел. Каждый раз требовал, чтобы мне принесли это, — сказал Лоран. — Когда день был хороший. Когда день был плохой. Когда день был ничем не примечательный. Папа говорил: «Все идем к Сальваторе». Мы садились вон туда. — Лоран указал на самый большой стол у камина. Вокруг стояли разномастные старенькие стулья. — А если было жарко, шли на террасу... — Тут Лоран осекся и спросил у Сальваторе: — У вас по-прежнему есть терраса?

— Хотите перейти туда?

— Почему бы и нет? Здесь ужасная жарища. Неужели сам не чувствуешь?

Сальваторе пожал плечами: он явно провел в этом ресторане всю жизнь и ко всему здесь привык. Хозяин взял тарелки, Марина — бокалы. Я хотела помочь, но она не позволила. Оба скрылись за узкой боковой дверью. До этого я ее даже не заметила. Мы с Лораном пошли следом. Пока поднимались по узкой спиральной лестнице, у меня заныли пальцы на ноге — то есть нога. Вот мы взобрались на три пролета, прошли мимо квартиры хозяев. Наконец уткнулись в еще одну дверь и выскочили из старинного здания, как пробки из бутылки.

Терраса оказалась намного просторнее моего крошечного балкончика. Старый дом выпячивается и нависает над берегом острова. Мы сидим прямо над водой. Марина принесла свечу и поставила ее в центре единственного столика. Гирлянда из лампочек украшает парапет, а других источников освещения не видно. Только внизу быстро текут темные воды реки да левый берег сияет огнями. Но кажется, что все это где-то далеко и не имеет ни малейшего отношения к древней почве нашего острова, повидавшего на своем веку многое. Плющ неровно обрезали, чтобы не вылезал за пределы стен. Чувствую себя как в сказке. Вернее, чувствовала бы, не будь все так мрачно и уныло, мысленно возразила самой себе я.

Сальваторе и Марина, посмеиваясь, оставили нам бутылку вина и удалились. На террасе удивительно тихо: сюда не долетают повседневные шумы летнего Парижа. Лоран сразу уткнулся в тарелку и минут пять не обращал на меня ни малейшего внимания. Он ел с огромным аппетитом, удивительной быстротой и непередаваемым удовольствием. Я немного подождала, но скоро поняла, что сейчас у меня никаких шансов привлечь его внимание, и тоже занялась едой.

Под пытками бы не созналась, но раньше ни разу не пробовала ризотто. Ела только рис в горшочке, но это совсем не одно и то же. Предложи я родителям для разнообразия поесть на ужин ризотто, мама с папой дар речи бы потеряли от удивления. Потом папа задумчиво произнес бы: «Может, и правда попробовать?» А мама ответила бы: «Нет, ризотто готовить слишком сложно, обязательно что-нибудь напутаю, и вообще, милая, не по мне вся эта иностранная кухня». Не успела бы я и слова прибавить, а мама бы уже сделала наши обычные сэндвичи с рыбными палочками. Я немного умею готовить: могу пожарить мясо и даже испечь пирог, но ризотто мне точно не по силам. А попробовав то, что приготовил Сальваторе, я лишний раз убедилась: мне на ризотто нечего и замахиваться. Это искусство я не освою никогда. Чтобы готовить настоящее ризотто, нужно родиться в семье, где ничем другим не занимаются. Годами совершенствовать каждый крошечный нюанс, добиваться идеального сочетания вина, выдержанного пармезана, тающего на языке прозрачного лука и грибов. Грибы готовят заранее в огромной каменной печи, чтобы идеально поджарились, покрылись хрустящей корочкой и стали самым вкусным и восхитительным из всего, что я пробовала. Позже узнала, что такие грибы каждую неделю собирают в полях вокруг Версаля. На этих же полях пасутся коровы, которых содержат на природе, а неподалеку высится лес, не тронутый со времен Средневековья. Да, эти грибы где попало не отыщешь.

Попробовав это изысканное, ни с чем не сравнимое ризотто, я в первый раз поняла, почему и Фредерик, и Лоран, и Тьерри так строго подходят к изготовлению шоколада. Есть правильный способ, а есть неправильный, и обсуждать тут нечего. За одиннадцать лет работы на фабрике мое нёбо привыкло к низкому качеству. Но теперь оно наконец ощутило, что такое настоящая еда.

— Ух ты! — произнесла я через некоторое время. Тарелка Лорана уже была чиста.

— Как вы можете так его проглатывать? — возмутилась я. — Раз — и нет! Подобные блюда надо смаковать.

— Знаю, — протянул Лоран, с сожалением глядя на опустевшую тарелку. — Просто не смог удержаться. Как же я по нему соскучился!

Лоран глянул на мое ризотто.

— Даже не думайте! — вознегодовала я. — Съем все без остатка, буду наслаждаться каждой крошкой, а потом еще тарелку вылижу. Два раза.

Вдруг Лоран широко улыбнулся и подлил нам обоим вина.

— Значит, нравится?

— Лучше ничего не ела.

Лоран удивленно вскинул брови, но меня его реакция не волновала. Я понимала, что ничего для него не значу и поэтому могу не стараться произвести впечатление. Теперь сосредоточусь на собственных удовольствиях, тем более что у меня их так давно не было. Когда выздоравливала в Кидинсборо, ела все более острую пищу, чтобы заставить себя почувствовать хоть что-то. Отчаянно старалась разбудить вкусовые рецепторы. Готова была на все. Даже пробовала самые нелепые новые вкусы чипсов. Только теперь понимаю, что эта стратегия была заранее обречена на провал. Единственное, чего я добилась, — стала вялой и увеличила талию на несколько лишних сантиметров.

Подобрала соус ломтем восхитительного хлеба из корзинки, стоявшей между нами. В тусклом свете свечей едва различала, что ела. Под нами проплыл прогулочный катер. На палубе тут и там мелькали вспышки камер. Туристы снимали собор, но фотографии, конечно, получатся размытые и совсем не такие эффектные, как им хотелось бы.

Вдруг я заметила, что Лоран наблюдает за мной.

— В чем дело?

— Да так, ни в чем.

— Сказала же: делиться не стану.

— Я не поэтому на вас смотрю. Просто приятно видеть, как девушка ест. Мои знакомые барышни к еде не притрагиваются.

Я, конечно, могла сказать: «Ну ясное дело. Вы ведь встречаетесь с худосочными француженками, которые не умеют наслаждаться жизнью», но воздержалась. Молча вытерла рот салфеткой, но, видимо, сделала это не слишком тщательно: Лоран взял у меня салфетку и, пристально глядя на меня, коснулся уголка моих губ.

— Люблю девушек с хорошим аппетитом, — произнес он.

Я уставилась на Сену. При других обстоятельствах все это было бы сексуально донельзя. Но Париж пробудил к жизни не только мою душу, но и — пусть и несколько запоздало — мой инстинкт самосохранения. Я ему не какая-нибудь безмозглая кукла, работающая на его отца. Конечно, на Тьерри я и вправду работаю, но этим моя личность не ограничивается.

— В первый раз слышу такой вульгарный подкат, — покачала головой я. — Но девушки, наверное, на такое клюют.

Лоран вскинул руки, будто сдаваясь.

— Это не подкат! — возмутился он.

— Не расстраивайтесь, с вашей целевой аудиторией должно сработать, — небрежно отмахнулась я. — А мне пора.

До чего я горжусь собой! Не стала рисковать самооценкой ради мимолетного утешения. Не прыгнула в постель к мужчине, который наутро со стыда сгорит, а потом вернется в свой мир изящных бестелесных моделей. Еще бы: их вес на балансе мотороллера уж точно никак не отразится.

Вдруг Лоран посмотрел на меня так, словно в первый раз увидел. Тут я окончательно убедилась в своей правоте. Лоран хочет именно того, что я думаю: быстрого секса. Я вспомнила, что ни разу не видела его с одной и той же девушкой дважды.

— Домой идти еще рано, — сказала я, взглянув на часы. — Хотите, скину координаты тусовки Сами?

— Нет, я сегодня устал. — Лоран покачал головой.

— Я тоже, — ответила я и встала из-за стола.

Когда мы уходили, Лорана снова осыпали поцелуями и не взяли за ужин ни гроша. «Только в следующий раз приходи с отцом!» Я остановилась поболтать с Мариной.

— Как красиво у вас на террасе! — восхитилась я. — А такого вкусного ужина в жизни не ела! Спасибо огромное.

Марина ответила вежливой улыбкой. Должно быть, нечто подобное она слышит каждый вечер.

— Вы заботиться о Лоран? — вдруг спросила Марина на ломаном английском.

— Он не мой, чтобы я о нем заботилась, — возразила я, пытаясь скрыть дрожь в голосе.

Марина посмотрела мне в глаза и покачала головой:

— Между прочим, до вас он сюда девушек не водил.

Глава 19

Имейл пришел на следующее утро.

Я с трудом выбралась из кровати. К счастью, проспала десять часов, но то ли этого при таком недосыпе оказалось мало, то ли, наоборот, слишком много: ноги не держат, в голове туман.

Зато Сами бодро и весело скакал по кухне.

— Сами, что на тебе за гадость?

— Ты об этом? — Он опустил взгляд.

— Да, об этом! В такую рань я не желаю видеть ничего подобного!

На Сами были неприлично обтягивающие ярко-бирюзовые плавки. Где он откопал это уродство?

Сами гордо приосанился.

— Такая реакция у тебя из-за слишком долгого воздержания, — наставительным тоном заметил он. — Я еду на море.

На животе у Сами виднелась огромная татуировка: орел с расправленными крыльями гордо взмывает над пахом. Хорошо хоть гнезда не видно.

— Недостатка в предложениях не испытываю, — гордо соврала я.

— Если хочешь, я с тобой пересплю, — оживился Сами. — Я не привередливый.

— Спасибо, Сами. Непривередливый мужчина — это же предел мечтаний! Умеешь очаровать девушку.

— Ты во Франции, chérie. — Сами пожал плечами. — Живи как французы.

— То есть заняться сексом с омнисексуальным гигантом в слишком узких плавках? Очень по-французски!

— Французы умеют получать удовольствие от жизни, и от секса в том числе. Просто наслаждаются и не переживают из-за несовершенств своего тела.

— Спасибо за лекцию, — буркнула я.

Интересно, может ли женщина, у которой не хватает двух пальцев на ноге, наслаждаться сексом, не переживая из-за несовершенств своего тела? Вдруг кавалера от омерзения вырвет прямо на меня?

— Мой тебе совет: избавляйся от этой вашей британской зажатости. В прошлом месяце спал с английской девушкой. Или с парнем?..

— Сами, надень хоть что-нибудь. — Я закатила глаза. — У тебя же полно шмоток.

— Чтобы он наконец расслабился, пришлось истратить бешеные деньги на выпивку. Да, это точно был он. Но парень так перебрал, что вырубился в такси.

— У меня на родине то, что ты описал, считается хорошим вечером, — пробормотала я и глянула на часы.

Надо поторопиться.

На столе дешевый заводной ноутбук Сами. Если повезет, иногда с его помощью можно подключиться к Wi-Fi соседа с оригинальным названием сети

«Франсуагитара». Зашла в электронную почту — и вот оно, письмо от Клэр. Не знала, что она пользуется компьютером. Письма на бумаге больше в ее стиле.

Дорогая Анна!
Надеюсь, это письмо застанет тебя в добром здравии.

Приятно, что даже в Интернете Клэр не изменяет себе.

Я приняла решение: очень хочу снова посетить Париж. От всей души надеюсь, что Тьерри лучше. Встречаться с ним не планирую, но, пока я еще в состоянии, с радостью посещу мой любимый остров Сите. Наверняка он сильно изменился, но то же самое могу сказать о себе, да и вообще обо всем. Alors, может быть, даже отведаю шоколада. Буду очень благодарна, если поможешь мне организовать эту поездку. Пожалуйста, не тревожь Тьерри новостью о моем прибытии: уверена, ему это нисколько не интересно.
Кстати, ко мне в гости заходили твои родители.
Очень любезно с их стороны нанести мне визит. Твоя мама просила не говорить тебе, но она очень за тебя переживает и волнуется, освоилась ли ты в Париже. Я ответила, что, по моим наблюдениям, осваиваешься ты прекрасно.
С наилучшими пожеланиями, целую, Клэр.

Я ошеломленно уставилась на экран.

— Хорошие новости? — спросил Сами. — Приезжает бойфренд из Англии и обещает нахлобучить тебя по полной программе?

Чуть не испепелила этого пошляка взглядом.

Хорошие это новости или плохие, пока не ясно, но предчувствие подсказывает: куча дополнительных хлопот мне обеспечена. И почему Клэр велела не рассказывать о ее приезде Тьерри? Зачем скрывать от человека то, что ему в любом случае неинтересно? Нет, что-то здесь нечисто. Наверное, все-таки надо сказать Тьерри. Как раз собираюсь его проведать.

Как я могла столько лет считать Клэр скучной училкой?

Пес, по кличке Нельсон Эдди, бросил на меня самоуверенный взгляд и гордо промаршировал по улице Шануанс. Начинался еще один прекрасный погожий денек. Над головой в просветах между домами виднелось переливавшееся розовым и голубым рассветное небо. Я надела самый легкий из своих сарафанов и сразу заметила, что теперь он сидит намного лучше. Если не считать вчерашнего ризотто, полноценно я не ела неделями. Надо запатентовать новую диету: только пробуешь весь день маленькие кусочки шоколада и больше ничего в рот не берешь. Думаю, мой способ будет иметь успех. Кейт как-то сидела на перце и кленовом сиропе, но во время коктейльного марафона в «Вендерспунсе» упала и вырубилась, треснувшись о барную стойку. После этого случая Кейт от диеты отказалась. Вдруг меня накрыло чувство вины: совсем не ем фруктов и овощей! Решила зайти на рынок и выбрать одну из свежих медовых дынь. Торговцы предлагают на пробу восхитительно холодные, как лед, кусочки, и они просто великолепны. Сделать бы дынный шоколад! Надо у Лорана спросить. Но стоило подумать о нем, как меня сразу передернуло: вспомнила вчерашний неловкий ужин. Впрочем, Лоран сам виноват: конечно, его отец болеет, но это не повод утешаться, заманивая первую подвернувшуюся девушку в постель для необременительного секса.

Но с другой стороны, слова Сами тоже задели меня за живое. В Париже все получают от жизни удовольствие. Разве воспользоваться подвернувшимся шансом так плохо? Допила бы домашнее красное вино, позволила бы Лорану слизать с моих пальцев жир от ризотто, поехала бы к нему домой и на мотороллере всю дорогу прижималась бы к его спине, а потом...

Как всегда, в мечты без спросу вклинилась вот такая картина: вдруг Лоран замечает мою изуродованную ногу и с глубоким отвращением вскрикивает: «О боже, что это за мерзость?!»

— Bonjour, bonjour!

И Фредерик, и Бенуа сегодня встретили меня очень приветливо.

— Как думаешь, сумеешь повторить успех? — спросил Фредерик.

— Пока остановлюсь на апельсиновом шоколаде, — сказала я и перечислила все, что мне вчера посоветовал Лоран.

Фредерик кивал с серьезным видом.

— Вот только покупателям быстро надоест один и тот же сорт, — заметил он.

Мог бы и не говорить: у самой уже на апельсины глаза не смотрят. Но я добросовестно взялась за дело. Теперь смешивала шоколад помедленнее, добавила черный перец и положила поменьше сливочного масла. Результат приятно порадовал. Конечно, ни один истинный знаток не примет подделку за оригинал, но и уничижительных взглядов можно не бояться.

Время шло, а Элис все не появлялась. Интересно, что означает ее отсутствие? Скорее всего, новости, вот только какие: хорошие или плохие?

В обеденный перерыв я объявила, что иду в больницу.

— Возьмешь с собой шоколад? — спросил Фредерик.

Я пожала плечами: и впрямь была такая мысль.

— Никто не спорит, как профессионал ты сильно выросла. — Фредерик взял меня за руку. — Но потрясения Тьерри сейчас ни к чему. Еще выйдет на работу раньше времени!

— Думаешь, он придет в ужас от одного запаха, вскочит и понесется в лавку? — обиделась я.

— Не будем рисковать. Узнаешь что-то новое, звони. А я не могу... С тех пор как потерял отца, не выношу больницы.

— Хорошо, — тихо произнесла я.

В идеале хотелось бы избежать встречи и с Лораном, и с Элис. Невероятно, но факт: этим утром мне повезло. Огромное белое здание больницы за Пляс Жан-Поль II молчаливо высится передо мной и сияет на солнце. Подойдя к стойке регистратора, я тихо назвала имя Тьерри. После долгих блужданий по бесконечным коридорам наконец очутилась перед дверью с белой табличкой, на которой маркером небрежно написана фамилия Жирар. Я огляделась по сторонам — никого. Постучала. Не дождавшись ответа, осторожно приоткрыла дверь.

Из отделения интенсивной терапии Тьерри явно перевели. Конечно, эта палата тоже для тяжелобольных, но сразу видно: здесь все не так страшно. По-прежнему пищит кардиомонитор, но кислородной маски больше нет. Тьерри лежит неподвижно: должно быть, спит. Жалюзи подняты. С восьмого этажа открывается потрясающий вид на залитый солнцем летний Париж, но в палате благодаря кондиционеру царит прохлада.

Я повернулась к окну спиной, чтобы свет не бил по глазам. Фигура на кровати шевельнулась.

— Клэр?..

Я едва не подпрыгнула от неожиданности.

— Здравствуйте, — тихо произнесла я по-английски.

Теперь самой стыдно, что испугалась. Часто моргая, чтобы перед глазами после яркого солнца перестали плясать цветные точки, шагнула к больному:

— Тьерри?

— Клэр, ты приехала? — Он растерянно глядел на меня.

— Тьерри, я не Клэр, я Анна. Помните меня?

Я подошла ближе. Вид у Тьерри все такой же растерянный. Он заметно похудел. Всего за пять дней, проведенных в больнице, сильно сбросил вес.

Я погладила Тьерри по руке. Он кивнул в сторону бутылки на прикроватном столике. Налила ему воды, села рядом и поднесла стакан к губам больного. Допив, Тьерри несколько раз медленно моргнул и, похоже, окончательно пришел в себя.

— Как самочувствие? — спросила я. — Может, кого-нибудь позвать?

Тьерри молча глядел на меня.

— Я вас принял за Клэр, — наконец произнес он.

— Я так и поняла.

— Вы Анна, — после паузы продолжил Тьерри. — Работаете у меня в магазине.

Услышав от него связную речь, я испытала огромное облегчение. А я уж испугалась: вдруг у него был инсульт?

— Да, все правильно!

— Как дела в шоколадной лавке? — Тьерри нахмурился.

— Не волнуйтесь, все нормально, — дипломатично ответила я. — Мне надо вам кое-что сказать. Я разговаривала с Клэр.

Теперь, когда Тьерри похудел, сходство между ним и Лораном усилилось. Темные глаза Тьерри кажутся больше, а из-за длинных ресниц взгляд у него, как у беспомощного, пусть и очень большого, щенка.

— И?.. — поторопил Тьерри.

— Она хочет приехать в Париж.

Вдруг губы Тьерри растянулись в широкой улыбке. Я заметила, что они все растрескались, и налила ему еще воды.

— Клэр приезжает?

— Что же такое между вами произошло? — не утерпела я.

Вспомнился и гнев Лорана, и отрицание Элис своих английских корней, и загадочное молчание Клэр.

Тьерри с трудом приподнялся на взбитых белых подушках.

— Осторожнее, — взмолилась я.

— Стараюсь, — ответил он. — Но мне уже гораздо лучше. Знаете, что сегодня сказала врач? Она заявила, что я должен встать и пройтись! Слыхали вы что-нибудь подобное? Встать и пройтись!

— Вы же любите гулять.

— Я люблю ходить в кафе или пойти выпить аперитив. Люблю гулять с друзьями, спорить и обсуждать проблемы мирового масштаба. Люблю переходить через мосты, прохаживаться по дорожкам парка, в субботу утром совершать моцион на Елисейских Полях, смотреть на красивых дам с собачками... А шататься по больничным коридорам в рубашке, из-под которой все видно, — нет уж, увольте!

— Прекрасно вас понимаю. — Я сочувственно покивала. — У самой были те же проблемы.

— Серьезно? — Тьерри с интересом поглядел на меня.

Я кивнула и, несмотря на всю странность и неловкость ситуации, сняла туфлю. Тьерри озадаченно прищурился. Пригляделся повнимательнее.

— У вас только... un, deux, trois[1].

— Да, — подтвердила я. — Раз, два, три — и все. Меня тоже заставляли много ходить.

— Что с вами случилось?

— Да так, мелочи жизни. Бывает.

Тьерри такой ответ удовлетворил.

— Да. — Он кивнул. — Бывает.

— Точно.

— Но вы все преодолели.

Я задумалась.

— Почти, — наконец ответила я. — После такого прежней я уже не буду, но по большей части справилась.

— Просто надо идти вперед. — Тьерри снова кивнул.

— Вот именно: идти вперед.

— Я ведь уже сбросил семь килограммов. — Тьерри вздохнул.

[1] Один, два, три (фр.).

— Это хорошо, — кивнула я.

— Очень кстати. — Тьерри улыбнулся. — К приезду Клэр я должен выглядеть прилично.

— Расскажите, что вас с ней связывает, — попросила я.

Но в этот момент дверь распахнулась и в палату влетела Элис с крошечной чашечкой кофе и журналом «Пари матч». Одета она была в стильный темно-синий жакет и очень облегающие белые брюки. На шее — красный шарф с узором. Можно подумать, будто она участвует в конкурсе на самую «французскую» француженку.

Заметив у кровати меня, Элис сразу притормозила. «Да расслабься! — захотелось сказать мне (по-английски). — Нет, я не пытаюсь увести твоего страдающего жутким ожирением шестидесятилетнего гражданского мужа, вдобавок прямо в больнице, когда он еще не оправился после тяжелого сердечного приступа».

— А-а, это вы, Анна, — произнесла Элис с интонацией, с какой обычно говорят: «Фу, вляпалась в собачью какашку!» (кстати, в Париже подобные неприятности происходят нередко).

— Здравствуйте, Элис, — поздоровалась я. — Вот зашла проведать Тьерри.

— Зачем?

Что бы ответить? Главное — не выдать Клэр.

— Фредерик и Бенуа хотят знать, как дела у Тьерри, — нашлась я. — Фредерик боится больниц.

Элис усмехнулась:

— Передайте, что Тьерри поправляется. Как продажи? Надеюсь, шоколадная лавка не теряет покупателей.

— Дайте попробовать, что вы продаете, — потребовал Тьерри.

— Лучше не надо, — возразила я. — Вам нельзя шоколад, вы на диете.

Все-таки я немного побаивалась: вдруг Тьерри попробует мое произведение, отшвырнет одеяло и кинется в шоколадную лавку исправлять то, что я натворила?

Повисла пауза. И Тьерри, и Элис молча глядели на меня.

— Ну, я пойду, — смущенно пробормотала я.

— Идите, — мимоходом бросила Элис и засуетилась у кровати.

Тьерри бросил на меня наигранно умоляющий взгляд. Так я и думала: в присутствии Элис лучше грязно выругаться, чем произнести имя Клэр.

Я взяла сумку и направилась к двери. Но не успела сделать и пары шагов, как Тьерри спросил:

— От Лорана ничего не слышно?

— Нет, — коротко ответила Элис.

Я застыла как вкопанная. Неужели Тьерри не знает, что Лоран несколько ночей провел у его постели? Не спал, почти не ел? Помог нам в ущерб своей работе? Если нет, то Тьерри должен все это знать.

— Конечно же, он к вам приходил, — сообщила я, перед тем как покинуть палату.

Элис едва не испепелила меня взглядом.

— Oui? — Тьерри резко подался вперед.

— Анна, можно вас на два слова? — спросила Элис по-английски и последовала за мной в коридор.

— У вас что, совсем сострадания нет? — накинулась она на меня. — Как вы смеете вмешиваться в наши семейные дела? С тех пор как Тьерри очнулся, Лоран в больницу не приходит. Бог знает, появится ли он снова. Давать больному человеку ложную надежду — это жестоко. Лучше вообще не заострять на этом вопросе внимания. Да и общаться им ни к чему, иначе опять поссорятся.

Ну почему Тьерри не дают видеться с людьми, которых он любит?

— Скажу Лорану, чтобы навестил отца, — с вызовом проговорила я.

— Говорите что угодно, он все равно не придет, — парировала Элис. — Мой вам совет: хотите сохранить работу — не суйте нос в наши дела. Это не угроза, а дружеская рекомендация.

Дружеская рекомендация? От Элис? Смешно!

— Я пойду, — буркнула я.

— Спасибо, — ответила Элис. — Скажу Тьерри, что вы напутали. Спасибо, что навестили его, но думаю, в дальнейших визитах нет необходимости.

Элис развернулась и захлопнула дверь перед моим носом. Окидывая взглядом длинный коридор, я уже не в первый раз задумалась: что, если в свои тридцать я так и не повзрослела? Есть на свете взрослые люди, они совершают взрослые поступки и принимают взрослые решения, а я в их делах ничегошеньки не смыслю, потому что мала еще. Как же меня это бесит!

По средам шоколадная лавка закрывается раньше. С облегчением я отправилась домой. В кои-то веки в квартире никого. Даже непривычно. Скоро премьера «Богемы», и я обещала Сами, что пойду, хотя с оперой особо не дружу. Для меня это все слишком помпезно. Предпочитаю группу «Coldplay».

Напевая, я поднималась по лестнице. Пожалуй, немножко вздремну, а потом зайду в Интернет: надо составить маршрут для Клэр. По пути из больницы в шоколадную лавку позвонила ей. Договорились, что я приеду за ней в Англию и отвезу в Париж. Ну почему ей вздумалось обязательно плыть на пароме? Ехать на поезде из Лондона гораздо удобнее, чем тащиться в Довер. Ну ничего, что-нибудь придумаем.

— Мама, это же неправильно. Просто безответственно, и все.

Клэр снова уставилась в окно. Медсестра только что поменяла повязку и дала пациентке легкое успокоительное, поэтому все доходило до Клэр будто сквозь пелену. Вот она разговаривает с Рики. «Какой же он у меня красавец!» — пронеслось в голове. Удивительно, что у них с Ричардом получились красивые дети — при таких-то генах!

— Я отпуск взять не могу, Йен тоже. Но проблема даже не в этом! Такое путешествие... Может, отложишь до следующего года? Поезжай годика через полтора, договорились? Выздоровеешь, окрепнешь. А плыть на пароме через Ла-Манш в твоем состоянии — это же просто безумие! Да тебе страховку никто не оформит!

Рики работает в страховой компании. Ричард этим очень гордится — в отличие от Клэр. Несмотря на то что Рики блестяще сдал выпускные экзамены, поступил в престижный университет, женился на прекрасной девушке — короче говоря, является образцом идеального сына, — Клэр в глубине души немножко стесняется его работы. Она любит сыновей так, что сильнее невозможно, и все-таки... Ну почему они так похожи на отца? Клэр, пожалуй, была бы рада иметь упрямую, энергичную дочь, у которой что ни день, то новый безумный грандиозный проект. Они бы ругались, спорили, искали точки соприкосновения... А как хорошо было бы, окажись один из ее сыновей этаким гением, полным энтузиазма и вдохновения, но с причудами: отдавал бы все свои силы работе в ЦЕРН, или придумывал всякие навороченные приложения, или играл бы в группе и исчезал на несколько месяцев подряд.

Второй сын Клэр — адвокат, и очень хороший. Короче говоря, оба респектабельные, добропорядочные столпы общества. Жаль, что преподобный так мало интересовался внуками: он бы ими гордился. И тот и другой чрезвычайно здравомыслящие и благоразумные.

Клэр поглядела на Рики. Все, что он говорил, долетало будто издалека.

— Ты же проходишь курс лечения. Нет, ты ведешь себя безответственно: и по отношению к себе, и по отношению к нам. Ты должна понимать: у тебя не хватит сил на такую дальнюю дорогу.

— У меня сейчас ни на что сил не хватает, — ответила Клэр.

— Мама, не говори так. Тебе всего пятьдесят семь.

— При чем тут возраст? У меня рак в трех местах! Так что нечего сравнивать меня с моими ровесниками, которых показывают по телевизору! Ну не по силам мне подняться на гору или пробежать марафон!

Клэр не хотела огрызаться на сына. Ей самой резанул ухо собственный тон. Но Клэр уже целый год — да что там год, бо́льшую часть жизни! — делала то, чего хотели от нее другие. Кротко следовала по пути, который ей указали. Была хорошей, послушной девочкой. И к чему привела эта покорность? Вот Клэр целыми днями торчит в кресле у окна, дети на нее злы, а еще она разбила сердце доброго, порядочного человека.

— Я так хочу.

Клэр старалась говорить поразборчивее, чтобы Рики не подумал, будто безумная идея взбрела ей в голову под воздействием лекарств. Но она и сама чувствовала, что говорит как пьяная, притворяющаяся трезвой.

— Моя подруга Анна мне поможет.

— Это та, у которой пальцы на ноге ампутировали? Про нее в газете писали, — сказал Рики. — Между прочим, могла бы стрясти с фабрики намного больше. С ума сошла — упускать такой случай! Надо было в суд подавать.

— Наверное, просто хотела поскорее забыть про всю эту историю, — заметила Клэр. — Впрочем, сейчас речь о другом. Не волнуйся, тебе ничего делать не придется. Мы сами все устроим.

— По-твоему, мне просто лень организовывать твою поездку? — произнес Рики. Вдруг его лицо стало белым как простыня. — Я боюсь, мама. Боюсь, что тебе станет хуже.

«Они не понимают», — подумала Клэр. Где уж им понять? Молодые мужчины с крепким здоровьем, женами и маленькими детьми! У них голова забита совсем другими проблемами: новая машина, ипотека, куда поехать в отпуск в этом году, а куда в следующем. Все умирают, но когда приговор вынесен и записан на бумаге — это совсем другое дело. Сколько бы сыновья ни твердили, что надо попробовать новые методы лечения или провести очередной курс химиотерапии, и еще один, и еще — и Клэр будет как новенькая, она с самого начала знает: песка в ее песочных часах осталось совсем чуть-чуть. Скоро придет ее время, и если Клэр хочет успеть что-то сделать, то должна поторопиться. Сыновья боятся, что потеряют ее, и они ее действительно теряют, просто пока отказываются себе в этом признаться. Но сама Клэр все понимает.

Ей нужно успеть только одно: поехать в Париж.

Рики посмотрел на мать. Она ответила ему твердым, непреклонным взглядом.

— Я папе скажу, — произнес он, будто разговаривал не с ней, а с Йеном и им обоим девять и семь лет соответственно.

Клэр пожала плечами:

— Говори, только он на меня никак не повлияет.

Они с Ричардом всегда общаются вежливо. Клэр такая отстраненная манера дается легче, чем ему. Ей очень понравилась новая жена Ричарда, Энн-Мари, и ее дочь. А Энн-Мари испытала огромное облегчение, убедившись, что Клэр — не озлобленная бывшая из тех, что звонят мужу каждые пять минут и настраивают детей против новой супруги отца. Поэтому Энн-Мари всегда была очень приветлива с женой номер один и даже присылала ей в больницу журналы про звезд мыльных опер, о которых Клэр слыхом не слыхивала. Впрочем, в самые тяжелые моменты Клэр нравилось рассматривать яркие фотографии актрис в вычурных платьях и погружаться в мир, где похудение или набор веса означают расставание или новый роман, а не химию или стероиды.

— Тогда позвоню этой особе и поговорю с ней.

Клэр ответила ироничной улыбкой. Заставить Анну делать то, чего она не хочет, — трудная задача даже при самых благоприятных обстоятельствах.

— Дело твое.

Я решила, что для начала позвоню. Наверняка у них есть специальная служба, которая нам поможет. Я вышла с телефоном на балкон. Компьютерный голос без малейших признаков интонации рассказал, как важен мой звонок для «Южной железнодорожной компании», и попросил подождать. В ответ я заявила, что, будь мой звонок и впрямь так важен, трубку снимал бы человек. Потом сообразила, что болтаю с автоответчиком. Задумалась, слушает ли кто-нибудь эти разговоры. Пришла к выводу, что, скорее всего, нет. Потом рассердилась, потеряла терпение и решила набрать им попозже. Но вовремя вспомнила про Клэр. Когда мы в последний раз виделись, она выглядела такой худой, такой слабой. А Тьерри? Стоило мне упомянуть ее имя, и его лицо сразу расцвело в улыбке. Как странно. Я пока таких чувств ни к кому не испытывала. Дарр, конечно, парень неплохой, но... Вряд ли кто-то способен с восторгом предвкушать встречу с ним, разве что этому человеку срочно надо положить неровный слой штукатурки. Я вздохнула и продолжила ждать.

— Ваш звонок очень важен для нас.

«Удивительно, какие мелочи порой становятся для нас важными», — философствовала я, глядя на улицу.

Люди уже спешат в бары ради раннего аперитива. К покосившемуся столику у входа в заведение напротив вынесли маленькие бокалы «Перно». Еще я заметила на подносе банку оливок и тарелку жареного мяса. Значит, гости постоянные. Мужчина и женщина средних лет поглощены оживленным разговором. Интересно, о чем они беседуют? «Как же это прекрасно, — подумала я, — прожить вместе столько лет и до сих пор не исчерпать темы для разговоров!» Впрочем, глядя на моих папу и маму, можно подумать то же самое, а между тем у них постоянно идет битва не на жизнь, а на смерть из-за каждого пустяка: например, брать папе с собой на рыбалку плащ или нет. Но за границей те же самые вещи выглядят экзотично и интригующе. Хотя вблизи этот эффект наверняка пропадает.

— Пожалуйста, не вешайте трубку.

Огромные колокола Нотр-Дама пробили три. Я подумала о Лоране. Он, наверное, сейчас в «Притцере»: обрабатывает шоколад специальным средством, чтобы он не побелел и продержался до самого позднего вечернего кофе в зимнем саду отеля. На каждом идеально ровном квадратике напечатана эмблема «Притцера». Интересно, постояльцы отдают себе отчет, сколько труда и души вложено в шоколадки на подушках у них в номерах? Французы, наверное, отдают.

Вдруг мной овладело беспокойство, да такое, что я с трудом усидела на месте. Знаю, что бы посоветовал Сами: побалуй себя сексом, и все пройдет. Но меня не интересует банальный перепих. В этом большом, красивом и пугающем городе я хочу найти то же, что и Тьерри, и Клэр, и все остальные — может быть, даже Элис. Я хочу влюбиться.

— Здравствуй, деточка. Извини, что так долго.

Голос женский, с северным акцентом. Неформальная, прямо-таки материнская манера общения сразу притушила мой гнев. Похоже, сотрудница искренне сожалеет, что у них в компании такая неудобная система. Да и если подумать, она ни в чем не виновата.

— Здравствуйте, — ответила я. — Не могли бы вы мне помочь?

Я объяснила ситуацию под аккомпанемент «а-а» и «мм» на другом конце провода.

— Придется ей пересаживаться на другой поезд в Крю или в Лондоне, — наконец произнесла собеседница.

— Наверное, лучше в Крю, как вы считаете?

— Только вот какое дело. Мы за больных пассажиров ответственности не несем.

— Ее будут сопровождать, — с легким раздражением перебила я. — Всего лишь прошу, чтобы кто-то нас встретил и помог пересесть на второй поезд. Для нее эта поездка — серьезное испытание.

— Может, ей самолетом лететь? — осторожно предложила женщина. — В аэропортах инвалидные кресла есть и всякое такое.

— У вас железнодорожная компания! — не выдержала я. — Вы всех своих пассажиров в аэропорт отправляете?

— Не надо на меня кричать, — обиделась женщина. — Просто мы такими вещами не занимаемся. Правилами безопасности не предусмотрено.

Я фыркнула в чисто французской манере.

— Неужели ничего нельзя сделать? — решила попробовать другую тактику я. — Послушайте... Как вас зовут?

— Орельена.

Вот уж не ожидала, что такую простую, такую уютную женщину могут звать подобным образом.

— Серьезно?

— Никаких шуток. — Тон Орельены немного смягчился. — У меня отец француз.

— Красивое имя, — похвалила я.

— Спасибо.

— Ну, тогда вы меня поймете.

И я рассказала ей всю историю: и про любовь Клэр и Тьерри, и как они всю жизнь ждали этой встречи, и что сейчас они больны и у обоих единственное желание — хоть разок увидеть друг друга, а для этого надо, чтобы Клэр непременно приехала в Париж. Признаюсь, я немного увлеклась и сгустила краски. Когда я закончила вдохновенный рассказ, Орельена некоторое время молчала.

— Какая красивая история! — наконец произнесла она.

— А если вы согласитесь помочь, будет еще красивее.

Я снова оживилась: романтика мне поможет! Уж я сумею разбудить ее дремлющие французские корни.

— Об этом во всех газетах напишут, — приврала я.

— Ну не знаю, — протянула Орельена и вдруг прибавила: — Знаете, я ведь ни разу не бывала в Париже.

— Правда? — удивилась я. — Вы же наполовину француженка.

— Из французского у меня только имя. Отец бросил маму, — сообщила Орельена. — С тех пор она терпеть не может французов.

— А-а, — протянула я.

— Эту женщину, наверное, тоже бросили.

— Нет, — поспешно возразила я. — Их разлучили обстоятельства.

Орельена недоверчиво хмыкнула.

— И теперь они хотят воссоединиться.

Снова хмыканье.

— Помогите двум любящим сердцам обрести друг друга.

Повисла долгая пауза.

— И все-таки не понимаю, зачем такие сложности! На самолете гораздо проще.

В конце концов я продиктовала данные кредитной карты Клэр и забронировала нам два билета с открытой датой. Выбрала первый класс, чтобы Клэр было удобнее. К тому же тогда нам скорее помогут перейти через мост на вокзале в Крю. Но за такую цену они бы должны предоставить в наше распоряжение весь поезд. Пожалуй, насчет самолета Орельена права. Может, Клэр согласится лететь обратно? Хотя, наверное, она так далеко не загадывает. Интересно, есть ли у нее страховка? Ну конечно нет. Что ни шаг, то новое препятствие. Может, Сами прав и мне впрямь надо смотреть на вещи проще?

Как будто по сигналу у меня зазвонил телефон. Торопливо ответила:

— Алло.

— Вы где? Целый час не мог дозвониться — занято!

— А в чем дело? Что-то случилось?

— Ничего, — ответил Лоран.

Но сердце у меня все равно замерло.

———

Лоран мысленно выругался. Поначалу он не обратил особого внимания на эту англичанку, новую сотрудницу папиного магазина. Конечно, пришлось обратить, когда она набросилась на него на улице, но это совсем другое. Лорана слегка раздражало, что она так быстро подружилась с его отцом. Такое место она и занимала в его жизни, наполненной работой, ночными клубами и другими приятными развлечениями, — незначительного раздражителя.

Но вчера Лоран вынужден был нехотя признать, что эта особа произвела на него впечатление. Он ее даже зауважал. Сначала его восхитила преданность Анны шоколадной лавке. Чтобы овладеть всеми тонкостями, к высокой кухне надо приобщаться практически с детства, но Анна делала все, что в ее силах, чтобы помочь и магазину, и Тьерри.

А потом этот вчерашний ужин. Идея была спонтанной. Но когда они расположились за столиком на террасе, Лоран наконец разглядел Анну как следует. В сиянии свечей ее лицо было особенно красиво. Эти мягкие, плавные черты, большие голубые глаза... Взгляд полон доброты, но брови ярко выраженные, что говорит о сильном характере. А эти пухлые розовые губы! Из-за них Анна кажется моложе своих лет. Но пышный бюст в декольте симпатичного сарафана выглядит очень даже зрело. Анна совсем не похожа на худощавых плоскогрудых француженок, которых он обычно предпочитает. Причем дело даже не во внешности, вдруг понял Лоран. Анна не задирает нос, не поглядывает на всех вокруг свысока. Она не из тех непринужденно элегантных красавиц, к которым боязно подступиться. В Париже шик присущ даже женщинам, не отличающимся красотой. Но шик — это не про Анну. Однако эта женщина прямо-таки источает манящую сексуальность, причем именно потому, что не осознает, насколько привлекательна.

Не успел Лоран прийти к этим выводам, как Анна едва не испепелила его взглядом и заявила, что ему с ней ничего не светит. Выходит, он ей совсем не интересен.

А если что-то и способно разжечь пыл Лорана Жирара, то это женское безразличие.

Я с удивлением глянула на телефон. Вот уж не ожидала звонка от Лорана.

— Утрясала один важный вопрос, — сказала я. — Так чего вы хотели?

Лорану пришлось соображать быстро. Он понятия не имел, зачем позвонил.

— Вы навещали моего отца? — наконец выпалил он.

— Э-э... да, — промямлила я.

А может, надо было соврать? Поди разберись в семейной политике Жираров! Элис предупреждала, чтобы я не лезла в их дела. Хотя... Неужели я до такой степени боюсь Элис? Подумала и решила — да, именно до такой. Но слово не воробей.

— Значит, навещали?

— Да.

— Ну и как он?

— Садится. Разговаривает. Улыбается.

— Ест?

— Ха-ха! Пока нет, — ответила я. — Но уверена, что скоро захочет.

— Надеюсь, не слишком скоро, — сердито произнес Лоран. — Если Элис опять его распустит, я ее убью.

Повисла неловкая пауза.

— А вы разве не собираетесь его навестить?

Ждала очередного яростного «нет», но Лоран вдруг притих.

— Надо бы сходить, как вы считаете? — робко спросил он.

— Ну конечно! — воскликнула я.

— А вдруг он опять на меня накинется?

— Будьте хорошим мальчиком, терпите и слушайте, а потом поблагодарите за то, что он дал вам путевку в жизнь.

— В жизнь, которую он горячо осуждает.

— Понимаю, — язвительно отозвалась я. — Один делает вручную эксклюзивный шоколад мирового класса в магазине, а второй в отеле. Вас прямо-таки пропасть разделяет! Конфликт неразрешим!

— Англичанки все такие саркастичные?

— А французы все такие легкомысленные?

— По-вашему, я легкомысленный? — Вдруг голос Лорана зазвучал ниже.

Вдалеке сработала пожарная сигнализация. Ее вой настолько совпал с тем, что делалось у меня на сердце, что я едва не рассмеялась в голос.

Небо меняет цвет: на голубом фоне проступают розовые и сиреневые полоски. С улицы доносятся оживленные голоса молодежи. Тут и там снуют мотоциклы и велосипеды. Вечер только начинается. Люди встречаются с друзьями, болтают, смеются, ищут приключений. Под моим балконом течет разноцветная, бурная река жизни, а я сижу, как птица в гнезде, и только смотрю, как она проносится мимо.

— Нет, — тихо ответила я на вопрос Лорана.

— Если хотите, приеду и покажу, как серьезно я настроен.

Теперь его голос зазвучал ровно, уверенно. Никакого флирта, никаких намеков. В первый раз слышу, чтобы мужчина вот так брал быка за рога.

Я обернулась и заглянула в нашу крошечную квартирку. Она как будто дожидается возвращения Сами, каждый вечер в новом ярком оперении райской птицы вылетающего навстречу ночи, навстречу огням и музыке. Сами живет полной жизнью. Даже Клэр с этим ее безумным планом живет полной жизнью. А мне тридцать лет, я в самом сердце Парижа, и сногсшибательный мужчина только что сделал мне очень заманчивое предложение.

Что делать? Изображать неприступность? Кокетничать, тянуть время? Можно, конечно, и так, но тогда Лоран быстро утратит ко мне интерес. Впрочем, мне грех жаловаться: с тех пор как я приехала, каждая секунда наполнена новыми впечатлениями, новыми идеями. Раньше я и вообразить такого не могла. Я замерла в нерешительности. И тут подумала: а что я, собственно, теряю?

— Когда? — спросила я, и на этот раз в моем голосе не прозвучало даже намека на сарказм.

Я тоже настроена серьезно.

Глава 20

У Лорана еще не закончилась смена. Так у меня появилось несколько свободных часов, чтобы мерить шагами комнату, паниковать и передумывать каждые две секунды. Нет, это просто невыносимо. А может, просто сбежать, и все? Отключить телефон и уйти из дома на пару часов? Побродить по улицам, пока гроза не минует?

Но тогда Лоран подумает, что я полная идиотка. Взрослые люди так себя не ведут. И вообще, чего я боюсь?

Позвонила Кейт. Впрочем, моя подруга посоветует мне переспать с бродягой из Булонского леса: для Кейт нет плохого секса, плохо только его отсутствие. А когда я рассказала про Лорана, подруга взвизгнула от восторга.

— Делает шоколад? Потрясающе! Везет же некоторым — и сладости, и секс в одном флаконе, да еще и в Париже! Ненавижу свою жизнь. Сегодня приходила бабка и потребовала сделать ей перманент. Фиолетовый.

— Не все так просто, — возразила я.

— Вот именно! Фиолетовая краска вступила в химическую реакцию с лосьоном-перманентом, половина сошла, а бабка-то и до этого была далеко не Бейонсе.

Продолжая нервно метаться по крошечной квартирке, будто тигр в клетке, я попыталась вернуться к теме:

— Значит, думаешь, что я правильно поступаю?

— А что тебя смущает? — Тут Кейт всерьез задумалась. — Он симпатичный, но козел?

— Насколько могу судить, нет. Он... проблемный.

— А-а, — протянула Кейт. — С козлами проще: эти ребята бывают нереально хороши в постели. А проблемный того и гляди разрыдается в самый ответственный момент.

— На него это не похоже, — возразила я.

— Значит, красавчик?

— Да, — без колебаний подтвердила я. — Классическая французская внешность, только телосложение покрупнее.

— Хм, — протянула Кейт. — А нос большой?

— Еще какой!

— Отлично. Обожаю мужчин с большими носами.

Тут Кейт посерьезнела:

— Надо же тебе когда-то возвращаться в игру, Анс.

— Надо, — нехотя признала я.

— Ты же не собираешься полный целибат соблюдать?

— Наверное, нет, — буркнула я.

— Тогда дай парню шанс. Кстати, Дарр тут выспрашивал, когда ты вернешься.

— Шутишь? — удивилась я. — Быстро ему свобода надоела!

— И не говори.

Сравнение с Дарром сильно добавило Лорану привлекательности.

— Ладно, — решилась я. — Была не была.

— Вот и умница, — одобрила Кейт. — Привези и мне какого-нибудь французского красавчика. Здесь я со всеми интересными вариантами уже переспала. Официально заявляю: у нас ловить нечего.

Сами оказался еще более категоричен. Он вернулся домой, таща кофр с костюмами. Видно, решил для разнообразия побыть трудоголиком.

— Нет, это никуда не годится, — со вздохом изрек Сами.

— В смысле? — уточнила я.

Я переоделась в черную кофточку и юбку. Ансамбль получился не особо сексуальный, но в моем скромном багаже выбирать не из чего. По магазинам не пошла. Я вся на нервах. Чего доброго, схватила бы первые подвернувшиеся вещи: например, миниюбку из латекса и ботфорты.

— Выглядишь, как биржевой брокер, а должна — как обольстительница, — покачал головой Сами.

— Какая из меня обольстительница? — отмахнулась я.

— Ну не скажи. — Сами выгнул тонко выщипанные брови. — Лоран уже давненько в бар «Будда» не заглядывает.

— А тебе не приходила в голову другая причина? Например, что у него отец в больнице?

— Может, и поэтому тоже, — согласился Сами.

Он оглядел меня с ног до головы и скрылся в своей комнате.

— Обтягивающие плавки не надену! — крикнула я.

— Расслабься, — раздался оттуда его приглушенный голос.

Через пять минут Сами вернулся с охапкой одежды, щипцами для завивки и выпрямителем для волос.

— Сейчас дядюшка Сами сделает из тебя королеву, — объявил он.

— О нет! — простонала я. — Только не надо превращать меня в расфуфыренную куклу! Если раскрасишь меня, как проститутку...

— Ах, эта английская робость, — пропел Сами. — И в мыслях не было ничего подобного. Просто я хочу, чтобы ты отлично выглядела, чувствовала себя соответственно и прекрасно провела время.

— Такое впечатление, что все этого хотят, — мрачно пробормотала я. — Попробуй вам угоди!

Сами достал эффектную красную блузку в цыганском стиле.

— Это для сцены на чердаке, — пояснил он. — У тебя есть красный лифчик?

Есть, но с собой я его не взяла. Впрочем, и до этого месяцами не надевала. А жаль: лифчик красивый.

— Розовый тоже подойдет, — решил Сами. — Так даже лучше. Развратнее. А как у нас обстоят дела с волосами?

Только что я побрила ноги в ванной. Жаль, нельзя пойти в салон к Кейт, подруга по дешевке сделала бы мне восковую эпиляцию. Пока брила, заметила, что мои конечности ужасающе бледны. В Кидинсборо сбегала бы в студию автозагара, но в Париже их, кажется, нет. Во всяком случае, ни одной вывески не видела. Ну правильно — зачем француженкам автозагар? У них же безупречная оливковая кожа. Меня снова охватила паника. Что, если мои бледные ноги заставят Лорана бежать в страхе?

— Надо выпить, — сказала я Сами.

— Non, — к моему удивлению, возразил Сами. — Алкоголь притупляет ощущения. Испортишь удовольствие.

— Если не выпью для храбрости, я это удовольствие вообще не получу.

Взгляд огромных черных глаз смягчился.

— Дорогая, не усложняй, — ласково произнес Сами. — Секс — это же наслаждение и радость. Как шоколад, правда? Вовсе ни к чему чувствовать себя виноватой, расстраиваться или стыдиться. Наслаждайся, и все. Посмотри на меня. Все вокруг хотели, чтобы я стыдился себя, но у них ничего не вышло.

Я послушно взглянула на Сами. Его шею обвивает ярко-фиолетовое боа, над глазами знакомые синие тени. Раньше я не задумывалась, какая смелость нужна, чтобы ходить в таком виде по городу. До этого считала, что Сами просто малость с приветом. Но теперь я его поняла.

— Ладно, — вздохнула я.

Сами надел на меня красную блузку. Она идеально подошла к укороченным джинсам. Получилось и симпатично, и не чересчур нарядно (в такой одежде и на мотороллер сесть можно). Наряд смотрится свежо и непринужденно.

— Сюда бы еще шарф, но...

Сами состроил гримасу.

— Я же не политик, — возразила я.

— Верно, — признал Сами. — Англичанки не умеют носить шарфы. Кроме королевы. Она великолепна.

Сами достал большой, покрытый разводами разных цветов ящик с косметикой, усадил меня и взялся за работу. В процессе нанесения макияжа Сами каждые несколько секунд выскакивал на балкон, чтобы докурить сигарету, которую оставил дымиться на столике.

— Из-за тебя дымом провоняю, — пожаловалась я.

— Для француза нет ничего сексуальнее, чем запах сигарет, — улыбнулся Сами.

Наконец я была готова, и Сами позволил мне посмотреться в зеркало. Я улыбнулась, приятно удивленная. Каким-то чудом Сами превратил мои буйные кудри в гладкие локоны и скрепил крупной старинной серебряной заколкой. В результате вместо привычного одуванчика на голове получился элегантный стиль двадцатых годов. Макияж Сами сделал простой, только накрасил губы помадой точно такого же оттенка красного, что и блузка.

— С помадой ты перестарался, — укоризненно произнесла я.

— Ничего подобного. К тому же он быстро сотрет ее с твоих губ поцелуем, — рассеянно произнес Сами.

Я встала.

— Теперь туфли, — объявил Сами. — Понятия не имею, почему ты все время ходишь в одних и тех же.

Я промолчала.

— Что еще у тебя есть?

— Кеды.

— Хм. Продолжай.

— Балетки.

— Показывай.

Я представила балетки на суд мастера. Эта пара туфелек — одна из самых красивых моих вещей. Купила перед несчастным случаем. Синие, на плоской подошве, с бантиками из бледно-голубой ленты и полосатой подкладкой. Обычно в Кидинсборо таких изящных вещиц днем с огнем не найдешь. Там все круглосуточно расхаживают или на каблуках, или в кроссовках. Я даже не представляла, куда буду их носить. Ни для клуба, ни для паба не годятся. Слишком нарядные, быстро истреплются. Вдобавок, если приду без каблуков, все будут разговаривать поверх моей головы. А по улице в таких балетках и вовсе ходить противопоказано: первый же дождь их погубит. На работу такие не наденешь, на музыкальный фестиваль тоже.

Но они такие красивые, такие особенные... Перед тем как убрать балетки в коробку, продавщица положила их в тканевый мешочек, завернула в полосатую оберточную бумагу, заклеила сверток красивой наклейкой со старинной эмблемой. Я принесла балетки домой, убрала в свой старый шкаф из MFI и стала мечтать о вечеринке в саду, на которую меня когда-нибудь пригласят.

А потом моим фантазиям положил конец инцидент на фабрике. Так ни разу их и не надела. Балетки недостаточно защищают ногу и вдобавок могут попросту соскользнуть.

Сами внимательно их оглядел.

— Да. То, что надо, — изрек он. — Очень милые. Будешь выглядеть как старлетка пятидесятых на Круазетт.

Я закатила глаза:

— Пойду надену.

— А почему здесь не можешь? — удивился Сами.

Тут мне пришло в голову, что надо привыкать показывать мужчинам мою ногу. Со вздохом села и сняла туфлю.

Сначала Сами ничего не сказал, но потом глаза у него стали размером с блюдца.

— Ух!.. — выдохнул он.

— Точнее и не скажешь, — вздохнула я.

Привыкну ли я когда-нибудь к этой ровной диагональной линии на том месте, где раньше были два пальца? Смогу ли спокойно смотреть на синевато-багровые шрамы?

— Согласна: жуткое уродство.

— Дорогая, — произнес Сами, гладя меня по плечу. — Девочка моя.

— Лорана от одного взгляда вырвет.

— Глупости. Он твою ногу едва заметит, — утешил Сами, но тут бросил на мою ступню обеспокоенный взгляд. — Главное, чтобы не оказался фетишистом. Если его фетиш — ступни, дело дрянь. А вот если ампутация, тебе повезло. Ой, дорогая, не плачь.

Но я не смогла удержаться. Уже полдня вся на нервах и на эмоциях, а этот разговор стал последней каплей.

— Прекрати, иначе твой незаметный макияж потечет и превратится в заметный! — велел Сами.

Но по моим щекам неудержимо катились слезы. Я не из тех женщин, которые красиво плачут.

— Ладно, сейчас сделаю тебе мартини, — пообещал Сами. — Только маленький.

Его «маленьким» мартини можно наполнить бассейн, но я все равно была благодарна. Мы сидели на балконе, любовались темнеющим небом (я — с нарастающим трепетом). Сами сочувственно выслушал всю историю, качая головой в нужных местах.

— Нет худа без добра, — наконец заметил он. — Зато в Париж приехала.

— По-твоему, ради этого стоило потерять два пальца? — Я покачала головой.

— Я потерял всю семью, — произнес Сами, задумчиво помолчав.

— Они бы тобой гордились, — искренне заверила я.

Сами невесело рассмеялся:

— Они бы гордились успешным бухгалтером в Алжире. Несколько жен, куча детей, собственный дом. А у меня все наоборот, hé?

— Зато я тобой горжусь, — объявила я, чокаясь с ним бокалом.

— Еще бы: сама даже в постель с мужчиной лечь боишься, — поддел Сами.

Но эта была всего лишь добродушная шутка.

Сами тоже со мной чокнулся, и тут громко позвонили в дверь.

— О нет! — крикнула я, вскочила и выплеснула на себя остатки мартини. Отлично, теперь от меня будет пахнуть так, будто весь день просидела в баре.

— Обуться не забудь! — крикнул Сами.

— Да-да, — ответила я и схватила сумку. Интересно, если я суну туда свежие трусы и зубную щетку, о чем это будет говорить: о практичности или о распущенности? На всякий случай спрятала и то и другое в отделение за молнией.

— J'arrive! — крикнула я в домофон, потом поспешила к двери.

Но обернулась на пороге. Сами стоял в балконном проеме, допивал мартини и окидывал свои парижские владения таким взглядом, будто решал, на какой округ нацелиться сегодня.

— Спасибо! — сказала я.

— De rien[1], — ответил он с широкой улыбкой. — Иди и получай удовольствие, а то познакомлю тебя с одним любителем ампутаций.

— Уже ушла! — заторопилась я.

Я не столько увидела, сколько почувствовала, как дверь на втором этаже на секунду приоткрылась. В этой квартире живет та самая старушка, которая разозлилась, когда я по ошибке позвонила к ней. Такое чувство, что она никогда не выходит из дома.

— Bonsoir, — набравшись смелости, поздоровалась я.

Но старушка не ответила. Дверь бесшумно закрылась, и на площадке снова стало темно. Отчего-то сделалось не по себе. Стараясь избавиться от этого чувства, я поспешила на улицу.

Лоран стоял возле дома в простой, но дорогой на вид поношенной желтой рубашке и джинсах. Заметив меня, не улыбнулся. Вместо этого окинул оценивающим взглядом, будто в первый раз видел. Только бы не покраснеть!

— Прекрасно выглядите, — произнес Лоран.

— Спасибо.

Ну почему он не волнуется так же, как я? Лоран — прямо-таки образец олимпийского спокойствия.

— Может, поедим где-нибудь?

---

[1] Не за что (*фр.*).

Нет, есть мне совсем не хотелось. Вот выпить — другое дело, но с Лораном такой номер не пройдет. Это же не Дэйв Хемпсон, которому я делала минет в «форде-сиерра» его мамы.

Я молча покачала головой.

— Тогда давайте прогуляемся. Целый день простоял у плиты, согнувшись в три погибели.

Зря я беспокоилась, что потеряю балетки. Они совсем легкие, но на ноге сидят как влитые, даже на левой — той, что без двух пальцев. Такое ощущение, будто в них не ходишь, а паришь. Мы пересекли Понт-Неф и направились к Лувру. Пока шли, загорелись старинные фонари из кованого железа. Они включались у нас над головами один за другим: хлоп, хлоп, хлоп. Длинные цепочки световых гирлянд вдоль берегов Сены тоже ожили и засияли в темноте.

— Люблю это время, — произнес Лоран. — Рабочий день закончился, туристы и гуляющие разошлись.

И в самом деле. За смогом от выхлопных газов, ароматом цветов в подвесных корзинах и запахом чеснока, шипящего на сковородках бесчисленных ресторанных кухонь, таится манящий, волнующий аромат приключений. Ночная жизнь только начинается. Заболтавшись с Лораном о еде, ресторанах и всяких пустяках, я вдруг споткнулась и чуть не упала. Лоран машинально подставил локоть, и я за него ухватилась. Мы прошли под высокой каменной аркой, и я, не удержавшись, ахнула. Конечно, я знала, где мы. Видела это место во многих фильмах, но ни разу здесь не бывала. Мы вышли на площадь Лувра. Вот огромная стеклянная пирамида, а чуть в стороне — вторая такая же. Обе подсвечены белым и серебристым. Кажется, будто это сверкающие космические корабли, каким-то образом угодившие в восемнадцатый век.

— Красиво, правда? — спросил Лоран.

Музей, конечно, давно закрыт, и народу на площади мало. Лишь несколько туристов фотографируют фонтаны и здание музея. Такое чувство, будто все обширное пространство площади принадлежит только нам. А на небе между тем начали зажигаться звезды.

— Видишь все это великолепие, и гордость переполняет, — продолжил Лоран.

— Ну, вы вообще человек гордый, — поддразнила я.

— Да нет. — Лоран пожал плечами.

— Тогда какой?

— Преданный делу. Если работать, то как следует. Да, я горжусь тем, что делаю. Хочу добиться только лучших результатов, посредственные меня не устраивают. Иначе какой смысл вообще браться за работу? Понимаете, о чем я?

Я кивнула.

— У вас тоже так?

Я задумалась. Со времен своего приезда я отчасти поняла это французское стремление к совершенству. «И так сойдет» — не их принцип. Но еще я увидела, какова цена перфекционизма: отец и сын не разговаривают, Тьерри довел себя до сердечного приступа, Элис в постоянном напряжении, будто натянутая струна.

— Я просто хочу быть счастливой, — тихо ответила я.

Звучит не слишком амбициозно, но это правда. Лоран искоса взглянул на меня:

— Ну и как, вы счастливы?

Я посмотрела на него в ответ. И правда — счастлива ли я? Потом окинула взглядом потрясающий вид вокруг. Раскинув руки, подошла к пирамиде.

— Как можно не быть счастливой в Париже?

— Осторожно! — вдруг прокричал Лоран. — Сигнализация сработает! Подумают, что вы хотите украсть «Мону Лизу»!

— Правда? — испугалась я и отскочила от пирамиды, будто обжегшись.

— Вообще-то, нет. Просто вы очень смешно пугаетесь.

Я повернулась к Лорану.

— Выпучиваете глаза, и рот у вас похож на большую букву «О», — продолжил он. — Выглядит мило, и...

А потом Лоран будто забыл, о чем говорил. Стремительно преодолел расстояние в несколько шагов, разделявшее нас, сгреб меня в объятия и жадно поцеловал прямо под огнями подсветки. По нам мельком скользнул луч фонаря проходившего мимо охранника. А потом губы Лорана и его рука на моей шее заставили меня забыть обо всем.

Клэр размышляла, что взять с собой. Конечно, сейчас лето, но она теперь постоянно мерзнет. Ей холодно всегда. Она как маленький ребенок, который не выходит из дома без любимого одеяльца.

Ричард и Йен матери не помогут: все еще дуются. Монтсеррат тоже от ее плана не в восторге. Анна прислала Клэр расписание поездов, но не написала, когда за ней приедет. Клэр понимает: у Анны много работы. Она и так ее слишком обременила. Клэр чувствовала себя вздорной, эгоистичной старухой, но отступать не собиралась.

Она осторожно поднялась по лестнице и открыла дверь кладовой. Уже поздно, но Клэр не спится. Почему-то она теперь не может уснуть в то время, когда полагается спать. Днем Клэр только и делает, что дремлет, зато ночи тянутся нескончаемо. Клэр приняла обезболивающее. Обычно эти таблетки мигом валят с ног, но сегодня Клэр никак не может успокоиться. Давненько она не была такой подвижной. Наверное, сил и энергии ей придает мысль о предстоящем путешествии. Радостное волнение толкает ее вперед. Сегодня в доме Клэр никто не ночует. Когда она проходила курс химиотерапии, кто-нибудь обязательно оставался с ней на ночь. А сегодня Клэр никто не помешает. Вообще-то, она должна отдыхать и набираться сил перед новой операцией, а вместо этого собирается в заграничную поездку. При одной мысли Клэр затрепетала в радостном предвкушении.

Болезнь ужасно старит. Мать Пэтси старше Клэр: ей целых шестьдесят два года. Она сделала ботокс, отбелила зубы, занимается аквааэробикой и присматривает за детьми два дня в неделю, пока Пэтси на работе: она менеджер в отделе кадров Национальной тюремной службы. Клэр мечтала быть такой бабушкой, как мать Пэтси. Вот только вместо игрового центра, кино и вредных конфет Клэр водила бы внучек в картинные галереи и библиотеки, знакомила бы с культурой и историей, обедала бы с ними в ресторанах. По крайней мере, ей нравилось так думать. Говорила бы с девочками о политике и их месте в мире. Короче говоря, сделала бы все, чтобы они понимали: одним Кидинсборо мир не ограничивается. Мать Пэтси считает Клэр ужасной снобкой — и пожалуй, она права.

А вот и они, висят рядышком кремовое платье в полоску и зеленое в цветочек. Оба в чехлах, но даже сквозь пластик видно, как полиняла ткань. Будь у Клэр дочка, надела бы она эти наряды? Работа очень тонкая, к тому же винтаж сейчас в моде. И тут в голове Клэр пронеслась мысль: она так исхудала за время болезни, что, пожалуй, и сама прекрасно влезет в эти платья. Идея настолько нелепая, что трагикомизм ситуации едва не заставил Клэр рассмеяться. Сгорбленная, сморщенная карга в девичьих нарядах. Клэр замерла в нерешительности. Все-таки сегодня она не в настроении для сборов. Рядом с парижскими платьями висит свадебный наряд. Рука не поднимается выбросить. Теперь при одном взгляде на это платье Клэр захлестывает чувство вины. Она вспоминает, как злилась на скромную портниху в Кидинсборо. Бедняжка суетилась вокруг привередливой клиентки и то и дело колола ее булавками. Да, до мастериц из любимого ателье мадам Лагард ей было как до луны.

Клэр позволила маме выбрать свадебное платье. Наряд просто смехотворный: весь в оборках и рюшечках, с нейлоновым шлейфом, длинными рукавами и стоячим гофрированным воротником: видимо, чтобы не шокировать пожилых прихожан преподобного.

Клэр совершенно искренне нравился Ричард. Он добрый. Каждую пятницу вечером приезжал из университета на своей машине, производил приятное впечатление на маму и был безупречно вежлив с отцом: иначе как «сэр» он к Маркусу не обращался. Потом Ричард и Клэр отправлялись куда-нибудь поужинать. Ричард рассказывал о своих планах открыть собственный бизнес и подгонял Клэр: пусть тоже старается. Клэр немного взялась за ум: с грехом пополам дотянула до диплома учительских курсов. Ричард от души за нее радовался и интересовался ее успехами. Это было так трогательно! Через три года Ричард робко поинтересовался, не выйдет ли она за него замуж. Клэр так старалась вернуться к нормальной жизни и выкинуть Париж из головы, что однажды утром проснулась и осознала: ее усилия принесли плоды. Глубокая сердечная рана наконец затянулась. А если так, почему бы не выйти за Ричарда? Зажить самостоятельно, своим домом, а может, даже переехать из Кидинсборо. О чем еще мечтать?

Как ни странно это теперь звучит, поначалу у них с Ричардом и вправду была не жизнь, а мечта. Когда мальчики были маленькие, они усаживали их в свой «остин-метро», ехали в Корнуолл или Девон и проводили отпуск, прячась от дождя или жуя картошку на набережной. Жили они в симпатичном собственном доме. Свое дело Ричард открыл в Кидинсборо, так что фантазии о переезде так и не осуществились. Мальчики брали уроки музыки, занимались в футбольном клубе, приглашали в гости школьных друзей, праздновали дни рождения. Короче говоря, дела шли прекрасно, а если иногда Клэр закрадывались в голову мысли вроде: «Неужели это все и больше ничего не будет?» — она от них отмахивалась. Многие люди фантазировали о лучшей жизни, особенно жены и матери в конце семидесятых и учителя в начале восьмидесятых. Короче говоря, эти приступы меланхолии совершенно естественны.

А когда мальчики поступили в колледж и уехали, Ричард закрутил интрижку с девушкой из офиса, а потом так терзался чувством вины, что Клэр решила: скорее всего, дело того не стоило.

В тот вечер, когда Ричард признался жене в измене, он пришел домой весь дрожащий и взмокший от пота. Клэр готовила салат с говяжьей солониной и майонезом. Только годы спустя Клэр в полной мере осознала, насколько терпеть не может солонину. Но мальчикам это блюдо нравилось, поэтому Клэр подавала его на стол каждый третий четверг на протяжении почти двадцати лет. Больше всего Клэр из того вечера запомнилось, как ни странно, чувство облегчения. Ричард рыдал и умолял ее о прощении, а у Клэр в голове крутилась только одна мысль: как хорошо, что больше не придется есть солонину!

А потом Ричард отважился поднять взгляд на жену. Он от всей души надеялся, что Клэр простит его или хотя бы даст ему шанс все исправить. Он был даже готов к тому, что Клэр в припадке буйной ревности бросится на него с ножницами. Но, увидев выражение лица жены, Ричард все понял. Постепенно до него дошло: роман мужа на стороне глубоко безразличен Клэр по одной простой причине — она его не любит. Да и никогда по-настоящему не любила. И тут чувство вины сменил гнев.

Клэр дотронулась до свадебного платья. На самом деле она любила Ричарда. По-своему. Насколько могла. Но этого оказалось недостаточно для брака. Тем не менее Клэр считала, что ей повезло: во время раздела имущества Ричард вел себя безукоризненно честно и не прибегал ни к каким уловкам. Кроме того, он всегда любил сыновей и уделял им много внимания. Почти всем подругам Клэр посчастливилось гораздо меньше. А ведь они выскакивали замуж в пылу страстной, вечной любви и искренне верили, что нашли свою половинку. Но с годами эти безумно влюбленные возненавидели друг друга и озлобились. Жизнь их была гораздо более несчастной, чем у Клэр и Ричарда. Возможно, с Тьерри дело тоже ничем хорошим не закончилось бы. При всех их классовых различиях и разнице менталитетов они бы тоже устраивали дикие скандалы, чтобы хоть как-то выплеснуть накопившееся недовольство, и портили бы нервы детям. А двух более благополучных и уравновешенных людей, чем Рики и Йен, найти трудно. И вообще, сейчас миром правит голый прагматизм. Так кто сказал, что вступать в равноправное партнерство с холодной головой неправильно?

И все же при одном взгляде на свадебное платье Клэр стало грустно. Прагматизм прагматизмом, а сердцу не прикажешь. Глядя на Клэр сейчас, все увидят в ней только облысевшую, исхудавшую больную женщину без бровей. Никому не придет в голову, что когда-то она была робкой невестой, или счастливо влюбленной девчонкой-подростком, или неудовлетворенной узкими горизонтами своей жизни домохозяйкой, или женщиной средних лет, которой очень даже пришлась по вкусу самостоятельная жизнь: больше не надо стирать мужские трусы и готовить обильные ужины.

А платье просто ужасное. Будь у Клэр дочь, та ни за что не согласилась бы выходить замуж в таком уродливом наряде. Клэр вздохнула. Хватит предаваться воспоминаниям. Лучше заглянуть в ящик с платками. Подруги надарили ей целую кучу красивых, нарядных платков, чтобы покрывать лысую голову. Клэр ненавидела все до единого. Трудно притворяться бодрой, когда тебя постоянно тошнит. Но подруги ничего плохого не хотели, лишь от чистого сердца заботились о ней. Да и вообще, все любят, когда больные люди не похожи на больных: меньше тревоги, меньше неловкости. Так что нужно взять в Париж несколько штук.

Клэр в последний раз коснулась подола зеленого платья с крошечными выпуклыми ромашками. Alors, подумала она. О Тьерри Клэр всегда думала по-французски, будто хотела таким образом зашифровать свои тайные мысли. Глупо! От кого? От отца? А впрочем, преподобный иностранными языками не владел.

Alors. Тьерри ее наверняка не узнает. Да он и сам изменился. Но разве это имеет значение?

С трудом мы с Лораном отлепились друг от друга. Он улыбнулся мне без малейшего смущения. Было что-то неотразимо привлекательное в его полном безразличии к общественному мнению. А еще улыбка у него была немного хищная: ни дать ни взять волчий оскал.

— Пойдем, — сказал он.

Я улыбнулась в ответ. Разыгрывать неприступность поздновато, особенно учитывая, что на мне розовый лифчик. Но сердце билось быстро-быстро, отчасти в радостном предвкушении, отчасти от волнения.

— Нам нельзя быть вместе, — нервно пошутила я. — Иначе я стану предательницей. Двойным агентом.

— Мне как раз нужен двойной агент. — Лоран рассмеялся. — Хотя нет, я неправильно выразился. Мне нужна ты. В любом качестве.

Лоран взял мою руку в свою, огромную. Трудно поверить, что эти крупные пальцы способны изготавливать изысканные деликатесы из сахара, какао-бобов и сливочного масла.

— Давай наперегонки до мотороллера, — предложил Лоран. — Кто быстрее добежит?

Уже поздно, и улицы почти опустели. Все туристы разошлись по ресторанам Маре или отправились на север города.

— Я не могу бегать, — ответила я.

Хотя честный ответ звучал бы так: после выписки из больницы ни разу не пробовала.

— Да брось!

Похоже, Лоран настроен серьезно: отказ не принимается.

— А если на бегу у тебя что-то будет подпрыгивать, так я совсем не против.

Я показала ему язык.

— На старт... Внимание...

— Не надо!

— Марш!

Мы со всех ног понеслись через огромную площадь Лувра. Гравий хрустел под тонкими подошвами. Как давно я не бегала! Теплый вечерний воздух обдувал лицо, волосы развевались за спиной. Для мужчины такого крупного телосложения Лоран оказался на удивление быстрым. В этот момент он выглядел совсем мальчишкой. Время от времени со смехом оборачивался на меня, и ветер трепал его кудри.

— J'arrive! — крикнула я, удвоив скорость.

Я быстро запыхалась, но какое же это удовольствие — бежать! Во весь опор, на пределе возможностей. Даже не подозревала, как мне не хватало этого ощущения. Я не помнила, когда в последний раз бегала: ни после инцидента на фабрике, ни до него. Ну а теперь и вовсе записала бег в ту же категорию, что открытые босоножки летом и безвозвратно прошедшие юные годы. От восторга я вскинула руки к небу.

Когда мы добежали до моста, я попыталась перескочить через высокую ступеньку. Не успела взлететь в воздух, как в голове пронеслось: нет, не допрыгну. Я не в состоянии как следует согнуть пальцы ног, поэтому равновесие потеряла, еще когда отталкивалась. Я тяжело рухнула на ступеньки левым боком и со всей силы ударилась левой ногой о жесткий камень. Тем самым местом, где раньше были пальцы.

Я сжалась в комок. Пыталась сдержать слезы, но они предательски наворачивались на глаза. До чего же больно!

Лоран тут же обернулся. В его взгляде отразилась тревога, и он поспешил ко мне. Какой-то прохожий остановился узнать, не нужна ли помощь.

Я быстро моргала, пытаясь восстановить дыхание и не разрыдаться, как великовозрастный младенец.

— Merde! — выругалась я по-французски. — Больно — сил нет!

Лоран опустился на корточки возле моей ноги. Только в этот момент я заметила, что силой удара мою красивую балетку сбросило с ноги. Она лежала в полуметре от меня, забрызганная кровью.

— Mon Dieu![1] — вскричал Лоран.

Я едва не провалилась сквозь землю. Ну конечно: Лоран решил, что ногу я повредила только что, при падении. Глянула на ступню. Да, видок так себе. Теперь еще и о мостовую поранилась.

— Нет, все нормально, — пробормотала я, чувствуя себя, как бородатая женщина в старинном балагане.

Попыталась встать сама. Лоран так опешил, что застыл, будто статуя. Но потом вспомнил о манерах и поспешил мне помочь. Однако за локоть меня взял робко, нерешительно.

— Со мной произошел несчастный случай, — с ярко-красным от стыда лицом вполголоса пояснила я. — Уже давно.

Какой позор! То, чего я боялась, о чем беспокоилась, случилось. Я и впрямь перешла в категорию белых ворон, которых невозможно полюбить.

Лоран, не удержавшись, окинул меня быстрым взглядом с ног до головы, будто проверяя, каких еще частей у меня не хватает. С таким же успехом он мог бы влепить мне пощечину.

— Потеряла два пальца на ноге, — прибавила я.

На лицо Лорана вернулся румянец.

— Извини, просто от неожиданности...

— Да, все понимаю, — пробормотала я. — Такое не каждый день увидишь.

Вот именно такой неловкой ситуации и опасалась.

— Нет-нет, все нормально.

Но я же вижу, что нет. Вдобавок я поняла: не могу быть беззаботной европейкой, чувствующей себя

---

[1] Боже мой! *(фр.)*

непринужденно в любой обстановке. Не стоило даже стараться. Рухнула с небес на землю и набила здоровенный синяк.

— Поехали ко мне, — наконец Лоран смущенно улыбнулся. — Расскажешь поподробнее.

Но атмосфера, установившаяся между нами после необыкновенного, захватывающего дух поцелуя, испарилась. Лишь несколько минут назад все было прекрасно, а теперь Лоран растерянно переминается с ноги на ногу, а я вся в крови, и мне срочно нужно помыться. Я слегка покачнулась. Лоран сразу это заметил.

— Давай помогу дойти.

Он обхватил меня за талию.

— Лучше проводи меня до дома, — сказала я, с удовольствием прижимаясь к его мощной широкой груди. — Со мной все в порядке, просто... завтра на работу.

— Да брось, — возразил Лоран. — Не можешь же ты всю дорогу на одной ножке прыгать.

Я испугалась, что он предложит донести меня на руках. Но мы прислонились друг к другу и побрели, шатаясь, будто парочка старых пьяниц. Всю дорогу болтали о пустяках. Атмосфера воцарилась неловкая: впрочем, так всегда бывает, когда поцелуешься с мужчиной, а потом по какой-либо причине (в данном случае — из-за отсутствия двух пальцев) романтика сходит на нет. Лоран не спрашивал, что случилось с моей ногой, и я была ему за это благодарна.

Как только мы дошли до моего подъезда, хотела сбежать как можно быстрее, но...

— Давай помогу подняться по лестнице, — галантно предложил Лоран.

— Не надо, я сама, — покачала головой и прибавила: — Благодарю за приятный вечер.

С чего вдруг я заговорила, будто героиня сериала «Аббатство Даунтон»?

Лоран замер в нерешительности. Потом будто принял какое-то решение. Наклонился и очень нежно поцеловал меня в губы.

— Может, когда-нибудь ты захочешь мне рассказать, что с тобой произошло, — тихо произнес он.

А потом развернулся и зашагал прочь. Скоро Лоран скрылся в ночи. Я прислушивалась, пока не раздался уже знакомый рев его мотороллера. Потом зашла в подъезд и наконец дала волю слезам.

Даже не стала включать свет: с громкими рыданиями в потемках поковыляла на шестой этаж. Мне было плевать, услышит меня кто-нибудь или нет. Один раз мне показалось, что у кого-то из соседей приоткрылась дверь, но оборачиваться я не стала.

Сами внимательно изучал свое отражение в зеркале. Наверное, с тех пор я как ушла, только этим и занимался.

— Chérie! — воскликнул он при виде меня. — Chérie...

Сами смотрел на мое несчастное, зареванное лицо. Весь красивый макияж, который он так тщательно наносил всего несколько часов назад, безнадежно потек.

— Что случилось?

— Он увидел мою ногу и испугался, — всхлипнула я. — Впрочем, реакция абсолютно естественная.

— Ты его разве не предупредила?

— О чем? О своем уродстве?

— Да!

— Нет. Случая не представилось. Я упала, и у меня с ноги слетела балетка.

Сами хлопнул себя ладонью по лбу, потом скрылся на крошечной кухоньке и вскоре вернулся с тазом тепловатой воды, тряпкой и коктейльным бокалом, полным прозрачной жидкости, в которой плавали три оливки.

— «Грязный мартини», — пояснил Сами. — Верное средство.

Сами осторожно погрузил мою ногу в таз. Я отпила глоток мартини и едва не задохнулась. Алкоголь тут же ударил в голову.

— Спасибо, — произнесла я. Тепло приятно растекалось по всему телу. — То, что доктор прописал.

— То, что я прописал, — поправил Сами.

Я выдавила улыбку и тут же опять разразилась слезами.

— С такой ногой я никому не нужна, — прорыдала я.

— Не говори глупостей, — отмахнулся Сами. — Ты сегодня чуть не переспала со сногсшибательным красавчиком. Все девчонки с ума сходят по Лорану. В нем есть загадочность.

— Ничего в нем загадочного нет! — фыркнула я. — Просто на него иногда нападает угрюмое настроение. А потом — снова веселый. С ним очень интересно.

— Может, этим ты его и покорила? — вздохнул Сами. — Тем, что не подпала под его чары?

— Нет, это он не подпал под мои, — грустно покачала головой я. — Как было бы здорово: все в тебя влюблены, а ты выбирай кого хочешь!

— Да, — вздохнул Сами. — Замечательно живется красавцам и красавицам. Хотя что об этом говорить... Раз ты сегодня все равно нарядилась, пойдем со мной.

— Куда?

— На репетицию. Тебе понравится.

— Спасибо за подсказку. Теперь я знаю, что мне нужно: репетиция свидания. Хотя нет, погоди, — принялась я болтать какую-то чушь. Все-таки быстро пьянеешь от «Грязного мартини». — Лоран и должен был стать моей репетицией. А потом я завела бы с кем-нибудь настоящие серьезные отношения. Но я все испортила.

— Ну и ладно! — подбодрил меня Сами. — Пустяки.

Он еще раз глянул на себя в зеркало, остался доволен увиденным, накинул серебристый жилет и розовый шарф. К облегающим брюкам самое то.

— О боже... — простонала я.

— Расслабься, дорогая, — бросил Сами. — Никто не подумает, что ты со мной.

Мы с Сами шли по улице, и вдруг он исчез. Интересно, в Париже кто-нибудь проходит всю улицу от начала до конца? Такое впечатление, будто улицы предназначены исключительно для туристов, а местные жители срезают переулками. Мы обогнули наш дом — с удивлением я увидела на заднем дворе заросший сад, — потом перешли через широкую улицу и оказались возле моста Сан-Мишель. Зашли в большое здание. Судя по всему, здесь располагается радиостанция. Потом свернули в боковую дверь и спустились по лестнице. Вахтер мельком глянул на нас поверх свежего номера «Франс суар» и кивнул. Мы вошли в зрительный зал.

Красные бархатные сиденья, толстые стены, мягкие ковровые дорожки и огромная, тускло освещенная сцена. Возле нее стоят человек шесть-семь, двое из них курят. Один вскинул руку в приветственном жесте, Сами бешено замахал в ответ.

— Сегодня Анне не повезло в любви, — объявил собравшимся Сами.

Те сочувственно покивали и отошли, пропуская нас к креслам в переднем ряду.

На сцене, опираясь на трость, стоит нервного вида мужчина с длинными седыми волосами и громко говорит в рацию. Потом он два раза подряд стукнул тростью по сцене, развернулся и крикнул что-то, обращаясь к людям в полутемной ложе над нашими головами. Из динамиков тут же заиграл вальс. Я вздрогнула от неожиданности. Между тем освещение сцены изменилось. Кажется, будто ее озарили миллионы мерцающих свечей. Из кулис начали выходить люди: мужчины слева, женщины справа. На мужчинах камзолы, на женщинах платья с широкими кринолинами. Лица у всех напудрены. Кажется, будто перед нами пришельцы из другой эпохи. Двигаясь безупречно слаженно — по крайней мере, такое впечатление сложилось у меня, — обе группы сошлись, разбились по парам и стали танцевать. Какой восторг — видеть все это вблизи! Пары кружатся и порхают по сцене под музыку, кринолины шелестят, а мужчины поднимают над полом своих миниатюрных партнерш, будто те легки как перышки. Тут музыка заиграла медленнее, но танцоры, наоборот, закружились быстрее, на стремительной скорости исполняя пируэт за пируэтом. Удивительно, как они не врезаются друг в друга?

Я смотрела на них как завороженная.

— Non, non, non, non, non! — Седовласый мужчина снова замолотил тростью об пол. — Нет, это никуда не годится! Начинайте сначала, только теперь как следует!

Музыка смолкла. Танцоры выстроились в ряд; по-прежнему они казались мне эфемерными существами из волшебной грезы.

— То, что вы сейчас показали, просто отвратительно! Топтались по сцене, как стадо коров на лугу!

— Потрясающе, — шепнула я Сами.

Тот покачал головой:

— Вообще-то, эти ребята из Национального балета. Весь день репетировали какой-то другой танец и к вечеру, конечно, устали. Ничего не поделаешь, иначе они с голоду помрут. Кстати, это сцена бала из «Богемы».

— Неужели балетным танцорам мало платят? — искренне удивилась я.

Музыка заиграла снова, и они опять заскользили по сцене.

Я восхищаюсь каждым изящным жестом руки, каждым идеально поставленным шагом. Раньше я видела только танцоров в пантомиме, но такой грациозности даже вообразить не могла. Девушки совсем крошечные и похожи на хрупких птичек. Изящная кость просвечивает сквозь кожу. Даже жалко их становится. «А может, в таком деле отсутствие пальцев ног и пригодилось бы», — подумала я, когда они встали на пуанты.

Словно загипнотизированная, я смотрю, как они танцуют, снова и снова повторяя движения. Постепенно я стала замечать крошечные сбои в ритме, нарушающие совершенство танца. Седой мужчина каждый раз разражается яростными воплями. Но танцоры ведут себя как вымуштрованные новобранцы в армии: не огрызаются, не оправдываются, лишь молча исполняют распоряжения.

Наконец перед финалом танца музыка заиграла громче. Даже вахтер, впустивший нас и теперь подметавший у двери, замер, чтобы посмотреть, как они кружатся, летают, парят в волшебной гармонии. Кажется, будто перед тобой не группа из шестнадцати человек, а единый вращающийся круг, все части которого движутся безукоризненно слаженно. Должно быть, с высоты танец выглядит особенно эффектно.

Все зрители чувствуют, сколько гармонии и радости в этом вальсе. Танцоры кружатся все быстрее и быстрее, а музыка между тем замедляется.

Наконец широкие юбки слились воедино, потом мужчины подняли партнерш в воздух и стали передавать друг другу так стремительно, что невозможно уследить, кто где находится. Это же просто великолепно!

Седовласый мужчина дал им завершить танец. Танцоры беззвучно замерли, но уже в следующую секунду исчезли со сцены. Раз — и нет!

Хотя в зале было всего восемь человек, мы все хлопали так, что чуть не отбили ладони. Раскрасневшиеся от удовольствия танцоры вернулись на сцену и поаплодировали друг другу. Сами оказался прав: лучше способа, чтобы отвлечь меня от фиаско с Лораном, не придумаешь.

— А теперь — ужинать! — объявил Сами. — Пойдем в «Критерион». Артисты не обидятся.

Я взглянула на часы. Уже почти полночь, а у меня завтра напряженный день.

— Я пойду домой, — объявила я.

Но тут мое внимание привлекла балерина, снимавшая пуанты. Ее пальцы ног были в крови. Балерина исполнена утонченной красоты, но на ее ступни страшно смотреть: все в каких-то буграх, узлах и шишках. Искривленные пальцы ног тесно жмутся один к другому. Я была не в силах отвести взгляд от ее ног, и вдруг заметила, что балерина тоже на меня смотрит. Я поспешно отвернулась.

— Я все понимаю, — ободряюще улыбнулась девушка. — Видок тот еще, non?

— У самой не лучше, — ответила я и вдруг обрадовалась тому, что у меня есть хоть что-то общее с этими прекрасными эфемерными существами. — Вот, смотрите.

Я показала ей ногу.

На подкладке балеток были видны следы крови.

— Да, — протянула балерина. — А впрочем, кому нужны эти каблуки?

Я улыбнулась ей, она улыбнулась в ответ. Какая же она маленькая: сантиметров сто пятьдесят, не больше!

— Точно, — согласилась я.

Потом подошла к Сами и поцеловала его.

— Приятного вечера, — пожелала я. — И спасибо.

— Не переживай, chérie, все будет хорошо. — Сами чмокнул меня в щеку.

— Спасибо, — повторила я.

Глава 21

За последующие несколько недель очереди в шоколадную лавку заметно сократились. Я ударилась в панику. Фредерик старался меня успокоить — объяснял, что для августа это нормальное явление: Париж пустеет и большинство магазинов закрывается. Мы и сами в конце месяца сделаем перерыв на две недели. Я понятия не имела, чем себя занять на этих «каникулах». Можно съездить домой, проведать маму с папой. Или пригласить их сюда? Но тогда им придется бронировать отель. Для мамы это будет огромный стресс. А если удастся поговорить с Тьерри? Его держат в больнице уже целую вечность. Похоже, французская система здравоохранения в этом смысле сильно отличается от нашей — можно будет назначить точную дату для приезда Клэр. Чем скорее, тем лучше. Впрочем, ее самочувствие предсказать невозможно: ей то хуже, то лучше. Тут заранее не угадаешь.

Однажды поздно вечером я набрала ее номер:

— Алло.

— Анна!

Я попыталась по голосу определить, как она. Кажется, одышки чуть больше, чем обычно, но ненамного.

— Вы что, бежали к телефону?

— Ха-ха, очень смешно! Ну как, поставила французское произношение?

Я улыбнулась. Теперь ко мне почти перестали обращаться по-английски. Такое чувство, будто все парижане в совершенстве владеют моим родным языком и не упускают ни единого случая этим похвастаться, а заодно разнести в пух и прах мой французский. Но две недели назад я заметила, что ситуация начала меняться. Я все чаще общаюсь с покупателями. Конечно, уровня Элис мне не достичь: за француженку меня не примут. Все во мне, от прически до обуви, кричит: «Дочь Альбиона». Но теперь при виде меня собеседники не переходят на английский. Даже речь больше не замедляют. Для меня это величайшая степень признания. Пусть даже приходится то и дело переспрашивать.

— Super bien, merci, madame[1], — нахально заявила я.

Готова была поклясться: Клэр улыбнулась в ответ.

— Я написала Тьерри, — вдруг удивила меня Клэр. — Сообщила, что скоро приеду. С тобой, конечно. Тридцатого августа. В это время шоколадная лавка будет закрыта, поэтому надеюсь, что не создам для тебя никаких неудобств.

— Отлично, — обрадовалась я.

К тридцатому Тьерри уж точно поправится.

— А он не может... Я бы хотела, чтобы Тьерри встретил меня в Кале.

---

[1] Суперхорошо, спасибо, мадам (фр.).

В голове пронеслась мысль: скорее Элис разрешит ему подняться на Эверест без кислородного баллона, чем отпустит встречать бывшую возлюбленную. Но я сочла за лучшее промолчать.

— Ну не знаю, — уклончиво ответила я. — Тьерри недавно перенес серьезную операцию. Не уверена, что это хорошая идея. А тут еще вы в таком состоянии, и багаж тяжелый, и... Не волнуйтесь, я вам помогу, а вот насчет Тьерри...

— Ха! — Клэр фыркнула. — Все против этой поездки. Никто меня не поддерживает. Все думают, что ты смерти моей хочешь.

— Я вас поддерживаю! Забронировала билеты на поезд и скоро за вами приеду. Но чудеса мне не под силу.

В сердце закралось сомнение: а что, если родные Клэр правы? Но тут же я отмахнулась от этой мысли. Если бы я серьезно заболела — а наверное, со всеми такое случается, ни одна жизнь не обходится без болезней — и мне очень хотелось бы что-то сделать, я бы очень обрадовалась, если бы мне кто-нибудь помог, пусть даже все вокруг считали бы, что более идиотскую идею придумать невозможно. По-моему, самая идиотская идея на свете — это рак, но тут уж ничего не поделаешь.

— Извини. — Клэр поспешила меня успокоить. — Я просто перенервничала. Не волнуйся. Я тут составила... Короче говоря, если со мной что-то случится, тебя никто обвинить не сможет.

— Ладно, — протянула я.

И все-таки слышать такое не очень-то приятно.

После нашего неудачного свидания Лоран на связь не выходил. Сначала я сердилась, потом порадовалась, что не успела с ним переспать. Судя по его реакции на берегу, закончилось бы дело плохо. Что бы там ни твердил Сами, а меня бы это надолго выбило из колеи.

Учитывая, что Элис запретила мне навещать Тьерри, о его самочувствии мне узнать было неоткуда. Интересно, до какой степени он посвящен в планы Клэр? Элис заходит в шоколадную лавку раз в два дня. Подсчитывая доходы, сердито хмыкает. На вопросы о состоянии Тьерри отвечает до обидного односложно. Знаю только, что он еще некоторое время проведет в больнице. Фредерик уверен: если шоколатье выпишут, тот в ту же секунду понесется в лавку прямо вместе с капельницей.

Глава 22

Клэр готова. Совершенно готова. Дом приведен в полный порядок. Онколог поначалу рассердился. «Должно быть, все врачи обожают бездумно покорных и благодарных пациентов», — пришла к выводу Клэр. Впрочем, бездумную покорность и благодарность любят все. Но постепенно онколог свыкся с этой мыслью, отложил следующий курс химиотерапии и выписал Клэр несколько очень мощных обезболивающих — на всякий случай. Врач неоднократно напомнил Клэр, что страховки у нее нет, европейская карта социального страхования ей ничем не поможет, потому что Клэр знала о своей болезни до поездки, и вообще она рискует вляпаться в большие неприятности. Но Клэр пропускала эти речи мимо ушей. Наконец врач улыбнулся, пожелал ей всего наилучшего и вспомнил случай из юности. Будучи еще студентом-медиком, он тайком пробрался в кабаре «Фоли-Бержер», и это была лучшая ночь в его жизни. Клэр улыбнулась в ответ. Для скольких людей Париж стал особым городом!

Ее чемодан собран. Оба сына уже приходили. Тяжело вздыхали, жаловались, умоляли Клэр передумать — разумеется, безрезультатно. Такого здорового румянца на ее щеках никто не видел уже больше года.

Обратное путешествие на поезде до Лондона оказалось откровением. На пути в Париж я была просто комком нервов. Я все еще чувствовала себя больной — и физически, и духовно. Не сомневалась: поездка обернется катастрофой, меня объявят самозванкой и выгонят. Или три месяца я безвылазно просижу в комнате на съемной квартире и ни с кем словом не перемолвлюсь, потому что все будут со мной ужасно грубы и по-французски разговаривать я не смогу.

Перед поездкой, пожалуй, я уверенно заявила бы, что в Париже со мной произошло больше плохого, чем хорошего. Сердечный приступ Тьерри, закончившийся провалом флирт с Лораном, долгое и трудное обучение. Делаю всего два вида шоколада и только сейчас достигла более или менее приличных результатов.

Но в поезде я почуяла химический запах быстрорастворимого горячего шоколада и передернулась от отвращения, хотя раньше его не замечала. В вагон зашли мои соотечественницы: группа кричаще одетых крашеных блондинок с огромными сиськами, широченными улыбками и маленькими дорожными бутылками джина-тоника в руках. Только тогда я поняла, насколько изменилась. Я стала увереннее в себе, избавилась от робости. Причем речь идет не только о последствиях несчастного случая, но и о том, что было до него. Да, я не покорила Париж, зато нашла друзей, не потеряла работу, попробовала совершенно фантастическую еду... Я провела ладонью по простому светло-серому платью из «Галери Лафайет». Три месяца назад я бы в его сторону даже не взглянула, а теперь считаю, что оно мне очень идет. Слушая объявление о правилах безопасности, заметила, что вполне свободно понимаю речь на другом языке. Достала журнал, откинулась на спинку кресла и подумала — как же я все-таки рада вернуться домой! Но не меньше буду радоваться, когда придет время ехать обратно в Париж.

Лорану я не звонила по многим причинам. Самая главная из них та, что я безнадежная трусиха. Стараюсь всеми силами избегать конфронтации и неловких тем. Зато я отправила ему имейл. Сообщила, когда мы с Клэр будем в Париже, перечислила все даты и выразила надежду, что Клэр сможет увидеться с Тьерри. Разумеется, под этим я подразумевала: надеюсь, что Лоран как-нибудь решит проблему с Элис. Но этого, конечно, писать не стала.

Как бы там ни было, я постаралась выкинуть из головы все дурацкие мысли про дурацкого Лорана. Будто бросая вызов его мнению — и мнению всех французов, — я прошла в буфет, купила здоровенную пачку чипсов «Уокерс» с сыром и луком и тут же съела. Прямо из пакета. На людях. Ни один из моих знакомых французов до такого не опустился бы. Вот вам, с некоторым злорадством подумала я.

При виде меня мама расплакалась. Мне бы радоваться: как повезло, что меня любят! Но это один из тех случаев, когда хочется заныть: «Мам, ну что ты устроила?» И вот еще что удручает: мама была абсолютно уверена, что стоит мне выехать из Кидинсборо одной, как меня сожрут крокодилы или похитят торговцы живым товаром. Даже оскорбительно, что мама рыдает от облегчения, радуясь, что ее дочь чудесным образом уцелела во время поездки в ближайшее к нам иностранное государство. Если, конечно, не считать Ливерпуль. А что? Я просто пошутила.

Всего этого я, конечно, говорить не стала. Лишь обняла маму и опустила голову ей на плечо, радуясь, что я дома. Папа весело похлопал меня по спине:

— Здравствуй, девочка моя.

— Привет, пап.

Тут у меня самой слезы на глаза навернулись. Конечно, глупо так разнюниваться: я ведь уезжала всего на два месяца. Но я не такая, как моя одноклассница Джулс. Та поступила в университет далеко-далеко от дома, потом работала в Америке, а сколько стран объехала — и не сосчитать. Нет, такие штучки не в моем стиле.

По дороге домой я окидывала Кидинсборо критическим взглядом из окна машины. Вот здесь открылся новый ломбард, а вот там закрылось очередное кафе. До чего медленно все ходят! Вскользь подумала, не превращаюсь ли я в снобку, но дело не в этом. Если верить газетам (сама я в экономике не эксперт), у Великобритании дела идут хорошо, а вот Франция выезжает только за счет былых достижений. Но если сравнить любую улицу Кидинсборо с Рю де Риволи, этого не скажешь.

Впрочем, такое сравнение будет нечестным. Наверняка во Франции полно унылых и мрачных промышленных городков с неработающими заводами. Ржавые рельсы, грузовые машины...

Я наблюдала за женщиной, оравшей на младенца в коляске. На ней были сразу две футболки, обе одинаково грязные, и ни одна не прикрывала складок жира на животе, свисавших до самых легинсов. В коляске лежали набитые до отказа прозрачные пластиковые пакеты. Сквозь один просвечивала огромная упаковка чипсов.

Я поморщилась. Нет, все-таки я теперь неисправимая снобка.

— Анна! Только не говори, что превратилась в неисправимую снобку!

Мне позвонила Кейт. Как же я была рада ее слышать!

— Да! — прокричала я в ответ. — Ничего не могу с собой поделать! Это как-то само собой получилось! Я теперь ужасно противная.

— Во Франции все противные, — заявила Кейт авторитетным тоном человека, которому сделал выговор сотрудник парома во время школьной поездки во Францию в 1995 году. — Общеизвестный факт. Они собак жрут.

— Неправда! — возмутилась я. — Кто тебе сказал такую глупость?

— Ну, не собак, так лошадей или еще кого-то.

— Э-э... — протянула я.

— Жуть! Значит, это правда. Французы едят лошадей?

— Мы же едим коров. Так в чем разница?

— Кошмар! Это же просто отвратительно! А ты пробовала конину? Нет, ниже падать некуда!

Тут снобизма у меня поубавилось.

— Готовься, — объявила Кейт. — Вечером идем тусоваться.

Как хорошо вернуться домой!

Кейт без стука ворвалась в мою комнату, вооруженная фенами и щипцами для завивки. При виде меня подруга застыла как вкопанная.

— Ты чего? — спросила я.

— Сама не знаю, — пробормотала Кейт.

Можно подумать, я ее чем-то расстроила.

В волосах у подруги появилась яркая кровавокрасная прядь. Прическа жизнерадостной вампирши.

— Ты изменилась, — прибавила Кейт.

— Ну конечно, — заметила я. — В постели не валяюсь, кровью не рвет, и не рыдаю.

— Нет, даже по сравнению с тем, что было после больницы.

— Ну да, у меня теперь есть работа, и я не плачу в подушку каждое утро.

— Это да, — Кейт покачала головой, — но есть еще что-то.

Подруга открыла парикмахерскую сумку и со звоном выудила две бутылки водки WKD.

— Кейт, нам тридцать лет, — напомнила я. — Теперь необязательно протаскивать алкоголь в дом тайком. Папа сам с удовольствием смешает нам мартини бьянко — если, конечно, вежливо попросим.

— Тайком приятнее, — возразила Кейт. — А можно, я в форточку покурю?

Я закатила глаза:

— Давай.

Кейт закурила сигарету, влезла на мою кровать и пригляделась ко мне повнимательнее.

— Ты похудела, — укоризненным тоном заметила подруга.

Вообще-то, я сбросила много веса в больнице, но потом быстро восстановила потери: целыми днями сидела дома, предавалась унынию и лопала суперострую еду из KFC. А в Париже была так занята, что не замечала, что делается с моей фигурой. На меня это совсем не похоже. Но джинсы определенно стали свободнее. И все равно на фоне парижанок я чувствую себя толстухой. До чего же они изящные! Но я, видно, тоже подсознательно стараюсь соответствовать.

— Прямо знаменитая французская худоба, — покачала головой Кейт. — Наверное, ты теперь как они: много куришь и питаешься одними лягушачьими лапками и собачатиной.

— Кониной, — поправила я.

— Так я и знала! — взвизгнула Кейт.

Наверное, она вскинула бы брови, если бы не дешевый левый укол ботокса, в котором она, строго говоря, даже не нуждалась.

— Из-за мужчины ты так переменилась? — спросила Кейт. — Того самого, который шоколад делает?

— Нет. — И я отпила глоток водки. Она всегда была такой мерзкой? Не помню. — Лоран увидел мою ногу и испугался.

Кейт опустила бутылку.

— Правда, что ли? — уже совсем другим, серьезным тоном спросила подруга.

— Ну и ладно. — Я отхлебнула еще глоток. Вкус такой же противный, как у первого, но я выдержала. — Плевать.

— Вот козел! — возмутилась Кейт.

— Да нет, он не виноват. Просто у меня туфля свалилась, и он подумал, что заодно и пальцы ног оторвались.

Кейт помолчала, и вдруг мы обе разразились хохотом. Наконец подруга остановилась перевести дух.

— Вот дурак-то! — покачала головой она. — Радуйся, что не причесывалась при нем, а то испугался бы, что у тебя башка отвалилась.

Водка подействовала быстро: эта шутка тоже показалась нам обеим уморительно смешной. И тут я поняла: хотя в Париже я многое узнала и многому научилась, но сто лет не смеялась как следует, от души.

Мы отправились в клуб «Лица». Собралась куча народу, которого я давненько не видела. Все мне очень обрадовались, угощали выпивкой за свой счет и поздравляли Кейт с тем, что суд оправдал ее по обвинению в магазинной краже. Тут Кейт напустила на себя ангельский вид и притворилась, будто именно такого исхода и ждала. А еще мы встретили компанию ребят, с которыми учились в школе. Забавная получилась встреча. Все женатые растолстели и выглядели уставшими, а неженатые распустили хвосты, как павлины, и хвастались своими машинами. Мы с Кейт выпили еще водки, и чувства юмора у нас опять прибавилось. Я даже поцеловалась с Дарром в память о старых временах. Он как-то случайно подвернулся, а мне ведь надо практиковаться. Но Лорану Дарр, конечно, в подметки не годится. Тут я поняла, что пора домой. Мы с Кейт брели по улице под руку и во все горло орали песню Робби Уильямса. Вот чего мне не хватало!

И все равно я чувствую, насколько изменилась. Притворяюсь своей, а сама наблюдаю за жизнью родного городка со стороны, будто гостья. Но я ведь на самом деле такая же, как все, разве нет? Ну конечно да!

До чего любезно со стороны Клэр было позвонить мне только после полудня! Да что там любезно — она прямо-таки моя спасительница!

На следующий день после загула в клубе я сидела у газового камина и смотрела телик. Мама записала кучу реалити-шоу: любит смотреть, как кто-то идет по кривой дорожке и вляпывается в неприятности. Я жевала тост с пищевой пастой «Мармайт». (Я рассказала, что французы про тосты слыхом не слыхивали, но мне никто не верит. А они и вправду едят неаппетитный, громко хрустящий горелый хлеб вместо нормальных тостов.) Братья угостили меня чипсами из своих богатых запасов: так мальчишки хотели показать, что рады моему приезду. А папа, как всегда, ничего не говорил, только время от времени заглядывал в комнату, улыбался и снова уходил. Совсем забыла это ощущение домашнего уюта. А еще забыла, что, скорее всего, на следующий же день мы с мамой быстро доведем друг друга до белого каления и я понесусь в ближайший дисконт-магазин устраиваться на работу, лишь бы дома не сидеть.

О чем я еще забыла, так это о своих обещаниях. Едва увидев инвалидное кресло Клэр, я сразу поняла: путь предстоит еще более трудный, чем я предполагала. До чего же оно здоровенное!

— Да, все понимаю, — вздохнула Клэр. — Сама его терпеть не могу.

— Просто...

Клэр сидела на диване, и мы обе глядели на уродливое, неповоротливое кресло, выданное бесплатно Национальной службой здравоохранения. В больнице, когда мы ходили в кабинеты врачей и на анализ крови, навидались их предостаточно. Кресла везли веселые санитары, у которых всегда была наготове шутка. Но на вокзале никаких санитаров не будет.

— Ничего, я как-нибудь сумею его сложить, — объявила я, хотя была совсем в этом не уверена.

Рост у меня всего сто шестьдесят сантиметров, вдобавок я слегка заваливаюсь на одну сторону.

— Мир не без добрых людей, — уверенным тоном заявила Клэр. — Кто-нибудь поможет.

Я окинула ее внимательным взглядом. Клэр похудела еще сильнее. Кости лица выпирают, прямо как у балерин в опере. Под кожей проступают синие вены. Только на руках их не видно: из-за постоянных уколов ушли внутрь и скрылись. Клэр сказала, что сейчас химию не принимает, потому что должна набраться сил перед операцией. Она упорно настаивает на этой версии, но, по-моему, выглядит Клэр совсем не лучше. Наоборот: ей явно стало хуже.

Дома Клэр не носит ни платка, ни тюрбана. Я поглядела на ее голову. Она вся покрыта мягким пухом, как у утенка.

— Попрошу Кейт сделать вам прическу, — предложила я. — Наверняка она что-нибудь придумает.

Но Клэр не улыбнулась. Я заметила, что она старается не уходить далеко от капельницы, а это значит, что ее мучают боли.

— Как себя чувствуете? — мягко спросила я, хотя понимала: наверняка ей задают этот вопрос по сотне раз на дню.

— Могла бы и получше, если бы все не твердили, что никуда мне ехать не надо, — сердито отозвалась Клэр.

Вернее, сердито, по ее меркам. Клэр никогда не выказывает раздражения, даже когда я никак не могу справиться с сослагательным наклонением (это такое дурацкое наклонение во французском, кажется нужное только для того, чтобы орать на людей).

— Мы прекрасно доберемся, — призвав на помощь весь свой энтузиазм, объявила я. — Очаруем всех носильщиков отсюда до Северного вокзала.

Клэр слабо улыбнулась. Ее рука на секунду взлетела к шее.

— Похоже, он рад, что я приеду.

— Да, верно, — подтвердила я. — В первый раз улыбнулся после сердечного приступа.

Про Элис и Лорана я не стала упоминать. С ними разберусь позже.

Я взглянула на большой чемодан, нехотя собранный Пэтси. Внутри лежит кислородный баллон, который на границе придется декларировать. Я его боюсь. Точнее, не самого баллона, а ситуации, в которой он может понадобиться. Да что там — я просто боюсь, и точка. А вдруг нас вообще не пустят? В глубине души я даже немножко на это надеюсь. Тогда можно будет сказать, что мы сделали все возможное, но, к сожалению, ничего не вышло. Пусть Клэр и Тьерри общаются по скайпу, как взрослые благоразумные люди, а я вернусь в Париж и буду работать в шоколадной лавке, пока не поправится Тьерри, а потом... Не знаю. Наверное, поеду обратно домой. Сниму квартиру на пару с Кейт, устроюсь куда-нибудь. Там видно будет. А пока буду разбираться с проблемами по мере их поступления.

— У меня багажа мало, — сказала я.

Хотя на самом деле мама набила мою сумку беконом, сыром чеддер и прочими продуктами, которых, как она слышала, во Франции днем с огнем не сыщешь. Мама считает, что я совсем отощала.

При одной мысли, что в Лондоне надо будет пересесть на другой поезд, меня бросает в дрожь. Я совсем не знаю Лондона, и там все не так, как в Париже, но с этой проблемой я тоже буду разбираться потом.

Мы выезжаем во вторник утром. В воскресенье я пообедала с мамой и папой, поболтала с братьями, провела много времени с Кейт и всю дорогу уговаривала ее приехать в гости. Они с Сами найдут общий язык, пусть даже это будет не английский и не французский. Но моя решительная подруга вдруг оробела.

— Не-а, это все не по мне, — буркнула Кейт.

В понедельник вечером мы прогуливаемся вдоль канала и ищем, чем бы заняться. Несмотря на поздний час, на улице тепло.

— Тебе понравится, — заверила я. — Каждый день вечеринки, шампанское рекой. А еще в Париже очень красиво. Представляешь, я живу в мансарде старинного дома! Может, там даже привидения водятся.

— Какая же ты все-таки смелая, — вздохнула Кейт, грустно взглянув на меня. — Все думают, что из нас двоих серая мышка — ты, но это неправда.

— Не говори глупостей, — отмахнулась я. — Помнишь, на Новый год ты сиганула в канал в одежде? Я уж боялась, потонешь.

— Здесь — это одно, а там... — Кейт покачала головой. — С таким же успехом можно отправить меня в амазонские джунгли. Здесь мое место, Анна. Наш загаженный канал — это мое. Здесь Гэв, здесь моя мама, здесь все. А ты не такая.

— Я такая же, как ты, — заспорила я.

— Не-а, — возразила Кейт. — Ты смелая.

Мы взялись под руку и побрели обратно домой.

В семь утра мы с папой сидели в машине перед домом Клэр. Двигатель работал вхолостую. За ночь сильно похолодало. Папа был в сердитом настроении. Поезд у нас в двадцать минут девятого, но я решила перестраховаться, что оказалось очень кстати. Инвалидную коляску еле запихнули в багажник. Сто раз я пожалела, что связалась. Интересно, в первые полчаса поездки не слишком поздно отказаться от всей затеи?

Папа помогал мне бороться с коляской, а Клэр сидела на переднем сиденье. Как же она похудела! Даже ремень безопасности, которым она пристегнута, совсем не оттопыривается. Я заперла дом. Внутри все чисто и аккуратно. При виде пустого холодильника мне стало не по себе. Клэр же вернется всего через три дня. Но спорить с Пэтси я не собиралась. Мы с ней и без того много препирались.

В зеркало заднего вида Клэр наблюдала, как мы с папой, потея и ругаясь, пытались пропихнуть кресло в машину, убрав задние сиденья. Но даже это нам не помогло. Как бы на лондонский поезд не опоздать. Вдобавок он отходит с самой дальней платформы. Хотелось все бросить и удариться в панику.

— Дорогая, ты ведь знаешь, что делаешь? — тихонько спросил папа.

Напрашивался только один ответ:

— Понятия не имею, папа.

Он лишь молча похлопал меня по плечу, и как раз такая поддержка была мне больше всего нужна в тот момент. И все же начало поездки благоприятным не назовешь.

Вдруг на пустую улицу почти неслышно въехал здоровенный джип. В Кидинсборо такие машины редко увидишь, но вроде смахивает на «рейнджровер». Машина черная и вся блестит. Она затормозила напротив нас. Дверца открылась, и на тротуар шагнул респектабельного вида мужчина в нарядном твидовом пиджаке.

Заметив его в зеркале, Клэр ахнула. Очень медленно она открыла дверцу и осторожно вылезла — сама, без помощи.

— Ричард?.. — произнесла она.

Вот уж кого Клэр точно не ожидала увидеть этим утром. Она растерянно уставилась на бывшего мужа.

— Ричард... — повторила Клэр.

Иногда ей казалось, что он совсем не изменился: все тот же неуклюжий мальчишка в толстых очках и с кларнетом в футляре. Ричард по-прежнему носил очки в роговой оправе, но Клэр они всегда нравились, поэтому с другими фасонами он не экспериментировал. С годами волосы у Ричарда ничуть не поредели, а новая жена и ее дочка давали ему повод поддерживать себя в форме. Клэр помнила, с каким восхищением Ричард на нее смотрел. Впрочем, для него она так и осталась на пьедестале. Наверное, в этом и проблема. Но Клэр тут же мысленно себя укорила — нет, не в этом. Проблема в ней. И всегда была в ней.

— Ты что тут делаешь? Я уезжаю. Конечно, очень мило со стороны мальчиков, что они так за меня переживают, но я должна...

— Нет, — перебил Ричард и просто сказал: — Я приехал помочь.

Поначалу я терялась в догадках, кто этот представительный тип. Для старичка ничего, вполне интересный. Но ситуация быстро прояснилась. Я окинула взглядом его огромный «рейнджровер».

— Поедем на моей машине, — предложил Ричард. — Не придется мучиться с поездами.

Я подсчитала, сколько денег Клэр истратила на билеты в первый класс, но вслух свои соображения озвучивать не стала. Лишь с искренним облегчением воскликнула:

— Отлично!

Сложенное инвалидное кресло с легкостью поместилось в «рейнджровере». Я подсадила Клэр на высокое сиденье. Ни разу я не бывала внутри такой роскошной машины.

Папа с унылым видом наблюдал за нами. Мне стало немножко стыдно.

— Пап, без Ричарда нам не справиться, — оправдывающимся тоном произнесла я.

Папа поглядел на свой старенький «пежо».

— Очень люблю твою машину, — сказала я. — А эта — дурацкая. Она экологии вредит, из-за нее все льды на планете растают. Ой, смотри, тут на заднем сиденье телевизор смотреть можно!

— Значит, опять уезжаешь. — Папа грустно улыбнулся.

— Ненадолго, — подбодрила его я.

Опрометчиво я надевала в клуб неоновую мини-юбку, а почти все остальное время проходила в пижаме, но теперь снова облачилась в стильную парижскую униформу.

— А мама думает, что надолго. — Папа покачал головой. — Насовсем.

— Ничего подобного, — дрогнувшим голосом возразила я. — Мой дом здесь.

— Конечно здесь. — Папа обнял меня. — Мы тебе всегда рады. Но это не значит, что ты должна всю жизнь просидеть в Кидинсборо. Милая, тебе тридцать. Самое время начать свою жизнь, не находишь?

Сидя на заднем сиденье «рейнджровера», я чувствовала себя восторженным ребенком и нисколько по этому поводу не смущалась. На специальной подставке обнаружилась стопка DVD, явно предназначенная для внуков, но Ричард сразу предложил поставить какой-нибудь фильм для меня.

В больнице Клэр про бывшего мужа почти не рассказывала. Сыновья ее регулярно навещали, и по их внешности я догадывалась, что они пошли в отца.

Я знала, что Клэр и Ричард развелись, но остались друзьями. Что послужило причиной расставания, понятия не имею. Поэтому я сочла за лучшее надеть наушники. Пусть пообщаются без посторонних ушей.

———

Клэр мельком оглянулась на Анну. Та смотрела фильм на заднем сиденье, уставившись на экран как завороженная. Ни дать ни взять восторженный ребенок. Клэр улыбнулась.

В целом сегодня она чувствует себя не так уж и плохо. Конечно, суставы ломит, как при гриппе, да и головная боль кружит неподалеку, будто хищная птица, готовая в любой момент вонзить когти в свою добычу. Зато не тошнит. Что ж, надо учиться радоваться малому.

Ричард спросил, почему она, черт возьми, не может поехать на поезде «Евростар». Но Клэр непреклонна. Ей хочется еще раз ступить на борт парома. Клэр терпеть не может модную фразочку «закрыть гештальт», и все же для нее это важно.

В дороге они с Ричардом болтали о том о сем — главным образом о мальчиках. Удивительно, как быстро они вернулись к старым привычкам: будто и не разводились. Клэр глянула на руку Ричарда на рычаге переключения передач. Ричард всегда был хорошим водителем: серьезным, ответственным. Очень расстраивался, когда Клэр приезжала домой с вмятиной или царапиной на дверце. Для него такая небрежность была неприемлема.

Когда выехали на пустую автомагистраль — час пик уже прошел, за город выезжать еще рано, — Ричард включил круиз-контроль и откинулся на спинку сиденья. При этом его колени хрустнули. Да, не одна Клэр начала сдавать.

— К нему едешь? — тихо спросил Ричард. — К тому самому? Думаешь, я про него не знаю, но я с самого начала все понимал.

Клэр кивнула. Ричард покачал головой:

— Говорят, старая любовь не ржавеет, но чтобы до такой степени...

— Да, понимаю: наверное, уже поздно. Конечно поздно.

Клэр уставилась на собственные колени. Почему-то в машине разговаривать легче, чем лицом к лицу. Можно просто смотреть в окно.

Ричард снова покачал головой.

— Знаешь, о чем я жалею? — спросил он, не сводя глаз с дороги. — Когда мы с тобой начали встречаться, а ты была вся такая мечтательная и неприступная, я делал вид, будто это в порядке вещей, — а зря. Воображал, будто ты эфемерная загадочная фея, боялся тебя потерять. А надо было просто спросить: «Кто он, Клэр?» — и отпустить тебя к нему. Глядишь, чары бы развеялись.

— Может быть, — ответила Клэр.

— А потом ты вернулась бы домой, и я бы уже не казался тебе вторым сортом.

— Я никогда не считала тебя вторым сортом, — возразила Клэр.

Ричард искоса взглянул на нее, будто сомневался, что она говорит серьезно. Ветер швырнул в лобовое стекло россыпь дождевых капель.

— Что уж теперь говорить? — проворчал Ричард. — Сделанного не воротишь.

— Понимаю: ты хочешь, чтобы я попросила у тебя прощения, — сказала Клэр. — Извини, не могу. Мы с тобой вырастили двух прекрасных сыновей. Прожили вместе двадцать лет. Далеко не все пары могут похвастаться тем же. Я не хотела причинять тебе боль.

— Знаю, — буркнул Ричард. — Впрочем, я и сам дров наломал.

Клэр пожала плечами. Его измена — дело прошлое.

— Мальчишки почти ничего мне не рассказывают. А может, это ты им ничего не рассказываешь. Попробуй пробейся сквозь твою проклятую броню.

Раздражение так и рвалось наружу, но Ричард вовремя отвлекся, обогнав грузовик, который опасно вилял на средней полосе. С цепей на его колесах стекала дождевая вода.

— Я про... Ну, ты понимаешь.

— Хочешь знать, насколько плохо дело?

Ричард кивнул. Похоже, он не в силах был задать этот вопрос вслух.

Клэр повернулась к нему. Она уже некоторое время жила с этим знанием, вот почему так часто погружалась мыслями в прошлое.

— Рак снова распространился, — тихо произнесла Клэр и на некоторое время умолкла. В машине было слышно только слабое жужжание, доносившееся от наушников Анны, и скрип дворников по лобовому стеклу. — Вот почему у меня опять отрастают волосы. Я сказала мальчикам, что у меня перерыв в лечении, но это неправда. На самом деле мы отменили следующий курс химиотерапии.

Ричард резко втянул в себя воздух.

— Да уж, хорошего мало. Не поверишь, как долго пришлось воевать с врачами, чтобы мне выписали эту штуку.

Клэр разжала пальцы и показала крошечный пузырек диаморфина.

— Только никому ни слова, — почти шутливым тоном предупредила Клэр.

— Но по тебе не скажешь. Ты такая же, как обычно, только похудела.

— У меня бывают плохие дни, а бывают хорошие. Сейчас мне немного полегчало. Наверное, организм радуется, что его больше не травят химией. Но не знаю, много ли у меня еще осталось таких вот хороших дней.

— А врач что сказал?

Клэр изобразила мрачно-торжественный тон онколога:

— «Что ж, миссис Шоукорт, загадывать на несколько месяцев вперед было бы слишком смело».

Ричард чуть не поперхнулся, а потом произнес слово, которого Клэр от него раньше ни разу не слышала:

— Вот дерьмо!

Глава 23

Лоран еще раз перечитал имейл от Анны. Она хоть понимает, о чем просит? И речи быть не может! От знакомых Лоран слышал: папу только что выписали из больницы. Но его посадили на строгую диету, и отдыхать ему нужно еще месяца три, не меньше. А обсуждать эту тему с Элис бесполезно: на предложение участвовать в этой затее наверняка ответит категоричным отказом.

Кто же тогда будет сопровождать Тьерри? Сам Лоран? Это вряд ли. Даже если они с Тьерри каким-то чудом помирятся, Лоран занят на работе. Да и вообще, он не представляет, как все это организовать. Да и не хочется что-то делать для той женщины.

Впрочем, теперь она уже не юная девушка, к тому же серьезно больна. Ну что ж, когда они с Анной доберутся до Парижа, он постарается что-нибудь придумать. Да, так будет правильнее всего.

Лоран подумал об Анне. На нее это очень похоже: бросить все и без лишних раздумий и колебаний кинуться помогать больной женщине. Точно так же Анна отправилась навещать его отца и взялась спасать шоколадную лавку — просто по велению сердца. А он...

Лоран в очередной раз обругал себя за то, как отреагировал по поводу ее ноги. Лоран обидел Анну — и, что самое худшее, из-за того, с чем она ничего не может поделать. Теперь он сгорал со стыда за свое поведение. Анна — не какая-нибудь непробиваемая, прожженная парижанка, к которым он привык. Она не изящная гламурная барышня. Эти особы изучили наизусть все модные места и всегда одеваются соответственно случаю. Анна не такая. Она мягкая, впечатлительная и...

Только в этот момент Лоран осознал: она всегда знает, как правильно поступить. Просто чувствует, и все. Вот что отличает ее от других. У Лорана такого дара нет: он просто слабохарактерный трус, норовящий сбежать каждый раз, когда дело принимает неприятный оборот. Вот почему ему нужна Анна.

Скорее бы она вернулась в Париж! Это желание вдруг охватило Лорана с неожиданной силой. Он снова просмотрел ее письмо. Завтра. Анна приедет завтра. Лоран нажал на «ответить», но тут сообразил, что понятия не имеет, как выразить свои чувства. Что говорить? Что делать? Лоран уставился на пустую страницу, потом вышел из Интернета и поступил так, как всегда поступал, когда на него наваливалось слишком много всего. Отправился на работу.

Проснувшись, я никак не могла сообразить, где нахожусь.

За окнами льет дождь. Я лежу на мягком заднем сиденье, удобном, как огромный кожаный диван. Подняв голову, я обнаружила, что мы на заправке. Клэр спит впереди.

Вот в машину вернулся Ричард. Глаза у него красные. Он то и дело трет нос. Я решила сделать вид, будто не замечаю: мы ведь едва знакомы, — лишь указала на спящую Клэр и приложила палец к губам. Ричард подошел к багажнику, достал одеяло — ну конечно, у него и одеяла в машине есть — и очень осторожно укрыл ее.

Я задумалась. Тьерри, конечно, замечательный человек. Веселый, жизнерадостный, остроумный. И все же трудно представить, чтобы он вот так укрыл Клэр: настолько бережно, будто боится ей навредить. Тьерри устроил бы из этого целое представление. А может, обратил бы все в шутку. Или попросил бы кого-нибудь другого. Но чтобы вот так: спокойно, недемонстративно, с уважением...

Я молча улыбнулась Ричарду. Он улыбнулся в ответ и прошептал:

— Взял вам сэндвичей. Не знал, какие вы любите. На всякий случай купил несколько разных.

— Спасибо! — Я просияла. — Очень кстати. А с ветчиной и помидором есть?

Ричард протянул мне сэндвич вместе с бутылкой минеральной воды и плиткой шоколада «Брэйдерс».

— Извините, — произнес он. — На всякий случай взял все, что было. Не знал, что выбрать, — может, вы едите все подряд, а может, у вас аллергия.

Ричард сел за руль и осторожно завел машину.

— Если не хотите шоколадку, я ее съем.

— Нет, почему же? — произнесла я, пристально глядя на знакомую коричневую обертку.

Вместе с многочисленными официальными письмами, в которых фабрика открещивалась от всякой ответственности за инцидент, с фабрики мне в больницу прислали огромную корзину, полную продукции «Брэйдерс». С тех пор даже в киоске на их шоколадки смотреть не могу.

Но сейчас я уверенно взяла ее в руку и сказала:

— Самое время преодолеть себя.

Но Ричард не услышал: выезжая на автостраду, сигналил другой машине.

Я разорвала упаковку и вдохнула запах шоколада: медленно, полной грудью, как учил Тьерри. Сразу нахлынули воспоминания о фабричных деньках: Кайл, Шэз, журнал регистрации, горы сверхурочной работы на Пасху, визит герцогини Кембриджской (остальные готовы были визжать от восторга, а я чувствовала себя ни на что не годной неудачницей).

И вдруг я с радостным волнением поняла, что различаю нюансы. По запаху могу определить, что содержится в шоколаде. Вот я чую растительное масло, пищевые добавки, вкус которых на фабрике маскируют, добавляя побольше сахара, — и я способна определить сорт этого сахара! А вот запах какао-бобов слабоват. С приятным волнением подумала: а ведь я могу приготовить точно такой же шоколад! Но тут же замотала головой, отгоняя дурацкую мысль. Фредерик с ужасом отшвырнул бы от себя шоколадку «Брэйдерс», будто ядовитую змею. Я зажмурилась и откусила чуть-чуть.

И вот ведь что странно. Я прекрасно знаю, что при изготовлении этой шоколадки экономили на всем, на чем можно и нельзя. Она продукт массового производства, ее невозможно ставить в один ряд с высококачественным, изготовленным из лучших продуктов шоколадом Тьерри. Вкус у нее самый что ни на есть стандартный, и основное ее предназначение в том, чтобы ничем особо не выделяться... И все же шоколадка «Брэйдерс» — вкусная. Тает на языке точно в правильный момент и наполняет рот сладким, сливочным вкусом. А ведь я точно знаю, сколько в ней сливок (ни грамма). А еще шоколадка легко разламывается на удобные квадратики. Нет, это же просто объедение! Не знаю, как бы я восприняла этот вкус, не привыкни я к нему с раннего детства. Но для меня этот шоколад вполне хорош: вкус успокаивающий, уютный и домашний. Жалко, Ричард не купил еще. Спрятала бы под кроватью в Париже и лопала, когда надоест дегустировать шоколад ручной работы.

Я тихонько замычала от удовольствия.

В зеркале заднего вида отразилось улыбающееся лицо Ричарда.

— Будто опять с детьми еду, — сказал он. Но по-доброму, совсем не обидно.

Судя по указателю, от Довера нас отделяет меньше сотни миль.

Я с опаской поглядывала на тучи.

Насколько сильным должен быть дождь, чтобы паромы отменили? У нас билеты на сегодняшний вечер. По прибытии во Францию я собиралась найти дешевую гостиницу недалеко от порта. Мы с Клэр немного отдохнули бы, а завтра с новыми силами вышли бы на финишный этап нашего путешествия.

Но теперь я не знаю, каковы будут наши дальнейшие действия. Билеты на поезд забронированы, но я не уверена, какие на этот счет планы у Ричарда. Может, он довезет нас до самого Парижа? Спрашивать не хочу. Уже успела заметить, что бывший муж Клэр — настоящий джентльмен. Если я хотя бы намекну на что-то подобное, отказать он не сможет. Рискую поставить человека в неудобное положение.

Может, у него даже загранпаспорта с собой нет. Короче говоря, я решила сидеть тихо и ждать дальнейшего развития событий.

Когда проходили паспортный контроль, Клэр не проснулась. Я боялась, что у таможенников возникнут подозрения и они заставят нас ее разбудить. Но никого это обстоятельство не смутило. Нас пропустили без проблем. Ричард вышел из машины и быстро, ни слова не говоря, купил билет на провоз автомобиля. Я даже не заметила, как он это проделал. А когда я принялась его благодарить и попыталась предложить денег, Ричард только отмахнулся.

— Деньги Клэр — это мои деньги тоже, — заметил он, но без малейшего намека на желание оскорбить или принизить.

Между тем беспробудный сон Клэр начал тревожить нас обоих. Клэр клятвенно заверила, что лекарства может принимать сама и в контроле не нуждается. Мол, так сказал врач. Но теперь меня одолевали сомнения.

— Клэр, — позвал Ричард, когда мы с шумом въезжали на огромный паром.

На борту полно беззаботных отпускников. В машинах у них чего только нет: соломенные шляпы, надувные кресла, палатки, велосипеды. Дети ерзают на сиденьях: им не терпится устроить веселую беготню на палубе. «Может, поездом ехать и удобнее, — подумала я. — Но малышам на пароме точно интереснее».

Клэр зашевелилась. Когда мы заняли место на нижней палубе, Ричард выключил двигатель и легонько коснулся ее плеча:

— Клэр?

Ох и долго Клэр его уговаривала! А Тьерри только отмахивался: не валяй дурака, на Эйфелеву башню поднимаются одни туристы. На это Клэр возразила: а я, по-твоему, кто? Тьерри ответил: нет, ты не туристка, ты муза. Клэр в жизни никто не говорил ничего приятнее. Она подпрыгнула и обвила ноги вокруг его пояса. Тьерри раскатисто захохотал и наконец согласился. И вот однажды в жаркий день, в то время, когда все остальные «обедали, как нормальные люди» (так выразился Тьерри — и он был прав, в Париже время трапезы ни за что не пропустят), они приблизились к основанию огромной металлической конструкции и долго маялись в очереди на солнцепеке. Тьерри то и дело вытирал лоб большим платком.

— Красивая, — произнесла Клэр.

— Только на коробку конфет годится, — фыркнул Тьерри.

— Верно, — согласилась Клэр. — Тебе надо выпускать коробки конфет с Эйфелевой башней.

Тьерри нахмурился. Они вошли в лифт и под углом взлетели вверх, будто на ракете. Клэр затрепетала от радостного волнения. Вот они на первом уровне (première), на втором (deuxième), на третьем (troisième). Тьерри понял: Клэр не успокоится, пока не поднимется на самый верх. Ее энтузиазм вызвал у него улыбку.

Внизу парижский воздух горячий и неподвижный, зато наверху дует прохладный ветер. Тьерри сразу снял пиджак и набросил ей на плечи, но Клэр вовсе не хочется кутаться. После городской жары особенно приятно насладиться свежим дуновением.

Светлые волосы Клэр развевались. Она повернулась к Тьерри с улыбкой. В кои-то веки Тьерри вовремя догадался достать фотоаппарат «Лейка» и запечатлеть этот момент. Темно-красные губы Клэр — помадой такого оттенка пользовалась мадам Лагард, и Клэр переняла у нее эту привычку — растянуты в широкой веселой улыбке. Она пытается удержать на голове соломенную шляпу с широченными полями.

Тьерри и Клэр обошли смотровую площадку и остановились с другой стороны, любуясь рекой и равниной на противоположном берегу. Тут ветер наконец одержал победу: схватил шляпу и унес. Вот она парит на восходящих потоках воздуха и цепляется за металлическую конструкцию. Шляпа совсем рядом, но до нее не дотянуться.

— О нет! — воскликнула Клэр, отчаянно пытаясь ухватить беглянку.

Тьерри сгибался пополам от хохота. Потом крикнул:

— Держись, шляпа! Я спасу тебя!

Он притворился, будто собирается перелезть через ограждение. Но тут подошел охранник и строго велел Тьерри немедленно прекратить.

— Я тебе сто шляп подарю, — хвастливо пообещал Тьерри. Они спускались на лифте, налюбовавшись видом со всех сторон и посмотрев на инструменты самого месье Эйфеля. — Скуплю все до единой шляпы в «Галери Лафайет». Те, что понравятся, оставишь себе, а с остальными поднимемся сюда, пустим их по ветру и загадаем: пусть те, кто их подберет, будут такими же счастливыми, как мы с тобой.

Они целовались до самого первого уровня, а оператор лифта усердно отводил от них взгляд. Le Tour Eiffel[1] часто оказывает на влюбленных такой эффект.

---

[1] Эйфелева башня (*фр.*).

С тех пор на подарочных коробках из шоколадной лавки Тьерри в углу появилась крошечная, едва заметная печать в виде шляпы.

— Клэр!

Она почувствовала чью-то руку на своем плече и подняла голову. Ричард и Анна с тревогой глядели на нее.

— Уф, — облегченно выдохнул Ричард.

— Все нормально, — успокоила их Клэр.

Во рту у нее сильно пересохло: побочный эффект лекарств. К счастью, Анна уже протягивала ей бутылку воды. Все-таки приятная она девушка. Клэр взяла бутылку и попыталась улыбнуться, но губы тут же болезненно растрескались.

— Просто дремлю.

Клэр отпила глоток воды. Часть стекла по шее. После сна в машине все тело онемело и ныло. Клэр была не уверена, что сможет пошевельнуться. Анна вытерла пролившуюся воду и наклонила бутылку так, чтобы Клэр было удобнее.

Это специальная бутылка для спортсменов: сверху прикреплена насадка, похожая на соску для младенцев. Клэр мимоходом подумала: почему эти бутылки называют спортивными, когда они явно предназначены для маленьких детей и инвалидов?

Вдруг гигантский двигатель парома ожил. Палуба и до этого покачивалась, а теперь задрожала и пришла в движение. Клэр огляделась по сторонам. Вдруг вспомнила про крушение парома «Геральд оф фри энтерпрайз». Можно представить, что творилось на борту. Голос по громкой связи объявил на английском и французском, что погодные условия не слишком благоприятные, и посоветовал пассажирам покинуть нижние грузовые палубы и не выходить из внутренних помещений, потому что море сегодня будет неспокойным.

Только тогда Клэр сообразила: она же на грузовой палубе!

— Хочу подняться наверх, — объявила она.

— Лучше пойдем в салон, — предложил обеспокоенный Ричард.

На пароме установлен лифт для инвалидных кресел, но судно качало так сильно, что Ричард не представлял, как вытащить кресло из багажника, не говоря уже обо всем остальном. Другие пассажиры разошлись: поднялись по разноцветным лестницам во внутренние помещения.

— Нет, я хочу наверх. — Клэр покачала головой. — На верхнюю палубу.

Ричард и Анна переглянулись. Клэр едва не расплакалась от бессилия. Ну почему ее проклятое тело совсем ей не подчиняется?

Клэр выглядит ужасно. Даже попить воды из бутылки для нее проблема. Нужно уходить с нижней палубы, но как?

Я подошла к багажнику гигантского «рейнджровера» и потянулась, пытаясь его открыть. Меня мотало вместе с паромом, который, похоже, в этот момент разворачивался. Всего один раз я плавала на пароме: в тринадцать лет, с Кейт. Но мы с ней всю дорогу распевали песни группы «Oasis», и больше мне из того плавания ничего не запомнилось.

Сражаясь с замком, я почувствовала на себе взгляд Ричарда. Посмотрела на него. Он пожал плечами, отстегнул ремень безопасности со стороны Клэр и осторожно, как ребенка, — впрочем, она и впрямь легкая, как ребенок, — подхватил ее на руки. Я взяла одеяло.

— Ричард! — возмутилась Клэр.

Ее голос исполнен боли, но все мы понимаем: другого способа нет.

Ричард стал осторожно подниматься по узкой лестнице.

— Помощь не нужна, сэр? — спросил веселый моряк.

Ричард буркнул что-то на тему того, что в такую погоду инвалидную коляску лучше не доставать.

— Понадоблюсь — зовите, — сказал моряк, причем таким обнадеживающим тоном, что я твердо решила: отныне путешествую только паромами, и никак иначе.

Внутри светло и многолюдно, как в терминале аэропорта. Повсюду магазины, бары и дьюти-фри. Звенят и сверкают огнями детские игровые автоматы, вокруг которых уже столпилась ребятня. Пахнет жареной картошкой. Я заглянула в большой салон. Кресел здесь много. Те, что с откидывающимися спинками, уже заняты бывалыми путешественниками. Эти ребята явно чувствуют себя на борту как рыба в воде. Мы поймали на себе несколько любопытных взглядов, но не стали обращать внимания. Проложили путь в самый тихий угол салона, какой нашли. Ричард аккуратно усадил Клэр и сделал вид, будто совсем не запыхался.

— Пойду принесу нам всем кофе, — бодро произнесла я.

Когда приехал Лоран, Элис стояла на пороге дома со скрещенными на груди руками. За ее спиной Лоран заметил бесшумно сновавших туда-сюда по отполированному до блеска паркету сиделок премиум-класса. Должно быть, на этих помощниц уходит целое состояние. В углу стояли французские орхидеи.

— Тьерри нет дома, — объявила Элис.

— Не говори глупостей, — отмахнулся Лоран. — Послушай, он может со мной не разговаривать, если не хочет. Но пусть он сам примет решение.

— Нет, — покачала головой Элис. — Тьерри не желает тебя видеть.

— Ладно, — кивнул Лоран. — Тогда я просто его отвезу. Молча.

— Нет, — упрямо повторила Элис.

— Да, — произнес Тьерри, выходя из передней.

Хотя день был теплый, в камине вовсю пылал огонь. На Тьерри мешком висела огромная домашняя куртка. Не будь Лоран весь на нервах, улыбнулся бы.

Элис перевела взгляд с отца на сына. Пальцы сжались в кулаки, кожа натянулась на высоких скулах, залитых сердитым румянцем.

Вдруг и Элис, и Лоран одновременно поглядели на поднос с ключами у двери. Лоран среагировал молниеносно: выбросил вперед длинную руку и ухватил брелок. Элис потрясенно ахнула. Лоран, сам испугавшись того, что сделал, попятился к фургону. Тьерри последовал за сыном.

— Нет! — крикнула Элис, но было слишком поздно.

Оставалось только стоять и смотреть, как фургон скрывается из вида. Элис вполголоса выругалась. На английском.

Когда я вернулась с кофе, Ричард и Клэр спорили. Похоже, с тех пор как он усадил ее в кресло, она даже не шевельнулась. Я порылась в аптечке, отыскала тигровый бальзам — в больнице он ей очень нравился — и стала молча втирать ей в плечи. Только тогда я заметила, что Клэр стала совсем бестелесной. Остались лишь упрямо напряженные узлы мышц. При виде редких кустиков волос, напоминавших птичий пух — платок опять соскользнул с головы Клэр, — я с трудом сдержала слезы.

— Нет, на палубу я тебя не понесу, — решительно заявил Ричард.

Сквозь иллюминаторы видно, как вздымаются и опускаются волны. В салоне ощущается слабый, но резкий запах рвоты: кого-то из пассажиров уже укачало. Морская вода переходит от темно-зеленого оттенка к черному, стекла усеяны брызгами и каплями дождя. Хотя Ла-Манш не так уж и широк — люди его вплавь преодолевают, — кажется, будто мы пересекаем океан.

— Мне нужно на свежий воздух, — тихо взмолилась Клэр.

Я глянула на пузырек с лекарством. Клэр приняла еще немного, но, похоже, соображает ясно. Помогают ли медикаменты бороться с болью от страшного яда, которым ее отравляет коварная опухоль? Она растет внутри Клэр, распространяется, заполняет пространство вокруг чернотой, вытесняет все остальное.

Но лицо Клэр по-прежнему исполнено достоинства и даже красиво.

— Нет, так нельзя, — заспорил Ричард. — Разве ты не хочешь снова увидеть мальчиков? А Каденс и Коди?

Клэр отвела взгляд.

— Конечно хочу, — ответила она и прибавила: — Но я еще много чего хочу увидеть.

Судя по упрямо выпяченному подбородку, спорить с ней бесполезно.

— Пневмонию схватишь.

— Есть вещи и похуже пневмонии, — произнесла Клэр. — Например, то, что у меня сейчас.

Ричард зажал пальцами переносицу и яростно потер.

— Между прочим, тебя с нами никто не звал, — прибавила Клэр, почуяв преимущество. — Ты сам поехал. Мы с Анной прекрасно справились бы сами.

Я замерла, стараясь не привлекать к себе внимания. Ни к чему говорить об очевидном: а именно о том, что Ричард просто невероятно упростил нам жизнь и, если бы не он, мы бы до сих пор толкались на вокзале Крю или, что еще более вероятно, вообще остались бы дома.

Ричард взглянул на часы.

— Ну хорошо, — произнес он. — Но только когда будем подходить к Кале, и не раньше. Договорились?

Клэр ответила слабым кивком. Ричард достал мобильный телефон и выбежал прежде, чем она успела накинуться на него с новыми требованиями.

Я осторожно растерла локти и запястья Клэр.

— Так больно? — тихо спросила я, почувствовав, как она вздрагивает от моих прикосновений.

— Неважно, — резко отозвалась Клэр.

Наверное, она сейчас чувствует то же самое, что и я: волнуется и жалеет, что мы решились на эту рискованную затею.

Прошло сорок пять минут. Мы с Клэр сходили в туалет и сделали все, что возможно в раскачивавшейся кабинке. Потом вернулся Ричард, и снова с едой, но у нас обеих не было аппетита. Шторм не унимался. Даже весело визжавшие дети притихли.

— Значит, отступать ты не собираешься? — резким тоном спросил Ричард.

— Нет, — с достоинством ответила Клэр. — И кажется, теперь я могу встать.

Похоже, лекарство и массаж благоприятно подействовали на ее мышцы. Очень медленно, покачиваясь, Клэр поднялась с кресла. Мы с Ричардом осторожно взяли ее под руки и плавно, не спеша повели к выходу из салона, потом стали подниматься по задней лестнице.

Там тоже стоял моряк, но мы объяснили, что нам очень нужно на верхнюю палубу. Он окинул нас внимательным взглядом и велел соблюдать правила безопасности, но сказал, что не имеет права никого останавливать — только детей.

Когда мы вышли через распашные двери наверху, нас едва не снес мгновенно налетевший порыв ветра.

Шторм бушует вовсю. Над нашими головами угрожающе чернеют тучи. В небе кричат чайки, кружащие над морем в поисках выброшенных за борт чипсов или еще какой-нибудь вкусной человеческой пищи. Вздымаются гребни волн, а за паромом тянется пенная дорога.

Потом мы обернулись, и Ричард тихонько присвистнул.

Прямо перед нами простирается побережье и скалы Кале. На вершине холма виднеется старый город. И самое главное — никакой бури! Казалось, кто-то прочертил через все небо линию между Великобританией и Францией. Облаков над Кале почти не видно, и город озаряет вечернее солнце.

— Как нарочно, — пробормотал Ричард.

Но Клэр не обратила на его слова внимания. Она шла вперед. Одна. Держалась рукой за ограждение, но в остальном шагала твердо. На палубе ни единого человека. Клэр обошла шлюпки и бакен и очутилась на носу. Я поспешила к ней.

— Ma belle France[1], — вполголоса произнесла она.

Мы с ней стояли настолько близко к ограждению, насколько позволяло благоразумие. Между тем ветер стихал. Постепенно прекратился и дождь. Видимость улучшилась.

Пристань для паромов была все ближе и ближе. На самом краю дальнего причала мы разглядели две фигуры: одна стоит, другая сгорбилась в инвалидном кресле. У меня зрение лучше, чем у Клэр, поэтому я заметила их первой.

— Смотрите, — сказала я.

Взяла ее за руку, как ребенка, и указала на наших встречающих.

---

[1] Моя прекрасная Франция *(фр.)*.

Глава 24

С нова включилась громкая связь. Всем велели сесть в машины. Ричард придержал для нас дверь салона:

— Вам сюда. — Он указал на выстроившихся в очередь пеших пассажиров с велосипедами и рюкзаками.

— А как же вы? — удивилась я.

— Нет, дальше мне делать нечего. — Ричард покачал головой.

Значит, он тоже разглядел двух человек на причале.

— Я так и планировал, — прибавил Ричард, заметив выражение моего лица. — Уже взял обратный билет.

Только тут я поняла, что за это короткое время привыкла полагаться на Ричарда как на взрослого и умного человека.

Паром с плеском разворачивался, готовясь пришвартоваться у пристани.

— Сейчас принесу кресло и ваши сумки, — сказал Ричард. — А дальше о вас будет кому позаботиться.

Когда Ричард шагнул на лестницу, его лицо было мрачным, в глазах застыла грусть. Спустили длинные сходни для пассажиров. Пункт паспортного контроля представлял собой будку, в которой дежурил недовольного вида мужчина, явно страдавший от жары.

И все-таки удивительно, до чего разная погода здесь и там! Кажется, будто мы пересекли пунктирную линию вроде тех, которые чертят на картах: вот Британские острова, а вот континент.

Люди моргали от яркого солнца. Паромные запахи жареной еды, духов и мокрого ковролина остались позади. Мы с наслаждением вдыхали свежий воздух.

— Кажется, мне надо присесть, — прошептала Клэр.

Клэр до сих пор не могла поверить, что Ричард столько для нее сделал. Он разложил инвалидное кресло так ловко, будто всю жизнь занимался именно этим, а не чертежами и несущими конструкциями.

— Спасибо, — произнесла Клэр.

Ее одолевали и слабость, и волнение. Клэр не смогла съесть ни кусочка, хоть и понимала, что ей полезно было бы подкрепиться. Но Клэр боялась, что ее вырвет, а самой привести себя в порядок ей не по силам. Нет, такого позора она не вынесет.

До чего отвратительная болезнь — рак! Иногда Клэр жалеет, что не болеет чем-нибудь более изысканным и романтическим. Например, туберкулезом, как в опере «Богема». Возлежала бы на кушетке, кашляла в платочек, а потом тихо зачахла бы. Ни рвоты, ни поноса, ни облысения, ни прочей мерзости.

И все же сердце Клэр затрепетало в радостном предвкушении. Зрение у нее уже не то, и она не разглядела двух человек на причале. Зато Анна заметила их и сразу оживилась: запрыгала, закричала, захлопала в ладоши. Оставалось только поверить ей на слово.

Может, Тьерри теперь тоже зрение подводит. Но если так, то в их случае это даже к лучшему. А между тем паром быстро пустел. Клэр попыталась рассмотреть пристань с палубы, но яркое солнце било в глаза.

Вдруг Ричард не без труда опустился рядом с ней на корточки. Они очутились лицом к лицу. «А вот и единственный плюс неважного зрения», — подумала Клэр.

Для нее Ричард сейчас выглядит почти так же, как в школьные годы. Шапка кудрявых волос, очки с толстыми стеклами.

Клэр улыбнулась, но Ричард не улыбнулся в ответ. Он взял ее за руку.

— Здесь я с вами прощаюсь, — тихо произнес Ричард.

Клэр кивнула. Она все понимала.

— Спасибо, — от всей души поблагодарила она.

— Пустяки. — Ричард покачал головой.

Клэр рассердилась: неужели не ясно, что она имела в виду?

— Не в этом смысле, — возразила она. — Спасибо за все. За то, что уговорил меня поступить на учительские курсы — и закончить их. За то, что забрал меня от преподобного и женился на мне, хоть и знал, что на самом деле я... И за наших чудесных мальчиков спасибо, и за надежность, и за заботу.

— Жаль, что ты не сказала «спасибо за счастье», — произнес Ричард.

Вдруг в его глазах блеснули слезы. Клэр не видела его плачущим с того давнего тягостного вечера, когда Ричард признался, что изменил ей.

Клэр покачала головой:

— Тогда мне не хватало ума это понять, но теперь понимаю, что была счастлива. Глупая, наивная девчонка, голова забита всякими бреднями...

Они молча улыбнулись друг другу. После стольких лет слова им были не нужны. Потом и Ричард, и Клэр поглядели на французский берег. В голове Клэр вдруг мелькнуло воспоминание. Мальчики тогда были маленькими.

Вот они на широком пляже. Раннее утро, вокруг почти никого, только несколько человек выгуливают собак. Но Йен всегда просыпался с рассветом, даже на отдыхе. Мальчики в плавках со всех ног несутся в воду, но, почувствовав, какая она ледяная, сразу принимаются визжать как резаные. Но вместо того чтобы посмеяться или попросту не обратить внимания, Ричард решил им помочь и тоже забежал прямиком в холодную воду. Подхватил мальчишек под мышки и плескался с ними, пока Рики и Йен постепенно не привыкли к воде. И вот они уже играют и смеются не переставая. Когда они наконец вышли на берег, посиневшие от холода, у всех троих стучали зубы. Клэр завернула мальчишек в полотенца и налила Ричарду горячего кофе из термоса. Ричард объявил, что в жизни не пил ничего приятнее.

Как воспоминания об этом дне ускользнули из ее памяти?

— Мы с тобой жили счастливо. В нашей жизни было много радостного. Нет, правда. Жаль, что я не оценила всего этого по достоинству.

Ричард подставил под ее голову свое плечо. Клэр уловила запах, который уже почти успела забыть.

— Успокойся, любовь моя, — произнес Ричард, гладя ее по лысой голове. — Все хорошо.

Клэр поняла: это прощание. Она прижалась щекой к его щеке, за время путешествия успевшей зарасти темной щетиной. Так они сидели, пока к ним с извиняющимся видом не подошли члены экипажа. Анна тоже не сводила с Клэр и Ричарда обеспокоенного взгляда, но сейчас все это не имело значения. Клэр крепко сжала руку Ричарда в своей и произнесла:

— До скорой встречи.

Ричард нахмурился, но возражать не стал. Один из приятных молодых моряков помог свезти кресло вниз по трапу. Анна шла сзади и везла чемодан на колесиках. Клэр хотела обернуться, но шея совсем онемела. К тому же солнце светило так ярко, что Клэр все равно не разглядела бы затененную палубу.

Вдобавок она отлично знает Ричарда. Он не станет стоять и ждать: не такой он человек.

Потом их быстро провели через паспортный контроль. Оттуда Анна покатила коляску сама. Возле самого выхода из терминала их встречали два человека. Сердце Клэр заколотилось так быстро, что ее онколог этого не одобрил бы.

И все-таки насчет Ричарда Клэр ошибалась. Он стоял и смотрел, пока они не скрылись за увитой колючей проволокой оградой вокруг терминала. Вот веселые, обгоревшие на солнце отдыхающие поднимались на борт, а Ричард все не сходил с места. Паром отдал швартовы, и снова взревел огромный двигатель. Ричард глядел, как французский берег постепенно удалялся, а потом и вовсе скрылся из вида в вечерних сумерках.

Домой Ричард ехал на машине сквозь дождливую тьму. Добрался только к двум часам ночи. Улыбнулся при виде сэндвичей с жареной говядиной и горчицей, которые приготовила и оставила для него Энн-Мари. А потом Ричард уселся на диван в гостиной и сделал то, что позволял себе только в редких, исключительных случаях: напился.

Глава 25

Клэр ошеломленно вздрогнула. Поначалу ей показалось, что перед ней стоит Тьерри. Столько лет прошло, а он остался точно таким же: густая шапка кудрявых волос, озорные искры в глазах. Только усов не хватает.

Но тут Клэр сообразила: это же его сын, Лоран. Анна рассказывала, что они с Тьерри похожи как две капли воды. Очень симпатичный молодой человек. Посмотреть бы сейчас на лицо Анны, но Клэр понимает: дольше откладывать нельзя. В конце концов ей придется взглянуть на мужчину, сидящего прямо напротив. Клэр прищурилась и постаралась сохранить невозмутимый вид.

Вне всяких сомнений, перед ней Тьерри: он безошибочно узнаваем. Но до чего же плохо он выглядит! Клэр понимала всю иронию ситуации — кто бы говорил! — но все же... Лицо серое, морщинистая кожа обвисла, как у шарпея. К инвалидной коляске прикреплен кислородный баллон.

Зато усы уже отрастают, а черные глаза под массивными бровями остались совсем прежними.

И тут с упавшим сердцем Клэр сообразила, что Тьерри тоже ее разглядывает, причем делает это уже очень долго. Должно быть, ужасается, во что она превратилась. Клэр потянулась и крепко стиснула руку Анны в своей.

Вдруг Тьерри рассмеялся. До чего же Клэр знаком этот блеск в глазах, этот заразительный хохот! Она невольно улыбнулась. Попробуй тут удержись.

— Ну мы и парочка! — вскричал Тьерри. — Ни дать ни взять два самых облезлых осла на живодерне!

Опершись на руку обеспокоенно поглядывавшего на отца Лорана, Тьерри с трудом поднялся и замер на нетвердых ногах. Клэр заметила, как нарядно одет Тьерри: светлые льняные брюки, бледно-розовая рубашка. Стильный, как всегда.

Клэр решила, что не даст себя обставить. Покрепче ухватилась за руку Анны и, морщась от боли, встала. Клэр шагнула к Тьерри, и он заключил ее в объятия.

— Птичка моя маленькая! — воскликнул он. — Еще меньше стала!

— Зато ты совсем не уменьшился, — сдавленным голосом ответила Клэр, уткнувшись лицом ему в грудь.

Тут Клэр почувствовала, что Анна больше не придерживала ее за локоть. Клэр обернулась. Анна кинулась к Лорану, обхватила руками за шею и поцеловала его.

Тьерри поглядел на Клэр и вскинул брови. Как хорошо она помнит это его выражение лица!

— Да, жизнь продолжается, — раскатистым басом объявил он.

Клэр рассмеялась от неожиданности и радости и с облегчением плюхнулась обратно в кресло.

Не знаю, что на меня нашло. Увидела его и не смогла удержаться. Думала, они с отцом в ссоре: ворчат, ругают друг друга. Но я недооценила Лорана. Конечно же, он все сделал. Бросил свои дела, поменял планы, неведомо как уладил вопрос с Элис, — о боже, Элис! Ладно, о ней подумаю позже — и договорился с суровыми французскими врачами. Короче говоря, практически провел операцию по освобождению заложника. Попробуй тут не проникнись к человеку уважением. К тому же я расчувствовалась, — по крайней мере, так я повторяла себе позже. Удивительно: зачем Ричард и Клэр развелись? Будь у меня такой импозантный, благородный мужчина, который так обо мне заботится... Но такого мужчины у меня нет, а значит, даже фантазировать на эту тему бессмысленно.

Однако свою роль сыграло и мужественное лицо Лорана, эти соблазнительные губы, которые так и тянет поцеловать, буйные кудри... Я должна признаться: Лоран для меня не просто герой курортного романа, как считает Сами. Это не мимолетный случайный эпизод, о котором потом я буду со смехом рассказывать Кейт в клубе «Лица». Лоран посмотрел на меня и улыбнулся, и эта улыбка яснее всякого письма дала понять: ему неловко за свое поведение и он хочет начать все сначала. В этот момент, в лучах предзакатного солнца, я позабыла и про Клэр, и про Тьерри. Меня одолевало только одно страстное желание: поцеловать Лорана.

Когда ко мне наконец вернулась способность соображать здраво, я отступила на шаг и перевела дух. Щеки залил горячий румянец. Лоран широко улыбнулся.

— Я тоже рад тебя видеть, — только и произнес он.

Потом я обняла Тьерри, велела ему закрывать от солнца шею и спросила, как он находит Клэр после долгой разлуки. Тьерри просиял и объявил, что Клэр все такая же красавица. Клэр покраснела, как школьница, и стала возражать. Тогда Тьерри сказал, что, во всяком случае, она выглядит получше, чем он. Клэр рассмеялась и согласилась. Я спросила у Тьерри: неужели Лоран увез его тайком? Тьерри фыркнул и подтвердил — да, поэтому нам нельзя попадаться на глаза полиции. Тут Лоран немного смутился.

Потом я напомнила: если хотим добраться до ночи, пора ехать — солнце уже садится. Но Тьерри только презрительно фыркнул. Сначала надо подкрепиться, и он знает как раз подходящее местечко. Я рассмеялась: и Тьерри, и Лорана приводит в одинаковый ужас мысль о том, чтобы пропустить трапезу.

Кале — не слишком гламурный город. Здесь полно гипермаркетов, где торгуют дешевыми сигаретами и алкоголем, и отелей для путешественников, предлагающих недельные пакеты. Но Лоран повел нас к белому фургону «Шоколадной шляпы». Он осторожно усадил Тьерри и Клэр спереди (я расположилась одна на сиденье сзади). Мы выехали на автостраду, оттуда свернули на переплетающуюся сеть проселочных дорог и очутились среди ровных зеленых полей. Наконец добрались до крошечной фермы, в которой я ни за что не признала бы ресторан.

Лоран уверенно зашагал к заведению. Оттуда вышел толстяк и забормотал что-то с резким северным акцентом. Мне здешнюю речь понимать трудно, и все же я быстро сообразила, в чем дело: Лоран проделал фокус в стиле «разве вы не знаете, кто мы?» и заявил, что они обязаны принять знаменитого шоколатье по высшему разряду. В Англии точно так же вел бы себя известный футболист или рок-звезда. Когда Лоран помог Клэр высадиться из машины, она ахнула. Должно быть, раньше здесь бывала.

Хозяин обеспокоенно суетился вокруг своих явно нездоровых гостей. Я волновалась за Клэр: она выглядит такой хрупкой! Вдобавок Клэр весь день почти не ела. Крошечный ресторанчик оказался забит до отказа. Но официант вынес для нас во двор столики и стулья. Вытер и то и другое и поставил под раскидистым каштаном. Я заказала для Клэр суп из омаров и сняла с нее туфли: пусть ощутит под ногами траву.

Рядом с нами простирается луг, по которому возвращаются с пастбища коровы. Траву, как и везде в Северной Франции и Бельгии, почти скрывает ковер из маков. Вокруг заунывно жужжат пчелы, напоминая, что осень не за горами.

Тьерри заказал улиток и собирался было попросить вторую закуску, но Лоран посмотрел на него так, что шоколатье прикусил язык и вместо этого выбрал рыбу в качестве главного блюда. Все выпили медицинскую дозу красного вина.

Сначала разговор не клеился, да и немудрено: с чего начать, когда не виделись сорок лет? Зато Клэр хорошо поела. Я тоже попробовала суп, он оказался просто великолепен. Потом я заказала леща, на что не отважилась бы еще несколько месяцев назад. Его подали с гарниром из собранных в здешних местах грибов. Ничего удивительного, что в этом ресторане так много народу.

— Может, хоть теперь расскажешь, куда пропал? — наконец спросила Клэр, отложив ложку. — Я писала тебе в шоколадную лавку, но ты так и не ответил.

Тьерри, хлебом собиравший с тарелки масло с чесноком, застыл.

Хорошо, что Элис не видит его застольных манер.

— Я был в Бейруте, — ответил Тьерри таким тоном, будто Клэр могла бы догадаться об этом сама.

— В Бейруте? Но я думала, ты просто промаршируешь пару раз вокруг площади Согласия, и все. Тебя призвали?

— Естественно, — сердито отозвался Тьерри. — Тогда всех призвали.

— И отправили в Бейрут? — Клэр поднесла руку к губам.

— Куда же еще? Там вспыхнуло восстание, — объяснил Тьерри. — Неужели у вас в газетах не писали?

Весь тот год Клэр бродила как лунатик и была полностью сосредоточена исключительно на собственной персоне. В газеты, конечно, не заглядывала.

— Я не знала, — сказала Клэр. — Думала, ты в Париже.

— Когда я тебя провожал, у меня в кармане уже лежали все бумаги.

— По пути мы заехали сюда, — тихо произнесла Клэр, рассеянно пропуская травинки между пальцами ног.

— Верно.

— Ты меня заставил попробовать хека.

— Сейчас тоже заставлю.

— Но почему же ты мне не написал? — Клэр слабо улыбнулась.

— Конечно, корреспондент из меня так себе, но мадам Лагард знала твой адрес. Я отправлял ей письма для тебя из пустыни. Разве она их тебе не пересылала?

Рука Клэр взлетела к губам. Она снова вспомнила элегантную хозяйку. Та всегда советовала сохранить о Париже приятные воспоминания, но не цепляться за них.

— А я думала, письма перехватывал отец, — прошептала Клэр.

— А я думал, ты вернулась в Англию, выскочила замуж и родила детей.

— А я думала, ты встретил другую.

Тут мы как по команде уставились на Лорана, поспешно производившего в уме подсчеты. Лоран вполголоса выругался, извинился и выскочил из-за стола.

Я беспокоилась, что Клэр разнервничается и переутомится. По-хорошему, ей давно уже пора спать, но попробуй с ней поспорь. В жизни не встречала такой упрямицы!

— Ах вот оно что, — тихо произнесла Клэр.

— Oui, — подтвердил Тьерри.

Я едва не выругалась. Теперь понятно, почему у Лорана зуб на отца... и почему у него такая смуглая кожа.

— Я не мог остаться в Бейруте, — смущенно пояснил Тьерри. — Сначала служил в армии, потом нас отправили домой. Я был совсем молод, да и магазин бросить не мог.

Мы обе молча смотрели на Тьерри. Я ему искренне сочувствовала: совсем желторотый мальчишка, а тут местная девушка забеременела. Представляю, какой был скандал!

— Но потом я забрал его к себе, — торопливо прибавил Тьерри.

— А меня не забрал, — тихо произнесла Клэр и грустно кивнула.

— Лоран вас простил? — спросила я у Тьерри.

— Сомневаюсь.

Но тут нас прервали: подошел хозяин и стал убирать со стола. Вот мы отведали хека, а потом на столе будто по волшебству появились кофе и о-де-ви. Я попыталась объяснить, что мы не заказывали ни того ни другого, но тут мужчина поставил перед нами полную тарелку конфет из «Шоколадной шляпы». Мы дружно ахнули от удивления.

— Откуда они у вас? — спросил Тьерри.

Заказать продукцию «Шоколадной шляпы» стоит астрономических денег, уж об этом Элис позаботилась. Да и вообще, Тьерри не любит брать частные заказы. Предпочитает, чтобы весь его шоколад съедался тут же, на месте. А чтобы продлить срок хранения, нужно класть меньше сливок, да и без консервантов не обойтись, а Тьерри их терпеть не может.

— Держу для особо дорогих гостей, — ответил хозяин. — Вы, несомненно, входите в их число.

А потом он настоял на том, чтобы сфотографироваться с Тьерри. Тут другие гости подошли посмотреть, что происходит. Как только поняли, кто перед ними, принялись осыпать знаменитого шоколатье комплиментами. В конце концов хозяину пришлось открыть целую коробку конфет, а Тьерри — пообещать, что обязательно пришлет новую и поставит на фотографии автограф.

Когда суета наконец улеглась, Тьерри поглядел на Клэр. Его лицо было добрым и грустным.

— Chocolat, — произнес он по-французски. — Единственное, что мне хорошо удается. Но даже он сыграл со мной злую шутку.

Тьерри взял в свою огромную руку маленькую, покрытую синяками ручку Клэр и держал, пока не застрекотали ночные сверчки, а на небе одна за другой не высыпали огромные яркие звезды.

Я потихоньку улизнула и отправилась на поиски Лорана. Он стоял под деревьями и докуривал тонкую черную сигариллу. Из листвы доносилось стрекотание насекомых.

— Извини, — произнес Лоран при виде меня. — Сам знаю: привычка мерзкая, но я ей предаюсь очень редко.

— Ничего страшного, — ответила я чистую правду. — Мне даже нравится.

Экзотический аромат дыма удивительно подходил к теплому летнему вечеру.

Повисла пауза.

— Значит, теперь ты все знаешь, — произнес Лоран.

— Тьерри был совсем молоденьким, — заметила я.

— Моя мать тоже, — парировал Лоран и оглянулся в сторону столика. — У Клэр дела совсем плохи, да?

Я вздрогнула. Какая же я эгоистка — бросить ее одну!

— Да, — подтвердила я. — Пойду проверю, как она.

Лоран ласково погладил меня по щеке.

— Любишь ты все налаживать, — тихо произнес он. — Может, и мою жизнь тоже наладишь, Анна Трон?

Глава 26

Я бы предпочла, чтобы мы переночевали где-нибудь поблизости, но Тьерри обещал, что непременно вернется домой, а Лорану не терпелось уехать. Однако меня больше тревожила Клэр: дыхание слабое и неровное, и вообще у нее был очень долгий день. Тьерри тоже совсем измучился. Садясь в фургон, мы с Лораном обеспокоенно переглянулись. Постарались усадить наших подопечных поудобнее, прислонив их друг к другу. Клэр приняла еще одну дозу морфина. Я исподтишка наблюдала за ней. Только бы не перестаралась!

Лоран на полной скорости несся вперед, а Тьерри и Клэр прижались друг другу. Ее голова так легко и естественно оказалась у него под мышкой, будто все эти сорок лет они так спали каждую ночь.

В дороге мы не разговаривали. Казалось, что́ я ни скажу, все будет не к месту. Лоран гнал машину на бешеной скорости и не сводил глаз с дороги. Я искоса взглянула на него, гадая, почему он до сих пор не может нормально общаться с отцом. Но тут же отогнала эти мысли.

Лучше просто порадуюсь, что они приехали. Достаточно вспомнить выражение лица Клэр на пристани. А наш поцелуй с Лораном! Коснулась губ кончиками пальцев. Как же хорошо Лоран целуется! А форма его губ говорит о... Как же я раньше не замечала? Наверное, у Лорана и акцент есть, вот только я его не уловила: моего владения французским на такие тонкости не хватает. Так же американцы не отличают шотландцев от ирландцев. Да и Сами, наверное, разговаривает не так, как французы. Странно: как же я раньше не обратила внимания? Очень просто: в Париже для меня все было ново, незнакомо и экзотично, поэтому я не замечала того, что экзотично для самого Парижа.

В тусклом свете от приборной панели я глядела на профиль Лорана и его блестящие черные кудри. Мы все мчались по темному шоссе. Лоран ни на секунду не отвлекался от дороги. Почувствовав себя в надежных руках, я расслабилась и тоже задремала.

Разбудили меня мелькавшие за лобовым стеклом огни парижского пригорода. Все тело затекло. Я потянулась. Для Клэр был забронирован номер в очень уютном отеле неподалеку от моего дома, но туда ее пришлось не просто вести, а почти нести.

Когда мы ее уложили, я с облегчением убедилась, что Клэр дышит. Но она почти не шевелится. Придется мне остаться с ней на ночь.

Номер был совсем маленький. Я села в кресло у ее кровати. Клэр повернула голову в мою сторону.

— Все со мной нормально, — выдохнула она.

— Да, — кивнула я. — А будет еще лучше.

Я погладила Клэр по руке. Она с трудом покачала головой:

— Нет. Ни к чему тебе со мной сидеть. Ты и так для меня много сделала. Иди поспи.

— Даже не надейтесь.

— Да брось, Анна. — Клэр улыбнулась. — Сегодня ночью я умирать не собираюсь. Честное слово. Ну, теперь довольна? Тогда делай, что велит учительница, и иди отдыхать. У меня на ближайшие несколько дней большие планы, а ты жужжишь вокруг меня, как пчела. Между прочим, это на нервы действует.

— Вовсе я не жужжу! — обиделась я.

— Сказано тебе: лети отсюда!

Я замерла в нерешительности. Как поступить? Постепенно дыхание Клэр стало медленным и размеренным. Она уснула. Никаких сбоев и хрипов: нормальный, здоровый сон. Еще некоторое время смотрела на нее, пока до меня не донеслось едва слышное:

— Хватит пялиться.

Тут пришлось все-таки выйти из номера. Ну ничего, вернусь с утра пораньше.

Элис ждала перед магазином. Меча взглядом громы и молнии, она стояла прямо посреди улицы. Мы с Лораном высадились из фургона, оба измотанные донельзя. Не произнося ни слова, Элис влезла за руль, завела машину и скрылась.

— Ничего, переживет, — буркнул Лоран.

— Ты что, угнал у нее фургон?

— Потом отправил эсэмэску с извинениями. Не волнуйся, она скоро остынет.

— Думаешь?..

Мы прошли по безлюдной мостовой и повернули за угол. В крошечной квартирке мелькают яркие огни — у Сами вечеринка. Только не это! Из всего, на что у меня сегодня нет настроения, гулянка занимает верхнюю строчку списка. У меня вытянулось лицо.

— Ну ладно, спокойной ночи, — пожелала я Лорану, гадая, сумею ли уснуть в такой развеселой атмосфере.

— Спокойной ночи.

Лоран хотел было уйти, но вдруг остановился. На улице полная тишина, если не считать музыки калипсо, которая, судя по всему, доносится из нашей квартиры.

— Нет, — произнес Лоран таким тоном, будто говорил сам с собой. Потом направился ко мне. — Нет, нет, нет.

Лоран обнял меня и снова поцеловал: глубоко, страстно. Усталость испарилась, будто по волшебству. Ее место заняло кружащее голову, нерассуждающее желание.

— Пойдем со мной, — попросил Лоран. — Пожалуйста. Не хочу сегодня ночевать один.

— Мне надо домой, — со смущенным смешком возразила я. Время настолько позднее, что того и гляди станет ранним. — С утра надо зайти к Клэр, а про работу вообще молчу.

— Не вижу смысла ложиться сейчас, — с вызовом поддразнил Лоран и сразу стал похож на себя прежнего.

Я почувствовала, как краска заливает щеки. Не хочется думать, что последними, кто видел меня голой, были человек сто пятьдесят студентов-медиков, медсестры из агентства, мама и — всего в одном, но очень неловком случае, во время моего выздоровления, — папа. Да, давненько я не была в деле.

— Запрыгивай, — распорядился Лоран, заводя мотороллер.

Это путешествие сильно отличалось от того, первого раза, когда Лоран подвозил меня до дома. Тогда я чувствовала себя не в своей тарелке и понятия не имела, что делать. Поездка пролетела стремительно. Вот мы со свистом пронеслись мимо туристов, сидевших с бокалами на площади Согласия. Яркие огни больших отелей сияли в ночи, придавая зданиям сходство с океанскими лайнерами. Из открытых в жаркую погоду окон доносились обрывки оркестровой музыки. Я прижалась к Лорану и вдохнула его теплый, насыщенный запах. Приятнее любых духов. Мы ехали на север, потом оказались на Монмартре — там мы впервые встретились. Широкие улицы постепенно сменились тихими и узкими, а потом мотороллер и вовсе запрыгал по мостовой. Я вцепилась в Лорана железной хваткой. Главное — не потерять равновесия на повороте. Теперь-то я знаю: когда мотороллер заворачивает, надо наклоняться.

Мое сердце билось быстро-быстро. Близость Лорана кружила голову. Время от времени он убирал руку с руля и ободряюще гладил меня по колену. Каждый раз, когда Лоран это делал, по всему телу пробегала сладкая дрожь. Но одновременно меня одолевала тревога. Я всеми силами старалась себя успокоить. Это же просто секс. Привычное дело, — по крайней мере, таким оно было раньше. Но конечно, привыкла я к Дарру и к тому, что перед постелью мы опрокидывали пару стаканов шенди, а это совсем другое дело. Хоть мы с Лораном и выпили пару бокалов вина, я была трезва как стеклышко. В жизни не предавалась радостям первого секса с мужчиной в настолько здравом уме и твердой памяти. Не говоря уже о том, что никто не нравился мне так, как Лоран. В душе царил полный сумбур. Едва обратила внимание на ярмарку, мимо которой мы проезжали. Несмотря на поздний час, она ярко сияла всеми огнями. От одного старинного фонаря до другого протянулись светившиеся гирлянды.

Если Лоран и догадывался, какие мысли проносились в моей голове, то не подавал вида. Мы въехали в узкий крошечный переулок, а потом оказались даже не на улице, а на маленькой, обрамленной деревьями площади со скамейкой посередине. Дома здесь были совсем не похожи на роскошные величественные здания, каких в этом районе множество. Выглядели они более старинными и были сложены из серого камня точно того же оттенка, что и мостовая под нашими ногами. Такое чувство, будто их перенесли сюда из другого региона Франции. Многие стены увиты плющом. Балконы есть только на верхних этажах. Лоран подвел меня к одной из массивных дверей, выкрашенной ярко-красной краской. Посреди серой стены она сразу бросалась в глаза.

— Это не многоквартирный дом, — подозрительным тоном заметила я. — Где мы?

Лоран слегка смутился и достал тяжелую связку массивных ключей.

— Я сюда никого не привожу, — сообщил он. — Ну что ж, добро пожаловать, моя робкая английская мадемуазель.

Потом Лоран подмигнул мне. Видно, хотел показать, что если и нервничает, то не слишком сильно. Лоран повернул старинную дверную ручку и жестом пригласил меня внутрь.

Я шагнула в парадный холл, ведущий в огромную гостиную. Стены обиты деревянными панелями, которые вполне уместно смотрелись бы во дворце Хэмптон-корт. Массивная, причудливая люстра-канделябр со вставленными кое-где свечами тоже отлично вписалась бы в королевские интерьеры. Вся задняя стена сделана из стекла, и выходит она не на площадь, а на озаренный точечным светом ярусный сад, разделенный на безупречно ровные квадраты. Между грядками трав и овощей тянутся посыпанные гравием дорожки. Глядя через стекло, справа я заметила еще одну прозрачную стену, за которой располагается сверкающая нержавеющей сталью кухня. Сразу видно, что профессионал обставлял.

— Обалдеть! — выдохнула я.

Больше ничего на ум не шло.

Из коридора на второй этаж ведет лестница с подвесными ступенями. Одну стену гостиной заполняют книжные полки, а вторую почти полностью занимает огромный камин. Огонь в нем не горит, и пустующий очаг украшает глубокая стеклянная ваза с лаймами.

— Почему ты никого сюда не приводишь? — спросила я. Мой голос разнесся по комнате эхом. — Если бы я тут жила, вообще не выходила бы.

Лоран немного сконфузился.

— Да так, — пробормотал он. — Просто этот дом — он мой собственный, понимаешь?

— Твой? Быть того не может! Ты ведь ездишь на стареньком мотороллере!

— Я вообще трачу мало денег. Все уходит на дом.

— А я думала, его тебе отец купил, — улыбнулась я.

— Я бы у него ни цента не взял! — Лоран рассердился.

— Мне твой дом очень нравится.

— А ты бы приняла от родителей такой подарок? Я задумалась.

— Если бы папа мог подарить мне дом, он был бы на седьмом небе от счастья.

— Отец предлагал... — Лоран поморщился, будто от боли.

— Ну вот, пожалуйста! — оживилась я. — Значит, не такой уж он и бессердечный злодей, верно?

— Но мне гордость не позволила взять у него деньги, — задумчиво произнес Лоран, уставившись невидящим взглядом на маленький сад. — Хотел доказать, что сам могу добиться того же, что и он, — или даже большего.

— Только не злись, — я погладила Лорана по плечу, — но вы с Тьерри очень похожи.

Лоран криво улыбнулся и провел меня на кухню. Холодильник удивил: судя по моему опыту, на полках у одинокого мужчины не часто увидишь сливочное масло, сыр, яйца и овощи. Потрясенная до глубины души, я дала зарок не приглашать Лорана к ужину в нашу с Сами квартиру. Лоран достал бутылку шампанского. Я сразу оживилась.

— Когда папа только переехал в Париж из Ло и Гарроны, он ютился в комнатенке на чердаке без горячей воды и отопления, — произнес Лоран. — Зимой ложился спать, натянув на себя всю одежду. Но папа упорно трудился и наконец добился успеха. Я эту историю миллион раз слышал. Главным образом от Элис. — Лоран фыркнул.

— И тебе, конечно, обязательно надо было за ним повторять?

Лоран кивнул. Потом усмехнулся:

— По-твоему, я совсем идиот?

Я пожала плечами. Потом заметила:

— Красивый у тебя дом.

— Спасибо. — Лоран просиял.

Тут я невольно им залюбовалась. При свете из сада его кудри выглядят особенно глянцевыми и блестящими. А эти тени от длинных ресниц, ложащиеся на щеки! В жизни не встречала такого красивого мужчину.

Я порывисто шагнула вперед и поцеловала Лорана. Он с энтузиазмом ответил на поцелуй. Куда только подевались ирония и небрежность? На смену им пришел неподдельный пыл. Поцелуй получился страстным, почти яростным и просто упоительным.

— Может, про твоего папу поговорим в другой раз? — предложила я, когда мы остановились для небольшой передышки.

Лоран поставил на столешницу бутылку шампанского.

— Как настоящий джентльмен, отнесу тебя наверх на руках, — объявил Лоран, обхватив меня за талию.

Мой взгляд невольно задержался на бутылке. Лоран рассмеялся:

— Моя английская леди думает, что, прежде чем лечь в постель со мной, обязательно должна напиться?

Я чуть сквозь землю не провалилась. Яркий румянец залил щеки.

— Ну, напиться — это громко сказано, — пробормотала я. — Но чуть-чуть принять для храбрости не мешало бы.

Лоран крепко сжал мои руки в своих и пристально поглядел мне в глаза:

— А сейчас, моя прекрасная Анна, ты пойдешь со мной наверх. Мы с тобой займемся любовью —

если ты, конечно, этого хочешь, — ты останешься абсолютно трезвой и будешь наслаждаться каждой секундой. Выбирай: oui или non?

О боже...

Встает солнце. Оно светит сквозь тонкие прозрачные занавески и заливает лучами кровать, на которой я лежу в объятиях Лорана. Он спит, а я всю ночь не сомкнула глаз, поэтому голова как в тумане: непонятно, где сон, а где явь, — все перемешалось. Я повернула голову и коснулась губами волос Лорана. Этой ночью он настолько осмелел, что даже нежно ласкал мои пальцы ног. Он нежно ласкал меня всю. А потом перестал быть таким уж деликатным...

— Анна, — сонно пробормотал Лоран.

— Мне надо идти, — прошептала я.

— Останься.

Огромная волосатая рука обхватила меня и прижала к кровати.

— Не могу, — ответила я. — На работу пора.

— Точно! — Вдруг Лоран подскочил на кровати и принялся лихорадочно искать часы. — Мне тоже! Сам ведь вызвался отработать утреннюю смену!

— Разве она у вас так рано начинается?

— Да, в отеле ты явно не работала.

— Угадал, — не стала спорить я.

Лоран улыбнулся и поцеловал меня в губы.

— Утром ты еще прекраснее, — промурлыкал он. — Прошу тебя, любовь моя, задержись хоть ненадолго.

— Тебе же на работу пора, — напомнила я. — Да и в любом случае мне надо идти. Очень беспокоюсь за Клэр. Зря я ее вчера оставила.

— Клэр была всем довольна и спокойно уснула, — возразил Лоран. Потом с хитрой улыбкой поинтересовался: — Неужели ее общество приятнее
моего?

Я покраснела от смущения и улыбнулась в ответ.

— Обожаю этот румянец. — Лоран погладил меня по щеке.

— Да ладно тебе! — отмахнулась я.

Собрала с пола одежду. Странно подумать, что
надевала я ее еще в Кидинсборо! Эх, сейчас бы ванну принять... Но я оделась и решительно зашагала
к двери, хотя с удовольствием осталась бы. Быть с Лораном — все равно что купаться в бескрайнем море
счастья.

— Понятия не имею, как буду сегодня работать, — рассмеялась я. — Наверное, еще хуже, чем
обычно.

— Постарайся сосредоточиться, и все у тебя будет нормально.

— Ладно, — протянула я.

Некоторое время я молча смотрела на него и наконец произнесла:

— Насчет того, о чем ты мне не рассказывал...

— Я тебе много о чем не рассказывал, — улыбнулся Лоран. — Но теперь у нас будет полно времени, чтобы узнать друг друга получше.

— С радостью. — Я улыбнулась. — Но я сейчас
о другом. Лоран, твоя мама не хотела бы приехать
в Париж и встретиться с Тьерри?

Не успели эти слова сорваться с языка, как я поняла, что совершила ужасную ошибку: Лоран снова
ушел в себя и облачился в крепкую броню.

— Извини, — прошептала я. — Ну ладно, до
встречи.

— Просто...

Вспомнила свое первое впечатление о Лоране: обаятельный красавец-тусовщик, у такого ничего не бывает всерьез и надолго.

— Я слишком тороплюсь, да? — спросила я.

Лоран тут же замотал головой — non, non, non. Только я все равно ушла. Дверь открыла сама. А когда проходила мимо мотороллера, с трудом удержалась, чтобы хорошенько его не пнуть.

Глава 27

Клэр приснился сон. Ей снилось, что она в Париже. Солнечные лучи отражались от белых каменных зданий и светили в лицо, а такое бывает только в Париже. Клэр вдруг стала легкой как перышко. Во сне она двигалась свободно и легко. Ей было по силам что угодно. С чего она вдруг взяла, будто больна? Нет, Клэр совершенно здорова и прекрасно себя чувствует, а врачи ошиблись. Вот глупые! Разве больные люди летают? Вот, смотрите сами!

Но вдруг даже во сне Клэр поняла, что летать, конечно же, не может. Постепенно она вынырнула из волшебного сна и ощутила во рту горький привкус разочарования. Клэр по-прежнему заперта в своем никчемном, полном черноты теле. Теле, которого она так стыдится. Каждое утро Клэр начинается вот так: сначала приятные сны, а потом без всякого перехода — тяжелая борьба и суровая реальность.

Клэр заморгала. Нет, кое-что от ее сна все-таки осталось. Этот чудесный свет. Тут Клэр все вспомнила, и ее захлестнула волна счастья. У них с Анной получилось! Она и правда в Париже!

Раздался стук в дверь, и вошла Анна с двумя чашечками кофе — должно быть, принесла из лобби — и с пакетом свежих, рассыпчатых, еще горячих круассанов в зубах. Анна попыталась приветливо улыбнуться, но получилась лишь причудливая гримаса. Клэр сразу обратила внимание: вид у Анны усталый, но довольный. Анна подошла к окну и раздвинула тяжелые шторы. За окном горшки с белыми розами и потрясающий вид с Эйфелевой башней на горизонте. Клэр застыла как зачарованная.

— Ничего, сойдет, правда? — пошутила Анна. Поставила кофе на тумбочку и чмокнула Клэр в щеку. — Доброе утро. Как самочувствие?

Клэр пожала плечами и неожиданно для самой себя ответила:

— Вообще-то, хорошо выспалась.

Обычно Клэр просыпается по три-четыре раза за ночь, чувствуя, что вот-вот задохнется.

Анна помогла Клэр сходить в туалет и одеться. Извинилась, что пришла так рано. Просто Анна не знала, во сколько проснется Клэр, и решила не рисковать. А потом она унеслась в шоколадную лавку. Клэр с улыбкой смотрела Анне вслед. Да, если эта девушка за что-то берется, непременно доведет до конца. Клэр в ней не ошиблась. Анна далеко пойдет.

Потом Клэр села в кресло у окна с бесплатным номером «Пари матч». Анна оставила окно открытым, и теперь Клэр впервые за сорок лет слушала звуки пробуждавшегося Парижа. Клэр потягивала черный кофе и жевала круассан, а солнце грело ее ноющие кости.

Первый рабочий день после перерыва. Сегодня утром я пришла раньше, чем Фредерик и Бенуа. До этого ни разу не удавалось их обогнать. Зато эти двое наверняка выспались, чего обо мне не скажешь.

Топчусь у двери в одиночестве: ключи от магазина у Фредерика. Жаль, не курю: хоть было бы чем руки занять.

Тут напротив шоколадной лавки остановился фургон. У меня упало сердце. Я тихонько выругалась. Угораздило же очутиться нос к носу с Элис!

Та почти вывалилась из машины. В кои-то веки на лице ни следа макияжа. Одежда смятая, волосы небрежно собраны в хвост. Элис на себя не похожа. Я ее едва узнала.

— Элис! — окликнула я.

Она повернула голову в мою сторону. На щеках засохшие подтеки туши, взгляд дикий.

— У вас все нормально? — с тревогой спросила я.

В первый раз за время нашего знакомства Элис ответила мне по-английски.

— Не-ет, — дрожащим голосом выговорила она. Покачиваясь, сделала несколько шагов по мостовой и бессильно рухнула на крыльцо. — Ничего у меня не нормально.

И разразилась рыданиями.

— Что случилось? — испугалась я. — Что-то с Тьерри? Эх, не надо было трогать его с места...

Не в силах произнести ни слова, Элис молча покачала головой.

— Нет. Наоборот, Тьерри лучше, — резко, с горечью произнесла она и устремила на меня взгляд, исполненный жгучей ненависти. — Как вы могли? — выпалила Элис. — Как вы посмели отнять его у меня? По ее лицу хлынули новые потоки слез.

— Вы о чем? — искренне растерялась я.

Ну не про Лорана же она, в самом деле, говорит! Это же просто нелепо. И все равно я невольно залилась краской. Ну почему при одной мысли о Лоране я превращаюсь в робкую школьницу?

— О моем Тьерри, — ответила Элис таким тоном, будто разговаривала с полной идиоткой. — Забираете моего мужчину, моего мужа и сводите его с какой-то фантазией из прошлого, а меня будто и вовсе нет! Ну и как я, по-вашему, могу соревноваться с его первой любовью?

По-английски речь Элис звучит непривычно: ни малейших признаков аристократического выговора — один эссекский.

Элис яростно потерла глаза.

— Спасибо вам огромное! Я все для него делала: вела дела, взяла на себя документы, договаривалась с поставщиками, никого к нему не подпускала, чтобы он спокойно занимался тем, что у него получается лучше всего. И вот благодарность!

Я растерянно примолкла. Вообще-то, Элис права. Я действительно не подумала о ее чувствах. Только боялась, как бы не попасться ей на глаза. Но конечно, у меня и в мыслях не было разрушать их с Тьерри отношения. Просто хотела помочь своей хорошей подруге. Вот только как объяснить это Элис?

— Извините, — произнесла я. Хотя, может, зря я вообще что-то говорю? — Я не желаю вам зла.

Я опустилась на корточки.

— Вы хоть знаете, что Клэр серьезно больна?

— Да, Тьерри говорил. — Элис подняла голову. — Но он ей так радуется! Прямо восторженный мальчишка! Физиотерапевт никак не мог его заставить делать упражнения, а теперь он сам, без уговоров... и овощи ест... и всякие планы строит... Не помню, когда видела его таким бодрым!

Элис поглядела на меня:

— Тьерри меня бросит.

— Не выдумывайте, — произнесла я.

А про себя прибавила: у Элис такой жуткий характер, что, если бы Тьерри хотел ее бросить, так долго не продержался бы.

— Послушайте, что я вам скажу. — Я села рядом с ней на обочину. — Мы ведь с вами обе понимаем, что Тьерри неисправимый оптимист, верно?

— Можно и так сказать. — Элис издала слабый смешок.

— Ну а на проблемы попросту закрывает глаза.

— Да, — согласилась Элис. — Например, на свою ненасытную утробу.

— Скажу вам честно, — продолжила я, улыбнувшись. — Клэр очень больна. По-хорошему, ей бы не в Париж ехать, а в больнице лежать.

И тут я поняла.

— Нет, — медленно поправила саму себя я.

Клэр ничего мне не говорила: каково состояние ее здоровья, известно только ей и ее врачу. Но постепенно я сама все поняла. Осознала весь масштаб происходящего.

— Нет, — повторила я. — Ее не в больницу надо отправлять, а в хоспис.

Я посмотрела на Элис, проверяя, осознает ли она то, что я ей говорю. Я и сама это только недавно осознала.

— Элис, эта поездка в Париж — последнее, что Клэр сделает в своей жизни. Понимаете? Она вернется в Англию, а потом...

Я закусила губу.

— А потом умрет, — закончила я.

— Все так серьезно? — Элис уставилась на меня во все глаза.

— Да, — кивнула я.

— Господи! — выдохнула Элис.

Некоторое время она молчала. Явно думала о том, как сама недавно чуть не потеряла Тьерри.

— Он мне не говорил, — произнесла Элис.

— Может, он и не догадывается. Клэр об этом не рассказывает.

— Даже если догадался, сунул голову в песок. Делает вид, что ничего особенного не происходит.

Мы обе улыбнулись. Некоторое время сидели молча, наблюдая за Бенуа, бредущим к шоколадной лавке тяжелой поступью.

— Ну что? — наконец нарушила молчание я.

— Значит, предлагаете не вмешиваться? Пусть делают что хотят? — с досадой поинтересовалась Элис. — Вот каков ваш совет? «Элис, слейся с пейзажем и не высовывайся»?

— Да, — подтвердила я, немного подумав. — Но совсем недолго. Элис, Тьерри ваш. Разве вы сомневаетесь?

— Сомневаюсь, что найдется другая, которая его вытерпит. — Она слабо улыбнулась.

Я тоже улыбнулась. Элис направилась обратно к фургону. И оттуда прокричала:

— Кстати, его сына это тоже касается!

Но я сделала вид, будто не расслышала.

Тут подошел Фредерик. Выбросил окурок и погладил пса Нельсона Эдди.

— Bonjour, — поздоровался он. — Готова к трудовому дню?

Я поглядела на поднимавшиеся со скрежетом ставни:

— А как же!

Глава 28

К восьми утра я засыпала на ходу. Пришлось выбросить целых два противня апельсинового шоколада: переложила сливок, и получилось что-то вроде шоколадного йогурта. Бенуа ворчал себе под нос, Фредерик с обеспокоенным видом выспрашивал, о чем я разговаривала с Элис. Я, естественно, молчала как рыба. По непонятной для меня самой причине я пообещала за время перерыва освоить технику приготовления миндального шоколада. Естественно, руки у меня до этого дела не дошли, а наверстывать упущенное нет времени: le tout[1] Париж в курсе, что «Шоколадная шляпа» возобновляет работу сегодня.

Я вяло поджаривала миндаль. Тут Фредерик потянулся к противню поверх моего плеча, чтобы убрать зеленые орехи. От неожиданности я вздрогнула, резко обернулась и задела медный чан. Шоколад хлынул на пол и растекся по всей мастерской. Я поскользнулась. Вся эта сцена так явственно напомнила мой несчастный случай, что я разревелась. Фредерик

---

[1] Весь (фр.).

изо всех сил демонстрировал сочувствие, но моя неуклюжесть явно действовала ему на нервы. Бенуа сердито бормотал себе под нос. Общий смысл сводился к тому, что именно из-за таких штучек он никогда не работал на кухне с женщиной. И тут с крыши теплицы донесся какой-то звук. Мы одновременно вздрогнули. Там кто-то сидел! Наверху четко вырисовывался темный силуэт, зловеще нависший над нашими головами.

— Merde! — пробормотал Фредерик.

Он кинулся к раковине и схватил здоровенный нож, которым мы нарезаем травы.

— Кто здесь? — прокричала я дрожащим голосом.

Ответа не последовало.

Хорошо, что я тут не одна, а с мужчинами!

Мы подошли к окну. Большая темная фигура зловеще повисла на краю крыши и вдруг с грохотом спрыгнула во двор. За какую-то секунду Бенуа распахнул дверь черного хода. Мы все, не сговариваясь, навалились на скорчившегося на асфальте злоумышленника.

— А-а! Пустите! — завопил тот.

Я сразу узнала голос Лорана.

— Отбой! — объявила я, отходя в сторону. — Ложная тревога.

— Что у тебя за привычка на меня набрасываться? — проворчал Лоран, отряхиваясь.

— А ты попробуй больше не лазить по крыше нашей мастерской, — сердито парировала я, переводя дух. — Ты зачем туда забрался?

— Звонил в дверь, а вы не открывали. Оглохли вы все, что ли?

К счастью, мужчины меня не выдали и про мою истерику рассказывать не стали. Лоран поглядел на меня, потом перевел взгляд на залитый шоколадом пол.

— Просто извиниться хотел — ну, за то, как повел себя утром, — пояснил Лоран. — Просто смутился и растерялся. Понимаю, со стороны это выглядело грубо...

— Я к твоим тараканам уже привыкла, — мрачно ответила я.

— Сам знаю: у меня их полным-полно.

Лоран вздохнул и вдруг перешел на английский:

— Анна, я очень стараюсь, но мне это все нелегко дается.

— Ну а я пока стараюсь, чтобы меня посадили за тяжкие телесные, — пошутила я, но шутка прошла мимо Лорана: помешал языковой барьер.

— Фредерик, принеси нам два кофе, — попросила я.

Как ни странно, Фредерик безропотно исполнил требуемое. Бенуа с привычным бормотанием взялся за швабру и отправился мыть пол.

Я зябко повела плечами: в маленький дворик солнце не проникает, и сегодня там слегка прохладно.

Мы с благодарностью взяли у Фредерика кофе. Я обеспокоенно покосилась на часы.

— Я вырос в Бейруте, — медленно произнес Лоран. — Отца отправили туда, потому что обстановка была неспокойная. Ждали беспорядков. Так и вышло.

— Сочувствую, — произнесла я.

— Вообще-то, Бейрут — очень красивый город, — сердито возразил Лоран. — Море, горнолыжные курорты, а какая там еда!

Я отвела взгляд. Пусть говорит Лоран, а я встревать не стану.

— В общем, в Бейрут отправили французские войска, и папу в том числе. Да, тяжелое было время...

Лоран умолк. Пришлось напомнить ему о моем присутствии:

— Значит, там Тьерри встретился с твоей матерью?

Лоран покачал головой:

— Представляешь, что ей пришлось пережить, когда ее семья узнала, что она ждет ребенка от французского солдата?

— Даже представить не могу.

— Ее выгнали из дома. Бабушка тайком убегала посреди ночи — тихо, чтобы никто не заметил, понимаешь? — и носила нам еду.

— Выходит, они с Тьерри не...

— Нет, не поженились, — покачал головой Лоран. — У папы были другие планы. Он даже рассказал маме про Клэр.

Я нервно закусила губу. Чуткостью Тьерри не блещет, но такое даже для него чересчур.

— А после твоего рождения?..

— Папа посылал нам деньги, — признал Лоран. — А когда мне было семь лет, мы ненадолго ездили к нему в Париж. К тому времени папа уже познакомился с Элис.

— Ну и как она вас встретила?

Лоран фыркнул:

— Моя мама намного красивее. Элис с самого начала приревновала. А меня она и вовсе старалась не замечать. Делала вид, будто я маленький беспризорник, которого пустили в дом из милости.

— А почему у них с Тьерри нет детей?

— Наверное, потому, что она ведьма. — Лоран пожал плечами.

— На самом деле Элис не так уж и плоха, — возразила я.

Чем дальше, тем больше я понимала, как тяжело Элис строить отношения с твердолобым упрямцем, зацикленным исключительно на собственной персоне.

— Тебе здесь понравилось? — спросила я.

— В Париже? Конечно. Пришел в полный восторг, — ответил Лоран. — Так чисто, прохладно, и воздух свежий! Огромные дома, улицы... Мама ходила без платка, а на нее никто даже не обернулся! В Париже она снова обрела свободу. Не то что в Дайехе: там все знали про ее «позор».

— Сильная женщина, — произнесла я.

— Еще какая. — Лоран резко кивнул. — Никто ей не помогал меня растить, но она и одна отлично справилась.

— Вам, наверное, не хотелось уезжать из Парижа?

— Пришлось. Мама папе не жена. Не могла же она просто взять и остаться. Конечно, в Бейруте проблем хватало, но дом есть дом. Да и от бабушки мама уезжать не хотела.

— А как вы ладили с Тьерри?

— Отлично — когда он был в настроении со мной общаться. Если находишься в центре его внимания, такое чувство, что для него нет человека важнее тебя. Папа водил меня на работу, все показывал, рассказывал, и мне было интересно. Очень.

Я кивнула.

— Папе нравилось, что я им восхищался. Некоторое время он позабавился с новой игрушкой, а потом мы уехали обратно — и папа опять про нас забыл.

— Тьерри письма писать не мастер, — подтвердила я.

— Такие люди, как он... — задумчиво проговорил Лоран. — Они как солнце, понимаешь? Все остальные крутятся по орбите вокруг них. С великими людьми всегда так: с шеф-поварами, дирижерами, теннисистами. Они свет, а другие к ним тянутся.

В тоне Лорана я не услышала ни капли горечи. Я посмотрела на него. Кажется, Лоран наконец сумел понять и принять Тьерри. Лоран почувствовал мой взгляд и посмотрел мне в глаза.

— Плакала? — сразу догадался он.

Я кивнула.

— Из-за меня?

Я еще раз кивнула: не хотелось объяснять про фиаско с шоколадом. А что? Не так уж и соврала: Лоран и правда меня чуть до слез не довел.

— О боже, — простонал он, — я самый отвратительный, самый законченный эгоист на свете. Анна, я не хочу быть таким, как отец.

Лоран притянул меня к себе и крепко обнял. Я спрятала лицо у него на груди.

— Обещаю, ты больше не прольешь из-за меня ни одной слезинки, — шепнул Лоран мне на ухо.

— Поздно, — ответила я.

Я шмыгнула носом и прижалась к Лорану так крепко, будто никогда не собиралась отпускать. А потом он снова меня поцеловал. Тут из мастерской резко постучали по оконному стеклу. У Фредерика вид был встревоженный, а Бенуа, к моему удивлению, улыбался.

— Покупатели! — прокричал Фредерик.

— Иду! — встрепенулся Лоран. — За работу!

— Погоди, — остановила его я. — Что стало с твоей мамой?

— Она умерла. Опухоль мозга, — коротко ответил Лоран. — Мне было пятнадцать. Папа заплатил за лечение. Хотел везти ее в Париж, но она не желала быть обузой. А потом он перевез во Францию меня, устроил на стажировку, учил готовить. С той поездки я ничем другим заниматься не хотел — только делать шоколад.

— Но Тьерри твой шоколад не нравился?

— Да, — вздохнул Лоран. — Папу мучили угрызения совести, а мне, подростку, отчаянно хотелось сорвать на ком-то зло. Папа предлагал помочь мне с жильем. А маме не помог: она всю жизнь ютилась в убогой квартирке.

— Поэтому ты не взял у Тьерри деньги?

Повисла долгая пауза.

— Не думай, что ты сломал маме жизнь, — через некоторое время произнесла я. — Наоборот — ты принес ей счастье.

— Вот и мама так говорила, — буркнул Лоран. — До сих пор не выношу чертовы больницы. Зато папу, кажется, наконец простил.

Лоран обнял меня и посмотрел мне в глаза.

— Не знаю, как тебе это удается, Анна Трон, но с тобой я спокоен и счастлив, а без тебя мне грустно. Сам не понимаю почему.

Я помолчала. За свои тридцать лет эти слова я произносила неоднократно, но так искренне и чистосердечно — в первый раз, да простит меня Дарр и его многочисленные прыщи.

— Это потому, что я люблю тебя, — сказала я.

Обычно я не признаюсь в чувствах первой. Видно, свою роль сыграли переутомление, недавний выброс адреналина, да и просто разыгравшиеся нервы.

Но я действительно люблю Лорана, люблю сильно, крепко и отчаянно: даже когда он дуется, ворчит или дразнит меня. И кажется, влюбилась я в него еще с той первой поездки на мотороллере.

Лоран на некоторое время утратил дар речи и наконец произнес:

— Да. Да, точно. Наверное, в этом все дело. Я люблю тебя. Между нами любовь. Ну конечно!

Лоран шутливо шлепнул себя ладонью по лбу.

— И как я раньше не додумался?

Лоран сгреб меня в медвежьи объятия. Фредерику пришлось несколько раз гаркнуть сквозь стекло: «Покупатели!» — но даже тогда Лоран прервал поцелуй всего на секунду, и то лишь для того, чтобы прокричать в ответ:

— Ерунда! Главное, что мы любим друг друга!

И тут я осознала кое-что еще. Чувство такое, будто кто-то выключил постоянно играющее радио, к которому ты настолько привыкла, что перестала замечать. Вдруг все неприятные ощущения на месте отсутствующих пальцев ног исчезли. Они больше не чесались и не болели, их не тянуло и не дергало. Я перестала их чувствовать — и снова полностью стала собой.

Тьерри стоял у зеркала и завязывал галстук. В первый раз за долгое время воротник не впивался в шею. Элис подошла сзади и разгладила плечи рубашки.

— Ну что ты как наседка!

— Хорошо, — произнесла Элис и отвела взгляд. — Не буду мешать.

Тьерри повернулся к ней. Сегодня он отлично выспался и проснулся отдохнувшим и бодрым. Давно забытое ощущение. Но в глубине души Тьерри ужасно бесило, что его самочувствие улучшилось после отказа от вина и пирожных.

— Элис! — окликнул Тьерри, на этот раз мягко. — Ты же знаешь: в своей жизни я любил трех женщин. Одной нет в живых, вторая умирает, а третья — ты. Поэтому, прошу тебя, не сердись на меня сегодня.

Элис снова подошла к нему, провела пальцами по его все таким же густым волосам и зарылась в них лицом.

— Я очень боюсь тебя потерять, — призналась она.

— Не потеряешь, — пообещал Тьерри. — Честное слово.

Он повернулся к ней. Рубашка Тьерри была расстегнута, и Элис снова увидела свежий, яркий шрам на его груди.

— Я сделал так много... Вернее, нет. В жизни я сделал так мало! Возился со своим шоколадом и думал, будто этого достаточно.

Элис часто заморгала.

— Я был плохим мальчиком и не заботился о тех, кого приручил, — грустно улыбнулся Тьерри. — Как думаешь, смогу я теперь искупить свою вину?

Элис вспомнила все годы, проведенные вместе с Тьерри. Как она любила его, даже когда он превратился в толстого старика. Даже когда пришлось отказаться от планов завести детей: у Элис просто не было на это времени, все силы ушли на Тьерри и его дело. Даже когда она с болью в сердце следила за отношениями Тьерри и его маленького сына. Мальчик прямо-таки преклонялся перед отцом. Элис знала: некоторые люди жертвуют бо́льшим, чем другие.

— Сможешь, — ответила Элис и поцеловала его в лоб.

— Но я еще должен...

— Да. Я понимаю.

По просьбе Тьерри Элис отвезла его в отель, где его ждала женщина, которую он так и не забыл. Худенькая англичанка, чей образ остался с ним на всю жизнь и сформировал его вкус. Но задерживаться Элис не стала — сразу уехала.

Я видела, как Лоран работал на кухне отеля, но это же совсем другое дело. Я привыкла считать эту мастерскую «своей», но сегодня просто сидела в сторонке и молча сторожила чудесный, волшебный секрет, предназначенный только для меня одной.

Конечно, в мастерской Тьерри Лоран чувствует себя как рыба в воде. Еще бы: он ведь играл здесь мальчишкой.

Замешивая шоколад, Лоран моментально находил взглядом нужное растение у задней стены. Какао-бобы очищал с такой невероятной скоростью, что я рот открыла от удивления. А коншировал Лоран, как истинный художник. Его руки двигались так же плавно и грациозно, как у его отца. Лоран брал вчерашний замес, добавлял сливок, пробовал и добавлял еще. Сходил в кладовую и отыскал там здоровенную мельницу для перца. Потом направился к лимонному дереву и оборвал с него все плоды. А мы лимонами почти не пользуемся: Фредерик говорил, они только для пралине подходят.

Лоран стремительно порезал лимоны на дольки, потом склонился над мешалкой. Выжал лимоны, попробовал и опять начал по новой.

— Это единственный способ, — пояснил Лоран.

Для него, может, и единственный, а я хоть убей не понимала, что за оттенок вкуса должна распробовать. Да, мне еще учиться и учиться. Добавив еще лимонного сока, Лоран схватил горшок с кориандром.

— Месье! — возмутился Бенуа, но было слишком поздно.

Лоран уже растер листья в мелкий порошок и насыпал в замес.

— Из такого может получиться только жуткая гадость, — заявила я.

— Погоди, еще сделаем из тебя гурмана, — усмехнулся Лоран.

Он попробовал еще чуть-чуть и скорчил гримасу.

— Да, ты права. Вкус и впрямь мерзкий. Нужно его чем-то сбалансировать. Нет баланса — получается гадость. А если есть, можно смешать что угодно с чем угодно.

Лоран повернулся ко мне.

— Когда ты потеряла пальцы ног, у тебя ведь были проблемы с балансом, верно?

— Да, — не стала спорить я.

— Но теперь ты можешь делать все, что угодно, так? Ты научилась компенсировать этот недостаток.

— Наверное. — Я пожала плечами.

— А сейчас мы точно так же компенсируем недостатки этого шоколада.

— Не уверена, что это удачная метафора, — улыбнулась я.

Но Лоран жестом велел мне замолчать и с новым пылом взялся за работу.

Наконец он попробовал шоколад в последний раз и выключил мешалку. Я послушно открыла рот.

— Лучшая награда для мастера, — объявил Лоран.

Он дал шоколаду остыть, а потом я наконец ощутила на языке этот вкус. Думала, получилось ужасно или по меньшей мере странно, однако ошиблась.

Шоколадный вкус дополняют многочисленные нюансы, делая его глубже и интереснее. Сначала насыщенный вкус перца, потом легкое острое послевкусие. Вкус чистый и восхитительный. Так и тянет попробовать еще!

— Ничего себе! — простонала я. — Хочу добавки!

— Вот это правильная реакция! — обрадовался Лоран.

Попробовал шоколад сам.

— Да, то, что надо. Идеально. Я гений.

— А меня научишь?

Лоран окинул меня взглядом с ног до головы:

— Два месяца назад ответил бы «нет». А теперь мне кажется, что тебе любая задача по силам.

Тут Фредерик прервал наш поцелуй и заявил, что очередь у магазина вот-вот взбунтуется. Того и гляди пора будет в Бастилию звонить. Всем, кто сейчас в Париже, известно, что «Шоколадная шляпа» возобновляет работу именно сегодня. К тому же ходят слухи, что Тьерри намного лучше и он тоже придет. Они с Клэр и впрямь собирались вызвать такси из отеля, но во сколько их ждать — я точно не знала. На секунду меня охватила тревога, но потом я вспомнила, как Клэр ругала меня и требовала, чтобы я занималась своими делами, а они с Тьерри сами разберутся.

Фредерик быстренько поставил шоколад охлаждаться. Лоран вертелся по кухне как волчок: готовил новую порцию шоколада с мятой и горьким анисом. Я стала наводить порядок на кухне, а потом ради интереса выглянула посмотреть, как продается лимонный шоколад.

Первым, кто его попробовал, стал месье Буасье, один из наших постоянных покупателей. Даже удивительно, что такой маленький и худощавый человечек ест столько нашего шоколада. Может, он только им и питается? Месье Буасье откусил кусочек, и у него чуть глаза на лоб не вылезли.

— Mon Dieu! — воскликнул месье Буасье. — Тьерри вернулся?

А потом стал отламывать кусочки шоколада и раздавать их другим покупателям в очереди.

— Нет, вы только попробуйте! — оживленно настаивал он.

Тут же окликнул Фредерика:

— Дайте мне еще!

Тот выразительно закатил глаза и шумно вздохнул. Те, кто уже попробовал шоколад, с энтузиазмом обменивались впечатлениями и твердо вознамерились скупить его весь.

Я повернулась к Лорану:

— Сейчас всю лавку разгромят.

Лоран выпрямился. В его взгляде одновременно читались и волнение, и радость.

— Что, так шоколад не понравился?

— Наоборот! Они в него просто влюбились.

— Серьезно?

— А ты как думал? Брось скромничать, милый. Сам знаешь, что ты прекрасно готовишь.

— Но чтобы на отцовской кухне... — пробормотал Лоран, убирая волосы с глаз.

— Вот именно — на отцовской кухне, — кивнула я. — Ты ничем не хуже Тьерри.

Лоран улыбнулся. В этот момент меня захлестнула мощная волна любви: и к нему, и к моему папе. Папа всегда будет любить меня, что бы ни случилось. Не важно, что я делаю и как. Мой папа — не знаменитость и не гений. Его имени не знают во всем мире. Но для меня он круче любой звезды.

— Ну, за дело! — объявила я. — Нам нужно больше шоколада.

Но Лоран должен был увидеть невероятный успех своими глазами.

Покупатели до сих пор толпились в торговом зале. Расходиться никто не собирался. Все рассказывали друг другу, как хорош новый шоколад. И конечно, увидев это столпотворение, прохожие подошли посмотреть, в чем дело, и тоже стали присоединяться к очереди. Не успели начать, а уже распродали почти все.

Месье Буасье, знакомый с Тьерри много лет, ахнул при виде Лорана. Но внимание всех остальных приковал затормозивший перед шоколадной лавкой лимузин.

Со вчерашнего дня Тьерри окреп, — во всяком случае, так показалось Клэр. Он стоял на пороге нарядно одетый, с большим букетом в руках. Вот так, подумала Клэр. Состояние Тьерри будет улучшаться с каждым днем, а потом он поправится, но ей будет становиться все хуже и хуже. Сегодня утром в ванной на нее напал особенно сильный припадок кашля. Узнай об этом ее онколог, немедленно отправил бы Клэр обратно в больницу. На секунду решимость Клэр дрогнула. В голове пронеслось: как хорошо было бы вызвать «скорую помощь» и просто довериться профессионалам. Погрузиться в наркозный сон, а они пусть очищают ее легкие и выкачивают из них все, что нужно выкачать, чтобы ей стало полегче.

Но Клэр ясно понимает: стоит лечь в больницу, и она оттуда уже не выйдет. У нее есть только один шанс исполнить задуманное. Набравшись храбрости, Клэр с трудом дрожащей рукой вставила в уши серьги с крошечными изумрудами.

Не хотелось принимать слишком много морфина. Лекарство, конечно, помогает, но нарушает восприятие: все вокруг плывет, чувствуешь себя как во сне и наблюдаешь за происходящим отстраненно, будто тебе все равно. А Клэр совсем не все равно — наоборот! Ничего, один день она как-нибудь потерпит. Поэтому Клэр к морфину не притронулась, хоть ей и казалось, что кости вот-вот треснут или она просто сгорит, как в фильме про ядерную войну.

Клэр попила еще воды и постаралась привести лицо в порядок. Но дойти от ванной до спальни не сумела. С грязными ругательствами — вот бы ученики удивились! — Клэр медленно поползла по полу.

— Ну ты как? — заботливо спросил Тьерри, покрывая ее лицо поцелуями. — Мне велели больше ходить, вот я и дошел до самого лифта, чтобы подняться к тебе. Погуляешь со мной?

— Нет. — Клэр улыбнулась и покачала головой. — Не сегодня.

— Жаль, — протянул Тьерри. — Я так любил наши прогулки!

— Я тоже, — кивнула Клэр. — Я тут заказала чай в номер. Ну давай, рассказывай все, что я пропустила.

— Ты тоже, — велел Тьерри. — А потом я отвезу тебя в шоколадную лавку.

— С удовольствием, — произнесла Клэр. — Буду очень рада.

Только потом я сообразила, что в обычное такси инвалидное кресло не засунешь, поэтому на ресепшене вызвали машину покрупнее. Но когда Тьерри вылезал из огромного черного автомобиля, тот и впрямь смахивал на лимузин.

Толпа тут же разразилась аплодисментами. Повеселевший Тьерри уже выглядел гораздо лучше, чем вчера, не говоря уже об ужасных днях в больнице. Он приветливо помахал своим поклонникам. Кто-то принялся фотографировать.

И тут отец и сын заметили друг друга. На секунду Тьерри застыл как вкопанный. Во взгляде Лорана чего только не промелькнуло: и страх, и волнение, и гордость, и вызов. Я уже научилась по лицу угадывать любое его настроение. Кто-то протянул Тьерри кусочек нового шоколада. Медленно, очень медленно Тьерри положил его на язык и некоторое время подержал во рту. На улице Шануанс повисла напряженная тишина. Даже хозяева других магазинов выглянули посмотреть, что происходит.

Тьерри жевал — задумчиво, тщательно, не спеша. Наконец замер и коротко, резко кивнул.

— Mon fils[1], — только и произнес он.

А потом широко раскинул руки, и Лоран, будто маленький мальчик, кинулся в папины объятия.

Я помогла Клэр выбраться из машины и сесть в инвалидное кресло, которое с трудом удалось пропихнуть в узкий торговый зал. Оттуда мы прошли в теплицу. Лоран занялся приготовлением и нового шоколада, и очередной порции лимонного одновременно. Тьерри следил за сыном, как коршун. Когда Лоран взялся за мельницу для перца, Тьерри пробормотал, что тот, видно, хочет довести его до нового сердечного приступа, но вмешиваться не стал. Клэр с довольным видом сидела возле подоконника с растениями. Я сделала несколько фотографий на память. Даже подумать странно, что Клэр здесь уже бывала. Интересно, многое ли с тех пор изменилось?

— Все осталось как было, — ответила Клэр. — Бенуа, я помню тебя совсем молодым.

Бенуа только хмыкнул.

— Он и тогда точно так же отвечал, — поделилась со мной Клэр.

Тьерри подошел к раковине и стал мыть руки.

— Сейчас приготовлю тебе лекарство, — пообещал он Клэр.

— Буду очень рада, — улыбнулась та.

Я как завороженная наблюдала за мастером. Вот он взял маленькую сбивалку, казавшуюся особенно крошечной в его огромной лапище. Потом нашел маленькую металлическую сковороду и стал готовить на медленном огне. Добавлял несколько капель бренди и ванили, пробовал и снова мешал. Лоран делал

---

[1] Мой сын (*фр.*).

вид, будто не обращает на Тьерри внимания, но сам пристально следил за его работой. Меня не проведешь.

Наконец шоколад был готов. Тьерри подогрел его и налил в большую глиняную чашку с потрескавшимися краями. Взял маленький ножик, срезал ровные колечки шоколадной стружки с большой плитки простого шоколада и украсил ими пенку. Наконец Тьерри вручил напиток Клэр с такой помпой, будто подавал изысканный деликатес на серебряном подносе.

— Та самая чашка! — восхитилась Клэр.

— Я сохранил все, что напоминает о тебе, — просто ответил Тьерри. — Из армии я вернулся другим человеком. Да и жизнь изменилась. Сложностей стало больше, свободы меньше. Вот и захотелось сохранить что-то на память о тех прекрасных временах.

Я смотрела, как Клэр пила. На секунду она прикрыла глаза. Летом мы горячий шоколад не подаем, но я много слышала об этом легендарном напитке.

Клэр удовлетворенно вздохнула. Может, у меня разыгралось воображение, но от шоколада у Клэр как будто бы и вправду прибавилось сил. На щеках появился румянец, а в глазах блеск. Клэр с удовольствием выпила всю чашку. Почти год она не ела и не пила с таким аппетитом.

— Неужели вы проделали такой путь ради чашки горячего шоколада? — спросила я.

— Это одна из главных причин, — чуть заметно улыбнулась Клэр.

Услышав наш разговор, Тьерри широко улыбнулся.

— За годы способности не утратил, — самодовольно объявил он.

— Я и не сомневалась.

Тьерри вылил остатки шоколада в чашку Клэр. Она с удовольствием допила их.

— Хочешь, сварю еще?

— Завтра, перед моим отъездом, — произнесла Клэр.

Я поглядела на Тьерри. Тот лишь молча кивнул. Не стал уговаривать ее задержаться. Значит, Клэр все ему объяснила.

— А теперь, Анна, хочу посмотреть, где ты живешь, — вдруг объявила Клэр.

— Ну, не знаю, — протянула я.

Любопытно, какая дама — или господин? — полусвета сегодня ночевали у Сами?

— Лучше не надо. В доме очень много лестниц, да и смотреть там особо не на что. Квартирка совсем крошечная, а я и вовсе в каморке ючусь.

— Я приехала к тебе в гости и хочу ее видеть, — объявила Клэр тем же тоном, каким требовала делать уроки.

Оставалось только выкатить коляску на мостовую и завернуть с ней за угол. А мужчины пусть разбираются со все растущей очередью довольных покупателей.

Добрались мы быстро, хотя преодолевать с коляской бордюры оказалось делом нелегким. Париж не приспособлен для инвалидных кресел.

В подъезде, как всегда, висела темнотища.

Клэр глянула на полинявший на солнце список жильцов возле дверных звонков.

— Моей фамилии нет, — сказала я. — Я ведь тут временно живу.

— Думаешь? — Клэр устремила на меня пристальный взгляд.

— Не знаю. — Я смутилась и опустила глаза.

— Учти, с Жирарами надо держать ухо востро, — предупредила Клэр.

Я толкнула тяжелую дверь. Клэр вполне в состоянии подняться по лестнице пешком, если будет держаться за мою руку.

— Жаль, что со своим Жираром я оплошала, — прибавила Клэр.

Я нащупала выключатель, зажгла свет, и мы медленно пустились в путь. Наверху опять приоткрылась загадочная дверь на втором этаже. У меня упало сердце. О нет! Только не эта жуткая старуха! Еще не хватало, чтобы она вышла на площадку и устроила мне разнос за то, что приятели Сами вечно хлопают дверью подъезда и врубают музыку в любое время дня и ночи.

Мы ползли по ступенькам со скоростью улиток, и тут дверь со скрипом распахнулась. Клэр застыла посреди площадки. Я замерла в нерешительности. Прежде чем свет опять погас, я успела разглядеть стоявшую перед нами старуху.

На вид она совсем древняя: волосы белы как снег, спина сгорблена.

— Клэр?.. — выдохнула старуха.

В квартире мадам Лагард до сих пор сохранилось много старых вещей, оставшихся с тех времен, когда семье принадлежал весь дом. Величественная мебель в стиле барокко смотрится несколько громоздко, зато квартира выглядит аккуратно и даже роскошно. В просторной гостиной на полу лежит персидский ковер с густым ворсом. У мадам Лагард даже служит горничная, которая усадила нас, вышла и вернулась с чайником, полным чая с лимоном, и чашками из костяного фарфора.

Две женщины не могли отвести глаз друг от друга.

— Я не знала, что ты в Париже, — проговорила мадам Лагард.

— Откуда? — Клэр покачала головой. — Этот адрес предложил Тьерри.

— Я всегда его поддерживала.

Наконец Клэр представила мне хозяйку.

— Анна, это Мари-Ноэль Лагард. Я жила у нее, когда в первый раз приехала в Париж.

— Наверху?

— Да, наверху. Но тогда весь дом принадлежал одной семье.

— Это было еще до социалистов, — поморщилась мадам Лагард. — Конечно же, мы с мужем развелись. Тогда это было очень модно.

— А как Арно с Клодетт?

— У обоих все хорошо. Клодетт живет неподалеку и часто заходит в гости. Ее дети меня обожают. А Арно сейчас в Перпиньяне, греется на солнышке.

— Такие милые дети! — Клэр улыбнулась.

— Это верно, — согласилась мадам Лагард. — Они тебя очень любили.

Повисла пауза.

— Насчет Тьерри...

Мадам Лагард опустила голову:

— Прошу прощения. Очень жаль, что так вышло. Я думала, между вами ничего серьезного. Просто легкий летний роман: сойдет на нет, и слава богу. Твоя мама тоже так считала.

— Мама?!

Мадам Лагард кивнула:

— Мне ее очень не хватает. Мы с ней всю жизнь переписывались.

— Значит, мама подговорила вас перехватывать письма?

— Да. Пока Тьерри служил в армии, вся его корреспонденция приходила на мой адрес. Мы с Эллен решили, что так будет лучше всего. Вдобавок я тогда разводилась, поэтому к романтике относилась более чем скептически.

— А я все эти годы винила папу!

Мадам Лагард улыбнулась:

— Большая ошибка — недооценивать женщин. Прости. Я думала, что поступаю правильно.

— Я так переживала! — Клэр покачала головой.

— Тьерри тоже, — кивнула мадам Лагард. — А когда он вернулся из Бейрута... Ах, Клэр, ты бы его не узнала! Он стал другим человеком. Даже армейские повара на военной службе видят такое, что лучше никому не видеть. Тьерри, конечно, бодрился, но жизнерадостность была напускной.

— Понимаю. — Клэр кивнула.

— А потом ты вышла замуж. Твоя мама так радовалась! Ричард ей очень нравился.

— Это точно. Он ее ужасно избаловал: то в кафе пригласит, то подарками завалит.

При этих воспоминаниях Клэр улыбнулась.

— А я-то считала его подлизой! Только теперь поняла, что это не подхалимаж, а доброта и предупредительность. Ричард очень хороший человек.

— Вот и Эллен то же самое говорила.

Мы допили чай. Две женщины обнялись.

— Выглядишь неважно, — заметила мадам Лагард.

Похоже, она очень прямая женщина. Мне она сразу понравилась.

— Да уж, — вздохнула Клэр.

— А я древняя старуха.

— И это тоже правда.

— Когда уезжаешь?

— Завтра.

Они остановились у двери.

— Ну что ж, встретимся в следующей жизни, — произнесла мадам Лагард.

— Будем надеяться, — ответила Клэр.

Они снова обнялись, а я отошла в сторонку, чтобы им не мешать.

Клэр сомневалась, по силам ли ей взобраться на верхний этаж. Мадам пригласила ее посмотреть на уродливые гаражи, построенные на месте сада — его пришлось продать, о чем хозяйка до сих пор не могла говорить спокойно, — но даже эта короткая прогулка далась Клэр очень тяжело. Но она не хотела расстраивать и волновать Анну.

Завтра Тьерри пожелает в последний раз подняться с Клэр на Эйфелеву башню. Но Клэр рассудила, что проблемы разумнее решать по мере их поступления. Сейчас ее главная задача — добраться до ванной и принять столько морфина, чтобы хватило продержаться ближайшие полчаса. Потом еще полчаса, и так далее.

— Приветствую!

Вся квартира устлана тканями, а Сами носится туда-сюда с диким блеском в глазах и полным ртом булавок. Посреди гостиной стоит невысокий хмурый молодой человек с толстым животом, обтянутым широким камербандом.

— Сейчас все будет!

Молодой человек с недовольным видом покосился на часы:

— До генеральной репетиции осталось пять часов.

— Вот черт! — выругался Сами. — Дорогая, у тебя случайно декседрина не найдется?

— А как же! — фыркнула я. — Из дома без него не выхожу.

Сами так закрутился, что мой сарказм уловил только через пару секунд. А потом вспомнил и про хорошие манеры и извинился перед Клэр.

— Простите, у нас сегодня аврал. Генеральная репетиция. Но мы со всем справимся...

— Ой! — вскрикнул певец: Сами уколол его булавкой.

— Приходите и вы.

— Ну, не знаю, — протянула я.

— Да что тут знать? Приходите, и все! На оперу!

— Не уверена, что...

— Она еще и не уверена! — возмутился Сами. — Билеты за несколько месяцев раскупили! Премьеру посетит президент, князь Монако и вообще все в Париже, кто хоть что-то собой представляет! А у тебя есть шанс увидеть оперу бесплатно, да еще и раньше всех!

— А что за опера? — в разговор вмешалась Клэр.

— «Богема», — ответил молодой певец. — Я пою партию Марселя. Мне бы сейчас голос разогревать, а не здесь торчать.

— Обожаю эту оперу! — Оживившаяся Клэр повернулась ко мне.

Я ни разу не бывала в опере. Да что там — ни одной арии целиком не слышала. Вдруг молодой человек — тот самый, с непримечательной внешностью — открыл рот. Тут даже Сами застыл как вкопанный. Звук, который мы услышали, оказался таким же густым и насыщенным, как шоколад Тьерри. Голос певца обволакивал и погружал в мир грез. Он спел всего лишь небольшой отрывок. Я даже слов не понимала, но его могучий голос заполнил все окружающее пространство. На лице Клэр появилось выражение удивительного спокойствия.

— Хорошо, придем, — выпалила я.

Потом обратилась к Клэр:

— Если вы, конечно, в состоянии.

— Сначала отвези меня обратно в отель, — распорядилась та. — Сейчас я больше всего на свете хочу прилечь и вздремнуть.

Глава 29

С Тьерри и Лораном мы встретились в лобби. Оба надели смокинги и галстуки-бабочки. На Тьерри костюм болтается, как на вешалке, а Лоран с таким же успехом мог написать на своем: «Взято напрокат» — и все же выглядит он потрясающе.

— Это всего лишь репетиция, — сказала я и все равно порадовалась такому основательному подходу.

Клэр выбрала простое и элегантное серое платье с запа́хом, призванное хоть отчасти скрыть болезненную худобу. А на мне подарок от Клэр. Откровенно говоря, не ожидала. Когда Клэр отдавала его мне в номере отеля, она явно немножко нервничала, но сказала, что теперь оно должно быть мне впору. Неужели я до такой степени похудела? Платье старое, но вполне сойдет за винтаж, а если оно мне не нравится — ничего страшного: Клэр в нынешней моде ничего не смыслит.

Но я влюбилась в платье с первого взгляда: восхитительно мягкая зеленая ткань, полевые цветы на подоле. Для меня, конечно, слишком девичье — мне ведь давно не семнадцать, — зато фасон и крой такие изысканные, что платье сидит идеально и вдобавок подчеркивает мой легкий летний загар. В первый раз надела такое красивое платье — и, судя по лицу Клэр, она тоже считает, что оно мне идет.

Клэр сама не понимала, зачем в последний момент положила платье в чемодан и привезла в Париж. Но стоило ей увидеть блестящие глаза и разрумянившиеся щеки счастливой, влюбленной Анны, и все сразу встало на свои места. Будь Клэр самодовольной особой, она очень гордилась бы своей идеей отправить Анну в Париж.

Отдых помог, но не сильно. Принимать пищу Клэр была не в состоянии: пришлось притворяться, что съела поданное на обед, пока Анны не было в номере. А еще Клэр за весь день ни разу не понадобилось в туалет. «Очень плохой знак, — предупреждал врач. — Сразу в больницу. Немедленно и без разговоров». — «Хорошо, доктор», — соглашалась Клэр.

Она понимала: ее тело держится из последних сил. Странно: оно выходит из строя постепенно, как старый бойлер или машина.

Клэр посмотрела на Анну. Платье ей очень идет, но с таким сияющим лицом, озаренным счастьем и радостным оживлением, Анна выглядела бы красавицей даже в мешковине. Да что там — она и есть красавица.

Я сделала Клэр макияж. Нанесла тушь на две тоненькие реснички, которые у нее недавно отросли, накрасила губы бледно-розовой помадой. Мы посмотрели друг на друга в зеркало, и Клэр сказала:

— Лучше бы точно никто не сделал.

Мы порывисто обнялись.

При виде меня Лоран просиял, а Тьерри вздрогнул и посмотрел на Клэр так, что сразу стало ясно: он прекрасно помнит это платье. Я попросила сотрудника отеля сфотографировать нас на мой телефон. Лоран помог Клэр встать с инвалидного кресла и поддерживал ее одной рукой, а второй пощекотал мой бок. Мы обе одновременно рассмеялись, и в этот момент сработала вспышка.

На генеральную репетицию пришла куча народу, и все оделись нарочито просто — мол, «мы тут все профессионалы, пришли слушать музыку, а всякая мишура нам до лампочки». Но нас это не смутило. Сами занял нам отличные места в центральной ложе, и все благодаря простому приему: взгромоздил на них толстенный рулон бирюзовой ткани. Тьерри пронес в зал коробку сэндвичей и бутылку шампанского в сумке-холодильнике. Я укоризненно поцокала языком и напомнила, что Элис его убьет. Тьерри улыбнулся, возразил, что сегодня особый случай, и хлопнул пробкой как раз в тот момент, когда музыканты закончили настраивать инструменты и в зале погас свет.

Я думала, что весь вечер буду маяться от скуки — главным образом потому, что ничего не пойму. Тогда всем станет очевидно, что я всего лишь глупая и невежественная Анна Трент из Кидинсборо: в школе училась кое-как, по-французски говорит хуже испанской коровы, любит слушать «Coldplay».

Но тут на сцену вышел дирижер — без церемоний и аплодисментов, мы же на репетиции, — поднял руки, и весь оркестр, раскинувшийся перед нами как на ладони, заиграл одновременно. Все эти струны, все эти скрипки... У меня дух захватило. Раньше я боялась, что буду скучать или чувствовать себя не в своей тарелке, а теперь слушала как завороженная. Тут поднялся занавес, и я замерла от восторга.

Двое мужчин — один тот самый коротышка, которого одевал Сами, — ютятся в холодной мансарде со спартанской обстановкой. Прямо как я! Оттуда тоже открывается вид на Париж: мерцающие огоньки, дымящиеся трубы... Не представляю, как они добились такого эффекта, но за окном даже падает снег. Все продумано до мельчайших деталей. Тут мужчины запели, и я будто перенеслась в другой мир. Однажды вечером Сами рассказал мне сюжет, пока подрубал ткань. Но здесь все понятно и без объяснений.

Вот замерзшие, голодные молодые люди жгут книги. Потом еще один молодой человек, выше и красивее тех двоих, встречает прекрасную Мими. Ее линялое платье все в заплатах, но оно ей удивительно идет. Мими поет о своей бедности и беззащитности ангельским голосом, взлетающим высоко под своды театра.

Лоран ни на секунду не убирал руку с моего колена. Я подалась вперед. Чем дальше, тем больше меня захватывало волшебное действо. На Клэр я взглянула не скоро.

Ее глаза были полузакрыты, голова лежала на плече Тьерри, он обнимал ее за плечи. Выглядела Клэр просто жутко. У меня в горле встал ком.

— Вы как? — прошептала я.

— Все хорошо, милая, — ответила Клэр.

— Завтра же везу вас домой, — объявила я. — Пусть Ричард встретит вас и отвезет обратно к сыновьям.

— Да, хорошо. — Клэр кивнула. — Как же мне повезло!

Она сжала мою руку. Тьерри что-то прошептал ей на ухо.

Клэр едва различала силуэты на сцене.

Вот два молодых человека. Ее мальчики. Или нет? Где сейчас ее мальчики? Как же ей хочется их увидеть! Она ужасно по ним соскучилась: по свежему запаху их волос, по тому, как они спят, раскинувшись на двухъярусной кровати, по их ручкам на своей шее.

— Останься, — шепнул ей на ухо Тьерри.

— Не могу. — Она улыбнулась в ответ. — Мне надо домой, к мальчикам... и к одному человеку, который заслуживал больше любви, чем я ему дала.

— Мне ты дала всю любовь. — Тьерри нежно поцеловал ее лысую голову.

— Тебе-то — да... — согласилась Клэр.

Артисты пели без антрактов и перерывов. Одна сцена сменяла другую. Но мне так даже больше нравилось: не хотелось нарушать магию. Я не понимала слов арий, но переживала все вместе с героями. Я будто кружилась вместе с ними в волшебном безукоризненном танце, потом стояла рядом с уличными торговцами. А когда Рудольф бережно уложил Мими на кушетку, покрывая ее лицо поцелуями, по моим щекам градом покатились слезы. Лоран шепотом перевел для меня название арии Рудольфа —

«Твоя ручка холодна». Тут мое сердце замерло, потом бешено забилось в панике. Я повернула голову.

Оркестр стих, певцы уставились на нас с открытыми ртами, Сами со всех ног выбежал из-за кулис, перепрыгнул через рампу и кинулся к нам. Длинный бирюзовый шарф болтался у него за спиной. Потом — «скорая помощь», яркий свет, суматоха. Все это было потом, но уже в тот момент я сразу поняла, что случилось. Просто почувствовала, и все.

Эпилог

Пожилой господин в юности явно был интересным мужчиной, теперь же его внешность несколько портила легкая полнота, однако густые усы оставались все такими же роскошными. Орудуя тростью, он нетерпеливо прокладывал путь к началу очереди. При виде высокого, хорошо одетого незнакомца туристы невольно расступались. С властным видом он шагнул к кассе и купил билет до верхнего уровня.

В лифте импозантный мужчина стоял, сцепив руки за спиной. Осень выдалась красивая. После жаркого лета листья окрасились ярко-алым и золотым. Прошли каникулы, и парижане вернулись в город бодрыми и отдохнувшими. Все горячо обсуждают свежую новость: у великого Тьерри Жирара появился деловой партнер — и кто бы вы думали? Его родной сын! Причем отныне Тьерри не почивает на лаврах и не идет проторенным путем. Нет, теперь в «Шоколадной шляпе» воцарилось новаторство и поразительные, неожиданные вкусы. Устричный шоколад Лорана обсуждали несколько недель подряд. А плечом к плечу с молодым шоколатье трудится Анна. Оказалось, эта девушка — просто сокровище. Они с Лораном так счастливы вместе! Добродушно пререкаются из-за новых вкусов, заставляют друг дружку попробовать очередную дикую смесь. С ними Тьерри необязательно ходить на работу каждый день. У него появилось гораздо больше времени для прогулок — и для Элис. Теперь, когда финансовому благополучию шоколадной лавки ничто не угрожает, Элис стала гораздо спокойнее, но до сих пор следит за Тьерри, как ястреб: попробуй нарушь диету! А еще у Тьерри теперь больше времени для размышлений. Он думает о том, как едва не потерял все хорошее, что есть в его жизни. Но если обойдется без несчастных случаев, у Тьерри впереди долгие годы. Годы, которых не было у Клэр. Тьерри чувствует, что его долг перед ней — наслаждаться ими на всю катушку.

На верхнем уровне Тьерри вышел из лифта и повернул налево. Он заметил, что большинство сразу идет направо. Тьерри подошел к ограде с восточной стороны. Отсюда видно башни Нотр-Дама и их маленький остров, их маленькую тихую гавань в сердце мира. На высокой башне парижские суета и шум кажутся несущественными. Так, пустяки. А каждый крошечный человечек внизу несет в себе свое неповторимое счастье и горе, любовь потерянную и обретенную.

В дуновении ветра ощущается холодное дыхание осени. Тьерри рад, что повязал розовый шарф, который для него купила Элис.

Он открыл коробку из «Галери Лафайет». Он так хотел вручить ее Клэр здесь. Подготовился, все продумал, но не успел. Они много чего не успели. Но тут уж ничего не поделаешь. Тьерри не станет думать об этом сейчас.

Он достал из белой коробки новенькую соломенную шляпу, поднял высоко над ограждением и — у-ух! — позволил ветру поднять ее высоко в воздух и унести. Шляпа кувыркалась в небе над дымовыми трубами, церковными колоколами и шпилями. Тьерри смотрел, как шляпа крутилась, а ленты развевались на ветру. Шляпа поднималась все выше и выше, а потом растаяла в голубизне неба и скрылась из вида.

Благодарности

Огромная благодарность Эли Ганн, Ребекке Сондерс, Манприт Гриуол, Ханне Грин, Эмме Уильямс, Чарли Кингу, Джо Уикхему, Дэвиду Шелли, Урсуле Маккензи, Дэниелу Мэллори, Саре Макфадден, Джо Дикинсону, иллюстраторам, отделу продаж и всем-всем-всем в «Little, Brown» и «Gunn Media», кто так хорошо потрудился над моими книгами. Я понимаю: мне очень-очень повезло!

Особая благодарность Саре Тоннер и Элисон Лейк, которые при помощи магических сил «Твиттера» объяснили мне физические и эмоциональные последствия травмы, которую получила Анна. Благодарю кондитерскую «Замбетти», практически превратившуюся в мой рабочий кабинет. А за аренду с меня брали всего лишь плату за кофе и хлеб с изюмом. Пожалуйста, не меняйте ваш нынешний курс: пусть кондитерская и дальше остается зоной, свободной от Wi-Fi.

Спасибо издательству «Headline» и лично Джону Уэйту, победителю конкурса «The Great British Bake Off 2012» (обожаю это шоу!), за то, что разрешил использовать свой рецепт. Это рецепт из его книги «Джон Уэйт печет... Рецепты на каждый день для любого настроения», которая выходит в апреле.

Благодарю Мойесов, Мэнби и Джуэл, замечательных спутников в прогулках по Парижу, и, конечно же, всю команду. Спасибо друзьям и родным за то, что поддерживали и пробовали результаты моих кулинарных экспериментов, провальные и успешные. Особая благодарность моему любимому мистеру Б., особенно за многочисленные сложные среды. А еще Уоллису, Майклу-Фрэнсису и маленькому Джеймсу Бонду — потому что знаю, как вам нравится видеть в книгах свои имена. А еще потому, что для меня вы всё.

И наконец, спасибо многочисленным читателям, которые писали мне, пекли пироги, отправляли смешные фотографии в «Фейсбуке» или смайлики в «Твиттере». Вы даже не представляете, как приятно получать обратную связь и какое хорошее у меня потом настроение (по версии моего мужа, какой «невыносимой» я потом становлюсь). Вы всегда можете связаться со мной через www.facebook.com/thatwriterjennycolgan или @jennycolgan. Но не через мой сайт — его так и не освоила.

Bon appetit! Ура, давно мечтала вставить эту фразу в книгу!

Все рецепты в этой книге, за исключением плетенки с пеканом и шоколадом, опробованы и проверены мной лично (но и ее попробую в самое ближайшее время!).

Дженни Колган

Вот некоторые из моих любимых шоколадных рецептов. Начну с самых простых и постепенно перейду к сложным — таким, как плетенка с пеканом и шоколадом.

ПИРОЖНЫЕ ИЗ ШОКОЛАДА С РИСОВЫМИ ХЛОПЬЯМИ

Надо же с чего-то начинать. Этот пирог особенно понравится младшим членам семьи, да и сейчас он такой же вкусный, каким был в моем детстве.

- 100 г топленого шоколада — темного или молочного, зависит от ваших предпочтений
- 60 г сливочного масла
- 3 чайные ложки светлой патоки (золотого сиропа)
- 90 г рисовых хлопьев

Медленно растопите шоколад, — вообще-то, для этой цели полагается использовать водяную баню, но я обычно заменяю ее микроволновкой. Топлю очень медленно, не больше десяти секунд за раз, и все время помешиваю — потом кладу масло, тоже топленое. Добавляю сироп и рисовые хлопья. Еще можно положить зефиринки и, если отличаетесь необычными предпочтениями, изюм (нет, серьезно, изюм бывает очень даже к месту, но это не тот случай).

Разлейте по бумажным стаканчикам и дождитесь, пока остынет.

«БЕСПРОИГРЫШНЫЙ» ШОКОЛАДНЫЙ ПИРОГ

Это самый простой рецепт шоколадного пирога в мире. Сейчас вы его прочитаете, хмыкнете и скажете: «Фу, растительное масло!» — но я вам гарантирую: оно придает вкуса и делает пирог сочным. Его можно испечь очень быстро, а такие рецепты всегда полезны, да и с ингредиентами особую точность можно не соблюдать.

- 4 яйца
- 200 г тростникового сахара
- 40 г какао-порошка
- 120 мл растительного масла
- 250 г муки
- 4 чайные ложки разрыхлителя теста
- 1/2 чайной ложки соли
- 1 чашка крепкого кофе (эспрессо или просто очень крепко заваренного)
- цедра 1 или 2 апельсинов
- 1 чайная ложка экстракта ванили

Нагрейте духовку до температуры 180 °C (средняя температура в духовке газовой плиты). Выложите форму бумагой для выпечки: так чище и аккуратнее.

Взбейте яйца, сахар, кофе и какао-порошок, понемногу добавляйте масло. Потом смешайте муку, соду и соль. Наконец добавьте цедру и экстракт ванили. Налейте в форму, поставьте в духовку на 40 минут, но не спускайте с пирога глаз, чтобы не потек. Мой пришлось возвращать обратно в духовку, чтобы полностью приготовился. В качестве глазури можно использовать шоколадную пасту «Nutella». Объедение!

ШОКОЛАДНЫЙ ПИРОГ С ПЕЧЕНЬЕМ

В первый раз попробовала его в исполнении моего друга Джима и просто влюбилась в этот рецепт. Спасибо, Джим.

Примечание: пожалуйста, все счета за занятия для похудения отправляйте ему, а не мне!

- 200 г сливочного масла без соли
- 150 мл светлой патоки (2 столовые ложки до краев)
- 225 г шоколада хорошего качества
- 200 г диетического печенья (покрошить)
- 200 г чайного печенья (покрошить)
- 125 г орехового ассорти (грецкий орех, бразильский орех, миндаль) — по вкусу
- 125 г фруктового ассорти (изюм, абрикосы, вишня) — по вкусу
- 1 шоколадный батончик «Cadbury Crunchie»

Выложите круглую форму для выпечки (15 см, или 6 дюймов) или форму для хлеба (на 900 г) двойным слоем жиростойкой бумаги. Я использовала силиконовую форму для выпечки. Ее выстилать не надо.

Растопите сливочное масло, сироп и шоколад на сковороде на медленном огне. Сковорода должна быть достаточно большой, чтобы в нее поместилось печенье и все прочее. Добавьте печенье, фрукты, орехи и «Crunchie». Как следует размешайте.

Переложите в заранее приготовленную форму. Выровняйте верх и как следует прижмите, чтобы не было пустот. Пусть остынет и затвердеет. Подержите не менее 2 часов в холодильнике или 45 минут в морозильнике. Чем дольше, тем лучше. А если достанете на следующий день, вкус будет особенно приятным. Как следует заверните в жиростойкую бумагу, и пусть лежит в холодильнике.

БРАУНИ С КОФЕ
И ШОКОЛАДНОЙ КРОШКОЙ

Конечно, без рецепта брауни не обойтись, и этот нам идеально подходит.

- 450 г простой муки
- 1 чайная ложка соли
- 1 чайная ложка разрыхлителя
- 1/4 чайной ложки пищевой соды
- 60 г молотого кофе
- 220 г сливочного масла
- 450 г темно-коричневого сахара
- 220 г шоколадной крошки
- 3 яйца (слегка взбить)

Нагрейте духовку до температуры 180 °C (средняя температура в духовке газовой плиты).

Возьмите миску среднего размера, смешайте в ней муку, соль, разрыхлитель, пищевую соду и кофе. Используя водяную баню или микроволновку (только осторожно!), растопите сливочное масло, коричневый сахар и половину шоколадной крошки. Смешайте как следует, дайте немного остыть и добавьте смесь из миски. Потом добавьте яйца. Размешайте. Налейте в сухую сковороду. Посыпьте сверху оставшуюся шоколадную крошку.

Поставьте на средний уровень духовки. Пусть готовится 25–30 минут, пока не появится зазор между пирогом и краями сковородки. Дайте остыть, потом уберите в холодильник, чтобы охладился. Достаньте и разрежьте на квадратные куски. Есть холодным или при комнатной температуре. Всего должно получиться 24 брауни.

ЛУЧШИЙ НА СВЕТЕ ГОРЯЧИЙ ШОКОЛАД

Особенно хорошо поить им уставших детей в холодные дни. Сколько зефира понадобится, точно подсчитать трудно. Просто берите раза в два больше, чем хотели.

- 125 г жирных сливок
- 125 г молока
- 100 г темного шоколада хорошего качества
- щепотка корицы
- зефир

Осторожно подогрейте сливки с молоком — но только смотрите, чтобы не закипели и не образовалась пенка. Будьте очень-очень аккуратны! Медленно растопите темный шоколад и добавьте к сливкам и молоку. Перед тем как подавать посыпьте корицей и зефиром. А если вы взрослый человек и приехали к нам в гости, в вашу порцию добавим немножко ликера «Драмбуи» или виски «Лагавулин».

МАМИН ЧИЗКЕЙК

Вот потрясающий чизкейк, который готовит мама моей подруги Лорен.

- 50 г сливочного масла
- 10–12 штук диетического печенья
- 1 столовая ложка меда или светлой патоки
- 5–6 яиц комнатной температуры
- 320 г тростникового сахара
- 500 г плавленого шоколадного сыра «Филадельфия»
- 2 столовые ложки простой муки
- 1–2 чайные ложки экстракта ванили
- 500 г вишни в сиропе
- 2 столовые ложки кукурузной муки

Нагрейте духовку до температуры 150 °C (умеренная температура в духовке газовой плиты).

Растопите сливочное масло в сковороде среднего размера. Размельчите печенье в кухонном комбайне до мелкой крошки, смешайте с маслом, медом или золотым сиропом. Промаслите высокую форму и равномерно распределите смесь по дну. Поставьте в духовку на 10 минут, потом оставьте охлаждаться.

Отделите белки от желтков. Взбивайте желтки до образования густой светлой массы. Медленно взбейте с 220 граммами сахара, потом добавьте сыр, муку и ванильный экстракт, пока консистенция не станет однородной. Взбивайте белки до плотной пены, смешайте с желтками металлической ложкой, залейте поверх слоя бисквита и поставьте в духовку на 70 минут. Выключите духовку и оставьте в ней чизкейк еще на час. Пусть остынет.

Процедите вишни. Добавьте в сок воды, чтобы всего получилось не меньше 120 мл. Добавьте сахар и кукурузную муку и нагревайте в сковороде, постоянно помешивая, пока не загустеет. Кипятить 1 минуту. Снимите с огня, добавьте вишни и поставьте охлаждаться. Переложите ложкой на чизкейк и дайте остыть.

ШОКОЛАДНЫЙ МЕРЕНГОВЫЙ ТОРТ

Обожаю этот торт! К тому же для его приготовления мука не нужна, что очень кстати для людей с пищевыми аллергиями. Он очень вкусный и хрустящий сверху (или снизу, смотря как повернете), а середина жидкая.

- 29 г эспрессо или очень крепкого кофе
- 2–3 столовые ложки бренди или любого алкогольного напитка по вашему выбору (джин с шоколадом — это нечто!)
- 350 г темного шоколада хорошего качества
- 4 крупных яйца (отделить белки от желтков)
- 100 г сливочного масла без соли (комнатной температуры, порезать мелкими кубиками)
- щепотка соли (шоколад солью не испортишь — наоборот!)
- 200 г тростникового сахара
- еще шоколад, чтобы натереть на терке и украсить торт сверху (если хочется)

Нагрейте духовку до температуры 180 °C (средняя температура в духовке газовой плиты). Натрите жиром форму для пирога (20 см) и выложите дно бумагой для выпечки.

Растолкните шоколад в термостойкой миске, налейте кофе и бренди и растопите в микроволновке или над кастрюлей с кипящей на медленном огне водой, пока смесь не станет однородной и блестящей. Поставьте остывать.

Взбейте яичные желтки со сливочным маслом до кремообразной массы. Добавьте остывшую шоколадную смесь и снова взбейте. В другой миске — очень чистой! — взбейте белки и соль до устойчивых пиков, постепенно добавляйте сахар, взбивая после каждого кусочка, пока не получите красивую блестящую меренгу.

Переложите меренгу (примерно по $1/_3$ за раз) и поместите в шоколадную смесь, потом ложкой перелейте в форму и выровняйте. Запекайте около 40 минут. Корочка должна быть хрустящей и слегка растрескавшейся, а середина — мягкой, но не жидкой.

Выключите духовку и оставьте в духовке для постепенного остывания. Достаньте примерно через час и дождитесь, пока остынет полностью. Проведите ножом между стенками и тортом, чтобы достать его. Переложите на тарелку. Переверните форму над тарелкой, если хотите, чтобы хрустящая корочка была внизу. Разотрите шоколад на терке, если желаете украсить торт сверху, но я с этим делом никогда не заморачиваюсь.

ПЕЧЕНЬЕ
С ШОКОЛАДНОЙ КРОШКОЙ

Очень простой и вкусный рецепт.

- 250 г непросеянной муки
- 1 чайная ложка пищевой соды
- щепотка соли
- 125 г мягкого сливочного масла
- 90 г гранулированного сахара
- 90 г кускового коричневого сахара

- 1 чайная ложка экстракта ванили
- 2 яйца
- 150 г полусладкой шоколадной стружки
- 125 г ореховой крошки

Нагрейте духовку до температуры 180 °C (средняя температура в духовке газовой плиты). В маленькой миске смешайте муку, пищевую соду и соль. Отставьте в сторону. В большой миске смешайте сливочное масло, сахар и ваниль. Взбейте до кремообразной массы. Добавьте яйца и опять взбейте. Постепенно добавляйте в смесь муку. Как следует размешивайте. Помешивая, добавьте шоколадную и ореховую крошку. Охлаждайте смесь около часа, если у вас есть время, потом переложите на противень и придайте форму печенья. Запекайте 8–10 минут.

ШОКОЛАДНЫЙ МУСС

Не стыжусь признаться: когда этот мусс получился у меня идеально с первого раза, пришла в полный восторг. Принимала гостью, которая замечательно готовит, поэтому притворилась, что другого результата и не ждала. С тех пор готовила шоколадный мусс несколько раз. Рецепт одновременно и надежный, и эффектный. Все, что вам нужно, — немного времени. Если хотите, можете добавить для вкуса ликер «Гран Марнье».

- 25 г сливочного масла
- 200 г шоколада (100 г молочного и 100 г темного)
- 240 мл воды
- 3 яичных желтка
- 25 г тростникового сахара
- 200 г взбитых сливок

Растопите сливочное масло и шоколад с 60 мл воды (я делаю это в микроволновке, очень медленно и осторожно: проверяю каждые 10 секунд. Но если вам так удобнее, можете воспользоваться водяной баней). Взбейте яичные желтки, сахар и остатки воды на медленном огне и взбейте сливки, если они еще не взбиты. Смешайте все ингредиенты и охлаждайте 3–4 часа в холодильнике.

«СПЕЛАЯ ВИШНЯ»

Мой муж из Новой Зеландии, а там шоколадный батончик с этим названием — национальное достояние. Попыталась его воссоздать на день АНЗАК[1]. Попытка оказалась успешной — не успела я отвернуться, как поднос опустел. Это лакомство легко порезать на кусочки, и поэтому оно особенно удобно для школьных праздников и т. п.

- 175 г блинной муки
- 2 чайные ложки какао-порошка
- 100 г тростникового сахара
- 1/2 чайной ложки разрыхлителя
- 100 г сливочного масла
- 50 мл молока
- 600 г вишни в сахаре
- 125 г сгущенного молока
- 140 г кокоса (порезать)
- 1 чайная ложка экстракта ванили
- 150 г темного шоколада

Нагрейте духовку до температуры 180 °C (средняя температура в духовке газовой плиты). Смазать сли-

---

[1] *День АНЗАК* — национальный праздник Австралии и Новой Зеландии. Отмечается 25 апреля.

вочным маслом квадратную сковороду и выложить бумагой для выпечки.

Смешать муку, какао-порошок, сахар, разрыхлитель, сливочное масло и молоко. Запекать 15–20 минут. Смешать вишню, сгущенку, кокос и ваниль и распределить по остывшему нижнему слою. Сверху полейте расплавленным темным шоколадом и оставьте на некоторое время — если сможете.

ТОРТ С ШОКОЛАДНЫМИ ШАРИКАМИ «MALTESERS»

Самое хорошее в этом очень простом пироге — он выглядит так красиво и эффектно, будто на него ушло много труда. Предупреждаю: пирог большой, поэтому приберегайте его для тех случаев, когда ждете много гостей. Для дней рождения это идеальный вариант.

- 250 г просеянной блинной муки
- 150 г просеянного тростникового сахара
- 150 г мягкого сливочного масла
- 4 яйца
- 50 г какао-порошка
- 125 мл сметаны
- 1 чайная ложка разрыхлителя
- щепотка соли
- 1/2 чайной ложки экстракта ванили

Для глазури:
- 500 г тростникового сахара
- 100 г какао-порошка
- 250 г сливочного масла
- 1/2 чайной ложки экстракта ванили
- молоко, чтобы разбавить смесь, если она получится недостаточно жидкой
- шоколадные шарики «Maltesers» — для украшения

Нагрейте духовку до температуры 180 °C (средняя температура в духовке газовой плиты). Натрите жиром и выложите бумагой для выпечки две формы одинакового размера.

Смешайте ингредиенты до равномерной консистенции. Запекайте 20–30 минут (или проткните пирог зубочисткой. Если вытащите сухую, значит готов).

Взбейте ингредиенты для глазури. Покройте глазурью сверху и между слоями торта. Потом возьмите четыре упаковки «Maltesers» (хотя нет, лучше купите пять — вдруг одну съедите?) и украсьте торт. Даже такой неуклюжей особе, как я, вполне по силам выложить шоколадные шарики по прямой линии.

Такой торт не стыдно выставить в витрину хорошей кондитерской. Ура!

ПЛЕТЕНКА
С ПЕКАНОМ И ШОКОЛАДОМ

Я так рада, что Джон Уэйт, победитель конкурса «The Great British Bake Off 2012» (но, если честно, все участники были просто супер: на Хеллоуин нарядила своего пятилетнего сына Джеймсом Мортоном), дал нам разрешение использовать этот рецепт. Он из кулинарной книги, которая называется «Джон Уэйт печет... Рецепты на каждый день для любого настроения» (25 апреля 2013, «Headline Publishing Group»). Обожаю смотреть по телевизору этот конкурс и никогда его не пропускаю. Стараюсь использовать некоторые рецепты оттуда (но только не слишком сложные — за торт «Heaven and hell» даже браться боюсь). Как любой здравомыслящий человек, преклоняюсь перед Мэри Берри — она королева.

Эта плетенка просто великолепная, очень вкусная и слегка необычная. Как раз то, что нужно, если захотелось чего-то новенького.

Для плетенки 1 × 14 дюймов:

- 500 г слоеного теста
- мука для посыпания
- 3 толстых ломтя белого хлеба
- 200 г орехов пекан
- 75 г сливочного масла без соли
- 150 г легкого сахара мусковадо
- 75 г шоколадной крошки
- 1 яйцо для глазури
- 1 столовая ложка сахара для глазури

Оборудование: кухонный комбайн.

Нагрейте духовку до температуры 200 °C (средняя температура в духовке газовой плиты). Посыпьте мукой рабочее место и раскатайте тесто до прямоугольника 10 × 14 дюймов. Положите тесто на противень, выложенный бумагой для выпечки: так будет проще делать плетенку, потом не придется ее перекладывать. Отложите пока в сторону.

Для начинки размельчите хлеб в кухонном комбайне до мелкой крошки. Насыпьте в большую миску. Насыпьте в комбайн орехи пекан и тоже размельчите до мелкой крошки. Высыпьте в миску вместе с крошками хлеба.

Положите в кухонный комбайн сливочное масло с сахаром. Пусть смешаются. Добавьте хлебные крошки, орехи и молоко и готовьте в комбайне до получения клейкой массы. Консистенция должна быть как у густого теста для пудинга.

Поставьте перед собой противень с тестом. Поверните так, чтобы прямоугольник из теста лежал к вам короткой стороной (если сравнивать с картинами — как портрет, а не как пейзаж). Возьмите начинку, скатайте в сосиску и положите точно по центру теста. По обе стороны от «сосиски» должно остаться около 4 свободных дюймов теста. Когда выложите на тесто всю начинку, посыпьте ее шоколадной крошкой. Осторожно вдавите, но так, чтобы не размазать начинку.

Возьмите острый нож или нож для пиццы, разрежьте тесто по обе стороны от начинки. Вырежьте полоски из теста длиной около 1 см. Полоски должны спускаться вниз вдоль «сосиски» из начинки. Получится что-то вроде сороконожки — только очень вкусной.

Взбейте яйцо и глазируйте им края полосок — можно кондитерской кистью, а можно пальцем. Чтобы сделать косичку, возьмите первую полоску с одной стороны (первая — это та, что дальше всех) и согните над начинкой слегка по диагонали, чтобы она соединилась с полоской с другой стороны. Возможно, полоски придется натянуть. Осторожно прижмите, чтобы они не вернулись в прежнее положение. Повторите то же самое со всеми полосками — вторыми, третьими, четвертыми и так далее, пока не заплетете косичку вокруг начинки. На концах плетенка получится открытой, и из нее будет торчать начинка. Вот что нужно делать: взять чайную ложку, достать немного начинки и соединить края вместе, чтобы запечатать плетенку. Тогда начинка не вытечет и потом ее не придется убирать.

Колган Дж.

К60   Шоколадная лавка в Париже : роман / Дженни Колган ; пер. с англ. А. Осиповой. — М. : Иностранка,
Азбука-Аттикус, 2020. — 480 с.

ISBN 978-5-389-17998-1

Анна Трент, невольная виновница аварии на шоколадной
фабрике, теряет работу. Благодаря случайной встрече со своей школьной учительницей французского она отправляется
в Париж, где знакомится с гениальным шоколатье Тьерри Жираром. После захолустного английского городка, в котором
Анна провела всю жизнь, Париж ошеломляет и пугает, а все,
чему она научилась на фабрике, приходится забыть. В лавке
Тьерри шоколад не производят промышленным способом,
здесь его приготовление — высокое искусство.

Но постепенно Анна подпадает под неотразимое обаяние
французской столицы. И каждое утро, едва над мостом Понт-
Неф занимается заря и оживают зеленые аллеи, она уже в лавке — варит самый нежный, самый изысканный, самый дорогой
шоколад, по которому сходят с ума парижские гранд-дамы.

Впервые на русском!

УДК 821.111
ББК 84(4Вел)-44

Литературно-художественное издание

ДЖЕННИ КОЛГАН
ШОКОЛАДНАЯ ЛАВКА В ПАРИЖЕ

Ответственный редактор Геннадий Корчагин
Редактор Елизавета Дворецкая
Художественный редактор Виктория Манацкова
Технический редактор Татьяна Раткевич
Компьютерная верстка Михаила Львова
Корректоры Елена Терскова, Валерий Камендо

Подписано в печать 17.08.2020. Формат 84 × 100 1/32.
Печать офсетная. Тираж 4000 экз. Усл. печ. л. 23,4. Заказ № 4729/20.

Знак информационной продукции
(Федеральный закон № 436-ФЗ от 29.12.2010 г.): **16+**

ООО «Издательская Группа „Азбука-Аттикус"» —
обладатель товарного знака «Издательство Иностранка»
115093, г. Москва, ул. Павловская, д. 7, эт. 2, пом. III, ком. № 1

Филиал ООО «Издательская Группа „Азбука-Аттикус"» в Санкт-Петербурге
191123, г. Санкт-Петербург, Воскресенская наб., д. 12, лит. А

ЧП «Издательство „Махаон-Украина"»
Тел./факс: (044) 490-99-01. E-mail: sale@machaon.kiev.ua

Отпечатано в соответствии с предоставленными материалами
в ООО «ИПК Парето-Принт».
170546, Тверская область, Промышленная зона Боровлево-1, комплекс № 3А.
www.pareto-print.ru

ПО ВОПРОСАМ РАСПРОСТРАНЕНИЯ ОБРАЩАЙТЕСЬ:

В Москве: ООО «Издательская Группа „Азбука-Аттикус"»
Тел.: (495) 933-76-01, факс: (495) 933-76-19
E-mail: sales@atticus-group.ru; info@azbooka-m.ru

В Санкт-Петербурге: Филиал ООО «Издательская Группа „Азбука-Аттикус"»
Тел.: (812) 327-04-55, факс: (812) 327-01-60. E-mail: trade@azbooka.spb.ru

В Киеве: ЧП «Издательство „Махаон-Украина"»
Тел./факс: (044) 490-99-01. E-mail: sale@machaon.kiev.ua

Информация о новинках и планах на сайтах:
www.azbooka.ru, www.atticus-group.ru

Информация по вопросам приема рукописей и творческого сотрудничества
размещена по адресу: www.azbooka.ru/new_authors/

H-JJM-26430-02-R